マン・レイと女性たち

MAN RAY and the WOMEN

監修・著
巖谷國士
Kunio Iwaya

平凡社

謝辞 Acknowledgement

展覧会「マン・レイと女性たち」の開催にあたり、貴重な作品をご出品くださいました国際マン・レイ協会マリオン・メイエ氏をはじめ協会の皆様方、ならびに個人所蔵家、美術館、機関、画廊の、開催実現のためにご協力を賜りました関係各位に衷心より御礼申しあげます。

We would like to express our deepest gratitude to Ms. Marion Meyer and the entire team of the Association Internationale Man Ray, Paris, for lending their precious works, and to the private collectors, museums, organizations, galleries and all parties involved for their assistance in making the exhibition "Man Ray and the Women" possible.

Association Internationale Man Ray, Paris, France
Marion Meyer, President
Sabine Boissinot
Eva Meyer-Zerbib
Monique Sjouwerman

Michel Aubry
Pierre-Yves Butzbach
Florence Calame-Levert
Marc Domage
Florence Guerlain
Pierre Huber
Robert Huber
Margot Jeannin
Steven Mendelson
John Mestdagh
Antigone Schilling

Yuki Asanuma, Paris, France
Fumiko Yamazaki, London, UK

Design Museum Den Bosch, The Netherlands
Dr Timo de Rijk
Adriënne Groen
Marte Rodenburg
Ville de St Etienne-du-Rouvray & Bibliothèque Elsa-Triolet, France
Martine Thomas
Maison Triolet Aragon, St Arnoult en Yvelines, France
Guillaume Roubaud-Quashie
Enseigne des Oudin, Fonds de dotation, Paris, France
Alain Oudin
Jannick Thiroux
Telimage, Photothèque Man Ray, Paris
Gallery Eva Meyer, Paris, France
Gallery Levy, Hamburg, Germany
Thomas Levy
Marleen-Christine Linke
Gallery Maruani-Mercier, Brussels, Belgium
Serge Maruani
宮脇愛子アトリエ　Aiko Miyawaki Atelier, Atami, Japan
松田昭一　Shoichi Matsuda

展覧会「マン・レイと女性たち」 Man Ray and the Women

会期／会場　Dates & Venues:

第1会場　2021年7月13日〜9月6日 | 13 July to 6 September 2021
Bunkamura ザ・ミュージアム | The Bunkamura Museum of Art, Tokyo, Japan
主催：Bunkamura、日本経済新聞社 | Organized by Bunkamura, Nikkei, Inc.

第2会場　2022年4月21日〜6月19日 | 21 April to 19 June 2022
長野県立美術館 | Nagano Prefectural Art Museum, Nagano, Japan
主催：長野県、長野県立美術館 | Organized by the Nagano Prefecture, Nagano Prefectural Art Museum

上記のほか2022年7月〜2023年1月まで日本国内2会場を巡回予定
The exhibition is scheduled to travel to 2 other venues in Japan from July 2022 to January 2023

監修　Curatorial Direction:

マリオン・メイエ（20世紀美術研究、国際マン・レイ協会会長）
Marion Meyer, 20th-century art specialist / President of Association Internationale Man Ray, Paris

巖谷國士（シュルレアリスム研究、仏文学者、美術批評家、明治学院大学名誉教授）
Kunio Iwaya, Surrealism specialist / Art and literature historian / Honorary Professor at Meiji-Gakuin University

協力　Cooperation:

日本航空 | Japan Airlines　損保ジャパン | Sompo Japan Insurance　日本通運 | NIPPON EXPRESS, Japan　LPアート | LP ART, France

企画協力　Coordination:

アートプランニングレイ | Art Planning Rey Inc.　深井大門 | Daimon Fukai　豊田奈穂子 | Naoko Toyoda

はじめに
Preface

「マン・レイと女性たち」という展覧会のテーマは魅力的です。刺激的でもあり感動的でもあります。

多才で活動的だったこの芸術家は、長い生涯のあいだに数多くの女性たちと出会い、交友や恋愛の関係をもったばかりでなく、ポートレートをはじめとする数知れない作品のなかに、彼女たちの姿を刻印しました。

とくに写真家として、女性芸術家・文学者たちからモデルや女優、社交界の貴婦人たちまで、身近な女性たちを撮った肖像写真、また専門誌に載せたファッション写真を集めただけでも、一時代の女性文化のギャラリーになるほどです。

マン・レイはいつも女性と対等に接し、差別意識も偏見もない客観的な目で、敬意をもって女性の美と個性を定着しました。絵画やデッサン、彫刻やオブジェなどでもそうです。その女性像は卓越した感性と知性を反映して、今日の私たちを強く惹きつける力を保っています。

ここではマン・レイの愛した5人の女性をはじめ、数十人におよぶ魅力的な女性たちと出会えることでしょう。そしてその多くは、20世紀という変動の時代を美しく積極的に生き、それぞれの個性を発揮していた自由な女性たちなのです。

本書はこの展覧会の図録を兼ねているので、展示にあわせてマン・レイの生涯をたどり、女性像を中心とする260点の作品を解説しながら、「マン・レイと女性たち」というテーマを展開してゆきます。

同時にその枠をこえて、広くマン・レイ入門、マン・レイ概説としても読めるように配慮しています。序文と本文各章だけでなく、巻末の詳細な「人名解説と索引」やパリの地図、写真図版入りの年譜などもあいまって、「永続する」(マン・レイの好んだ言葉です)書物になることをめざしています。

この場を借りて、パンデミックのさなかに協力と援助を賜ったパリ在住の共同監修者マリオン・メイエ氏をはじめ、関係者のみなさまに厚く御礼を申しあげます。

2021年6月6日　巖谷國士

目次
Contents

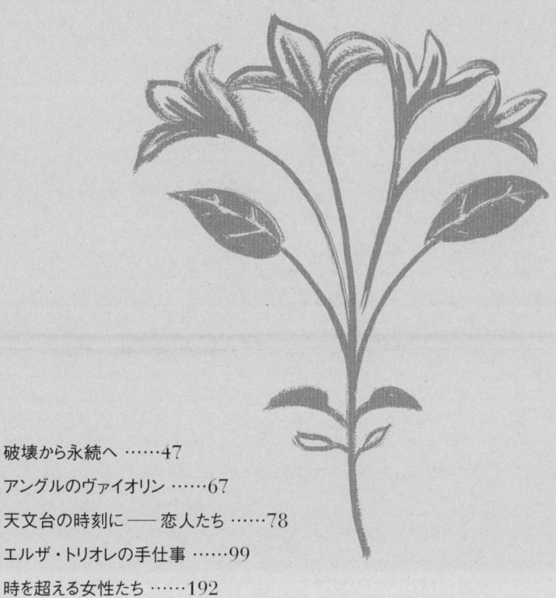

コラム Columns

凡例

1　本書『マン・レイと女性たち』は、2021年夏から国内を巡回する同名の展覧会の図録を兼ねています。したがって構成はこの展覧会と同じく年代順にし、マン・レイの移り住んだ土地（ニューヨーク、パリ、ハリウッド、パリふたたび）に応じて４つの章を立て、それぞれにテーマをいくつか設けて解説しています。

2　冒頭にはとくにマン・レイという芸術家についての考察として序文「マン・レイの女性像」を立て、本文各章・各テーマの部分ではさらにマン・レイの生涯と作品の推移と、その人間関係（とくに女性たちとの）に重点を置いた解説を配します。末尾近くには展示作品にはふくまれない「マン・レイの映画」についての一節を加えます。全体としてマン・レイ入門、マン・レイ概説とする意図もあるため、表現はできるだけやさしくしています。

3　カラーページに収録した図版は展覧会の展示作品のすべてなので、260点に及びますが、当然テーマに沿って「女性たち」を描いた／撮った肖像が圧倒的に多く、この点は前例のない本書の特徴です。肖像にのこされた女性たちをはじめ、登場する人物、とくに女性についてはほぼ全員を「人名解説と索引」にとりあげ、できるだけ詳しく、ときには略伝のようにして紹介しています。

4　図版ページには適宜コラムを設け、また図版キャプションの下にメモを加えるなどして、解説を補っています。ほかにマン・レイの住んだ場所／かよった場所を示す「パリガイド（1921-1940/1951-1976）」、「年譜」や洋書を中心とした「参考文献」や「作品リスト」（以上４項は国際マン・レイ協会の資料提供がありました）などもそれぞれ「凡例」を設け、本文にはない多くの情報を提供しています。

5　作品番号はアラビア数字で表記しています。本文のなかで収録作品に言及するときには、タイトルの肩にその作品番号を振っています。解説本文などのなかに参照できる記述がある場合には（→P. …）で示しています。カラー図版ページにマン・レイ以外の作者による作品の掲載されるページは、背景色を薄いピンクにしています。また図版ページに引いた参考図版はFig.…で表記しています。

6　作品名と人名の日本語表記は、原則として所蔵者の用いているもの（国際マン・レイ協会が仏語表記の作品名は必要に応じて英訳）に従っています。本文中などの固有名詞の日本語表記は、原則として当該国の発音を生かすようにし、ほかに慣用のある場合はそれに従っています。図版キャプション中の人名は原則としてフルネームにしていますが、本文中ではわかりやすいように姓のみ、名のみ、愛称のみで表記する場合もあります。

7　美術作品のタイトルは《ギユメ》に入れて、画集・美術作品集などのタイトルは『二重カギ』に入れて示します。書物や雑誌、映画や演劇や舞踊などのタイトルは『二重カギ』に入れて、書物の章名や収録テクストのタイトル、またパンフレットなどのタイトルは「カギ」に入れて示します。引用文・引用句は「カギ」に入れて示します。以上が原則ですが、巻末の資料部分では多少の例外もあるので、その場合にはそれぞれ個別に「凡例」を設けています。

8　巻末に近い「人名解説と索引」は、本書のなかでも重要な部分のひとつです。本書に登場するほとんどの人名（本書の内容に照らして省いている人名もあります）について解説しているので、その冒頭にも独立した「凡例」を設け、とくに固有名詞の表記の原則などについてはより詳しく示しています。序文や解説本文などの表記についても、必要な場合はそちらを参照することができます。

序にかえて　マン・レイの女性像

An Introduction　“Man Ray and the Women”

マン・レイは20世紀を代表する芸術家のひとりです。たとえば無二の親友だったマルセル・デュシャンをはじめ、長く親しく交友したマックス・エルンストや、敬愛する年長の友だったパブロ・ピカソなどとならんで、現代の「巨匠」と呼ばれるにふさわしい人物でもあります。

ただし、いま挙げた３人とくらべてみると、どこか軽い印象があることに気づくでしょう。ひとつには活動領域が群をぬいて広く、絵画、彫刻、オブジェ、写真、映画、文学などにまで及んでいて、しかもジャンル間の往来がめまぐるしい[◆1]からですが、もうひとつ、とくに写真の分野での名声だけが先行してきたという事情からです。実際にいまでも、マン・レイといえばあの有名な写真家、と思われる向きが多いでしょう。

写真は19世紀前半に生まれた新しい芸術、というよりも技術だったために、絵画や彫刻のような古来の芸術とは別扱いされてきました。少なくともマン・レイの出発した20世紀はじめには地位の低いジャンルでした。彼自身、1921年にパリに移住して写真を生業（なりわい）にしてからも、「写真は芸術ではない」[◆2]とくりかえし公言していて、これは逆説にも見えますが、本心の部分もあったのです。

マン・レイは画家としての自覚が強く、写真家とみなされることを好みませんでした。第二次大戦前には主な収入源だった肖像写真やファッション写真の仕事をやめていますし、戦後になってからたびたび開かれた回顧展でも、写真作品の展示をことわっています。ただし、だからといって写真を棄てたわけではなく、大戦中にハリウッドにこもってからも、1951年にパリに戻ってからも、気が向けばカメラをとりだしてすてきな写真を撮っていました。

マン・レイにはこのように矛盾とも逆説ともとれる言動が多く、どこかしら謎めいた人格を感じとれます。姪のフローレンスが「あなたは誰？」と問うたとき、「私は謎だ」[◆3]と答えたという逸話がありますが、マン・レイの生涯を追ってゆくと、ときおり「謎」に直面します。それは複雑な内面に由来するように思えたり、彼自身のしこんだ軽い謎かけだったりするのですが、答のない場合もあって、そこがまたマン・レイの魅力を増してゆきます。

「写真は芸術ではない」という言葉も謎かけだったとして、正解はひとつに絞れないでしょう。それでもごく普通に見て、これはいわゆる写

◆1 マン・レイにはジャンルを超えた「再制作」という方法論があって、たとえば絵画を彫刻に再制作したり、写真をオブジェに再制作したりという場合も多いので、なおさらです。→P. 44, 144, 154, 178

◆2 1937年に写真集『写真は芸術ではない』をアンドレ・ブルトンの序つきで出しています。第二次大戦中の1943年にも雑誌『ヴュー』に同じタイトルで小文を載せました。すでに1911年のニューヨークでマリウス・デ・ザヤスの同名の評論が話題になっていたので、記憶にのこっていたのかもしれません。

◆3 ニール・ボールドウィン著『マン・レイ』(1988年刊)。2004-05年にはこの言葉を借りて日本で「マン・レイ―私は謎だ」という展覧会がひらかれました。

真、一般に写真だと思われているものについての言葉だと考えられます。写真は昔からたえず芸術なのかどうかを問われてきました。芸術と認めない場合の根拠はさまざまですが、端的なのは「単なる現実の再現だから芸術ではない」ということです。

いわゆる写真は「単なる現実の再現」でしょう。人は写真を前にしたとき、目で見たとおりの現実がそのまま写っていると思いがちです。じつはカメラは器械であり、その目はレンズである以上、人間の目で見る現実とは違うものが写るのですが、そのことに気づかないわけです。現に日本語の「写真」という言葉は「真」が「写」るという意味ですから、この錯覚を正当化しています。

写真の原語であるフォトグラフはギリシア語源のフォト（光）とグラフ（画）の合成語なので、「写真」は明らかに誤訳です。光による画という意味ですから直訳すれば「光画」。じつは日本でも一時この訳語があったのに、「写真」のほうが流通してしまいました。その結果「現実の再現」という錯覚もおこりやすいわけですが、西欧でもこの錯覚は根づよく、マン・レイの時代にもありました。晩年の回顧展で写真作品を除外したというのも、ひとつには受け手の側のそうした通念を嫌ったからでしょう。

マン・レイには日本語の「写真」よりも「光画」のほうが適合します。まだ20歳前にニューヨークで名写真家アルフレッド・スティーグリッツ◆4に出会って以来、彼は「芸術ではない」写真の本性を知りつくしていました。一方ではすでに絵画への激しい情熱があったので、「見たとおりの現実」の再現には飽きたりません。キュビスム開眼にはじまる彼の絵画は新しい現実の創造であり、写真もまた新しい現実を開示する「光画」でした。その新しい現実を一種の超現実と呼べるとすれば、シュルレアリスムとの接点もわかります。

マン・レイはパリにスタジオ◆5をひらき、生活の糧（かて）を得るために肖像写真の仕事をしますが、実際には型どおりの注文写真ではなく、自発的に自由な冒険を試みていました。偶然にはじめたファッション写真でも、彼は従来の商業的な宣伝写真とは一味も二味も違う、先入観に左右されない、ときには目のさめるほど美しい、斬新で刺激的な作品の数々を仕上げてゆきます。

画家マン・レイは写真を「余技」だといい、収入を得るための方便だとも称しましたが、だからといって片手間の仕事はせず、むしろ熱中してさまざまなアイディアを注ぎこみ、レイヨグラフやソラリゼーション◆6のような技法によって表現の幅をひろげました。前者はカメラを用いずに印画紙に物を置いて感光させる写真、後者は現像中に光を入れて「見え

◆4 スティーグリッツのひらいた「291」という画廊ではセザンヌやピカソなど、フランスの近代絵画を紹介していたので、マン・レイはそこへかよって影響を受け、キュビスム風の絵を描きはじめました。先人の写真家スティーグリッツには写真の手ほどきも受けていますが、当時は絵画のほうに没頭していました。

◆5 マン・レイはモンパルナスを転々として、はじめはホテルやアパルトマンに小さな写真スタジオを設けていましたが、やがて大きめのアトリエを構え、助手も受けいれています。ベレニス・アボット、ジャックアンドレ・ボワファール、ビル・ブラント、そしてリー・ミラー。それぞれ優れた写真家になりました。→P. 206-208の「パリガイド」参照。

◆6 レイヨグラフ→P. 44, 77, 144 ソラリゼーション→P. 72, 106

たとおりではない」画像をつくる写真ですから、文字どおりの「光画」です。こうしていわゆる写真の枠を超えることで、ある意味では写真の芸術性を高めていたのです。

マン・レイと女性というテーマを考える際に、まず以上のようなことを確認する必要がありました。マン・レイには画家として女性を描いた作品も多く、彫刻にもオブジェにも女性をモティーフにした作品がありますが、数の上では女性像の大半が写真作品でした。彼にかかわった女性たちのほとんどは、写真に撮られていたといってよいほどです。

マン・レイの長い生涯には、運命的に出会い、愛しあい、生活をともにした５人の女性がいました。アドン・ラクロワ、キキ・ド・モンパルナス、リー・ミラー、アディ・フィドラン、ジュリエット・ブラウナーの５人◆7は、それぞれ個性的で自由で美しく、それぞれのドラマを生きることになりますが、マン・レイにとってはそれぞれの時期のただひとりの女性であり、ミューズであり、写真のモデルでした。出自や年齢の違いはあっても、彼はいつも彼女たちと対等に接していました。

20世紀の社会ではよく「女性遍歴」といった卑俗な言葉で語られる芸術家もいて、冒頭に挙げた３人にしても、デュシャンはともかくエルンストには、そしてとくにピカソには当てはまりそうですが、マン・レイは違います。５人のうちはじめの３人とは相手の浮気がきっかけで別れていますし、アディは戦争による別離、ジュリエットは正式に結婚して最期まで「いっしょ」◆8の生活でした。彼は女性に対していつも一対一の関係を守り、誠実そのものだったように見えます。

この５人がマン・レイのミューズであり、作品のモデルであったことも重要で、まだ写真家を自覚する前の最初の妻アドンは別として、キキもリーもアディもジュリエットも、数多い写真作品のなかに生きつづけている存在なので、本文ではそれぞれの節を立てて解説しています。

マン・レイの交友と仕事の幅は驚くほど広かったので、ほかにも数十人に及ぶ魅力的な女性たちがモデルになっていますが、本文ではそのひとりひとりについても解説しています。したがってここでは、とくにマン・レイの作品のうちに見られる女性の表現、女性的なものの表現と、それにまつわる「謎」などについて、写真の名作２点を中心に書いてゆくことにします。

《イジドール・デュカスの謎》

マン・レイは生涯に２度の結婚をしていますが、最初の妻はベルギー出身の詩人アドン・ラクロワでした。マン・レイより３歳年上で、すでに前夫とのあいだに娘がいました。1913年からマン・レイはニューヨー

◆7 キキ、リー、アディ、ジュリエットについてはそれぞれ本文に１節を設けています。肖像の少ないアドンについては、下の《イジドール・デュカスの謎》の部分で解説します。

◆8 モンパルナス墓地にあるマン・レイの墓とつながったジュリエットの墓には「またいっしょ」と書かれています。→P. 163

クに近いリッジフィールドのコロニー（芸術家村）に住んでいましたが、8月27日、23歳になった日に、たまたま訪れた彼女と恋におちてそのまま同棲し、翌年には結婚しました。

マン・レイのアドンへの熱愛ぶりは、彼女に捧げていた愛の詩にもあらわれています。翌年5月に出したマン・レイ詩集『アドニズム』◆9と、翌々年に出した共著『さまざまな書き方の本』（→P. 31）などは、二人で手づくりした美しい本でした。年上のアドンは先進的な詩人であり、経験も実績もあったので、まだ親ばなれして間もない青年マン・レイを愛しつつ、リードもしていたでしょう。

彼はもちろん絵画制作に没頭し、1914年には生涯初の油彩大作《戦争A.D. MCMXIV（1914年）》◆10を仕上げていますが、アドンの影響と助力のあった当時、文学も主要な活動分野でした。フランス語が母語だったアドンは若い夫にフランス語を教え、ボードレール、ランボー、マラルメからアポリネールにいたるフランスの近代詩を朗読したり、英語に訳したりしてくれました。

なかでもマン・レイにとって決定的だったのは、ロートレアモン伯爵（本名イジドール・デュカス）の長篇散文詩『マルドロールの歌』です。これは彼より若い未来のシュルレアリストたちに先んじていた◆11だけでなく、アメリカでは稀有の文学体験でした。

マン・レイはアドンの肖像画◆12を何点か描いていますが、肖像写真はほとんどのこしていません。スティーグリッツと交友して写真に目ざめてはいたものの、本格的なカメラを購入したのは1915年秋、初の個展に出す自分の作品を撮って記録するためでしたし、その年末に夫婦でマンハッタンに移転して以後、二人の関係は悪化していたからです。アドンは浮気をして外泊をくりかえすようになり、1919年末には大喧嘩のあげくに、彼のほうが家をとびだし、ついに別居◆13となりました。

マン・レイが写真に本腰を入れたのもそのころです。「油彩で描きたくないものを写真に撮る」と称していて、身近な場景、とくに日用品のあれこれに目を向け、それらをいくつか組みあわせて撮りはじめています。じつはオブジェ作品もその種のレディメイド（既製品）を併置したものが中心なので、撮影前の被写体がすでにアサンブラージュ（オブジェの寄せあつめ）作品だったともいえます。撮影後に壊しても写真はのこるわけで、その写真をもとにまた再制作が可能です。マン・レイの場合、オブジェ作品と写真作品は不可分でした。

その代表例のひとつが写真としても再制作品としても有名な《イジドール・デュカスの謎》[27, 246]◆14です。題名にイジドール・デュカスとある以上、じつは別れたばかりのアドンの思い出にかかわる作品だったのです。

◆9 アドニズムとはマン・レイの造語で、アドン主義、アドン状態、というような意味にとれます。

◆10 この大作は第一次大戦勃発の年に描きあげられたもので、タイトルを年号にすることを提案したのはアドンでした。アメリカは1917年まで参戦しませんでしたが、不穏な空気が流れていた時代で、マン・レイとアドンはフランス行きを諦めざるをえませんでした。

◆11 たとえばブルトンとアラゴンが『マルドロールの歌』をはじめて読んで熱狂したのは第一次大戦末期、軍医補として従軍中の病院でのことでしたから、アドンとマン・レイのほうが数年早かったことになります。

◆12 アドンの肖像画は油彩数点のほか、デッサン数点ものこっています。→P. 31。なお《インディアン・サマー　リッジフィールドの二人の裸体》（13）のうち一方はアドンの可能性があります。

◆13 正式に離婚したのは1937年です。→P. 31, 144

◆14 オブジェ作品としての《イジドール・デュカスの謎》は現存せず、写真作品のみです。のちに再制作されたオブジェもあります。→P. 200

被写体はありふれた日用品の組みあわせで、目の粗い毛布のようなもので何かをくるみ、紐で縦横に縛ってあります。その何かが既製品のミシンであることは事後に明らかになりますが、写真や再制作品ではわかりません。つまりそれが第一の「謎」です。上が頭部のように突きでているので、人間ではないにしても擬人化された物品が想像されます。

1920年のニューヨークにそれがミシンだと答えられる人がいたとも思えませんが、アドンなら答えられます。謎の詩人イジドール・デュカスの名をマン・レイに教え、そのデュカスがロートレアモン伯爵の筆名で発表した書物『マルドロールの歌』を読んで聴かせた張本人こそ、アドンだったからです。

そしてその本には「解剖台の上でのミシンと雨傘との偶然の出会いのように……美しい」という言葉があり、２人をおそらく魅了していたからです。

当時はデュカスどころか『マルドロールの歌』を知る人も少なく、パリでブルトンやエルンストなどがこの引用句を言葉のコラージュの好例としてとりあげるのは後年のことですから、これだけですでに「謎」です。アドンとマン・レイとの密かな思い出にかかわっているだけに、なおさらでしょう。

もうひとつ、もとは「ミシンと雨傘」なのになぜミシンしか入っていないのか、という点も不可解で、これが第二の「謎」です。その後1933年にマン・レイはずばりこの２つを併置して撮った写真《ミシンと雨傘》をのこしていますから、ミシンしか入れないことには意識的だったでしょう。フロイトの説を借りなくても、ミシンが女性にあたり、雨傘が男性にあたることが感じとれます。外形の性的象徴性からしてもそうですが、縫物用のミシンを使うのはふつう女性です。雨傘のほうは当時ステッキがわりに持ち歩いていたのは男性ですし、1933年の写真に写っている雨傘も男性用です。

ミシンがアドンであり、雨傘がマン・レイであるとしたら、解剖台（写真では見えませんが再制作品には台座があります）の上で偶然に出会った２人のうち、マン・レイは消え、アドンだけがのこったということです。マン・レイは大切にあるいは荒っぽくアドンを毛布でくるみ、縛って閉じこめたのでしょうか。晩年に描いたデッサン《ドンナ》◆15では、裸体に近いアドンが床に俯（うつぶ）せになり、脚と手だけ見える男の鞭を受けようとしています。マン・レイはもしかするとアドンに対して、サド的な欲求を隠していたのかもしれません。

他方、同じ1933年のシュルレアリスムのアンケート「人生でいちばん大きな出会いは何だったか？」◆16に答えて、彼はアドン・ラクロワと

◆15　ドンナはアドン・ラクロワ（アドン・ラクールとも）の愛称で、イタリア語で貴婦人・婦人を指します。マン・レイはアドンをこう呼んでいました。

◆16　シュルレアリスムの準機関誌だった『ミノトール』誌第3-4号の巻末アンケートには、ブルトンとポール・エリュアールによる問いかけの記事の前に、台の上に置かれたミシンと雨傘の図（これもマン・レイによるコラージュです）が掲載されていました。
→P. 19, 44

の「出会い」と結婚を挙げています。だれひとり読者の知らないだろうアドンの名をわざわざ出したのですから、この「出会い」が特別に「大きな」ものだったことも推しはかれます。

さらに奇妙なのは、題名になぜロートレアモン伯爵ではなく、本名のイジドール・デュカスのほうを用いたのかという点です。肝心の「出会い」をふくむ『マルドロールの歌』の著者はロートレアモン伯爵ですから。これを第三の「謎」と見てよいでしょう。

マン・レイはイジドール・デュカスの出自を多少は知っていて、自分自身に重ねていた気味があります。イジドールはフランスからウルグアイのモンテビデオへ渡航した移民夫婦の子でしたが、マン・レイもまた東欧からアメリカのフィラデルフィアへ渡航したユダヤ人移民の子でした。イジドールは13歳のときに母国フランスへ渡り、その後パリに出て1869年に『マルドロールの歌』を完成させますが、これもマン・レイが早くからフランスに憧れ、アドンとの新婚時代にもフランス行きを夢みていたことと重なります。そして《イジドール・デュカスの謎》[27]を制作・撮影した1年後に、実際にパリへと発つのです。

『マルドロールの歌』は事情あってベルギーで自費出版され、世間からは無視されました。デュカスは失望して、翌年にまったく違う内容の断章集『ポエジー』を本名で出したあと、24歳で謎の死をとげました。流布しなかった本ですから、アドンが入手したのはベルギーにいたからだけでなく、彼女の慧眼(けいがん)のゆえもあったでしょう。

マン・レイにとっては本名と筆名との関係も切実だったはずです。彼の本名はエマニュエル・ラドニツキーというイディッシュ（東欧ユダヤ人）らしい姓と名でしたが、1912年に一家がそろってレイに改姓したとき、彼は名も変えてマン・レイ◆17としました。彼によるとこれは姓＋名ではなく、ひとかたまりの呼称です。人名録などでも「レイ」の項ではなく「マン・レイ」の項に入れてくれということですから、つまり、姓を捨てたわけです。

「マン・レイと女性たち」を考える場合、家族、とくに母親のことも重要でしょう。母マーニャ（ミニー）は長男のマニー（エマニュエルの愛称）を大切に育てました。一家は1897年にニューヨークのブルックリンに移り、仕立屋を開業しましたが、母は父と作業をともにし、マニーも手伝っていました。ハイスクールの成績もよく、卒業時には表彰され、ニューヨーク大学の建築科への推薦と奨学金まで約束されたのに、彼がそれを辞退したとき、母は激しく怒りました。一家の支えとして期待していた優秀な長男が画家などをめざし、ひとりで家を出てゆくことに耐えられなかったのです。

◆17　マンは英語の普通名詞「人／男」にあたり、レイは「光線／視線」にあたります。マンはフランス語の「手」と発音が近いので、言葉の遊びが生まれます。→P. 18, 20, 128

ちなみにデュカスは生まれてすぐに母を失っています（自殺説もあります）が、マン・レイのほうは母に逆らって独立し、その後もずっと疎遠にしていました。1945年にニューヨークで母が死去したとき、彼は長男でハリウッドにいたのに葬儀に列席していません。父メラック（マックス）の亡くなったときもそうでした。

２人の妹デヴォラ（ドロシー）とエルカ（エルシー）とは仲がよくて文通をつづけ、とくに末のエルシーは気に入っていて（それでも葬儀には行っていません）訪問もし、その娘で姪にあたるナオミには写真の手ほどきなどしていましたが、総じて家族にはよそよそしい態度をとり、自分の出自を人に明かさないように、などといいふくめていました。だからはじめに記したとおり、もうひとりの姪のフローレンスから「あなたは誰？」と問われたのです。「私は謎だ」。軽口だったとしても、マン・レイに「謎」の自覚があったことはたしかでしょう。

自分は本名を捨てて姓のない「マン・レイ」という新しい人格になったこと、これが出発点だったのですが、それならばなぜ、タイトルに著者名ではない本名のイジドール・デュカスを用いたのでしょうか。ついうっかりということもなさそうなマン・レイですから、もういちど包みの中身を考えてみると、ミシンというものが仕立屋の備品であり、母の用いていた道具であることに思いあたります。

そういえばマン・レイの最初の作品は仕立見本用の端切れを集めた1911年の《タペストリー》でしたし、初期のオブジェ写真にはハンガーだのアイロンだの、仕立屋の備品や道具が出てきます。のちに心ならずも生活のためと称してファッション写真の仕事をしていますが、心ならずもではない部分もあったでしょう。服飾は仕立屋の子にとって身近だったはずですから。

ハリウッドからパリに戻ってフェルー通りのアトリエに住みつき、翌1952年に描いた油彩画《フェルー通り》◆18では、彼自身らしい小柄な男が荷車でオブジェ作品《イジドール・デュカスの謎》を運んでいます。オブジェは大きく重くなっているようです。この荷物を終（つい）の住処に持ち帰るということには深い自伝的な意味があったのでしょう。

ところがそれから22年たって、この油彩画がリトグラフ[247]に再制作されたとき、荷物の紐はなくなっていました。紐がなければ包みを開けられます。少なくとも彼を本名に立ち帰らせるミシンはあらわれるでしょう。当時84歳、亡くなる２年前のマン・レイは長い生涯をふりかえり、ふたたびミシンと出会いたかったのかもしれません。ミシンが女性の道具であり、女性の象徴でもあるのは興味ぶかいことです。

◆18《フェルー通り》の油彩はP. 200に紹介しています。のちにリトグラフによる再制作（247）がなされました。P. 201にあります。

《アングルのヴァイオリン》

アドン・ラクロワと作品《イジドール・デュカスの謎》に紙数を割いたのは、マン・レイの女性像のひろがりを考えるためでした。女性たちひとりひとりの肖像については本文の解説や人名解説に記していますが、マン・レイの場合、一見して人物と思えないオブジェ作品とその写真にも、女性像を重ねていたり、女性像への類推を誘ったりするものがあります。しかもその類推が写真やオブジェの枠を超えて、人生のさまざまな場面や、絵画ばかりか文学の体験にまでひろがってゆくわけで、そこがまた越境の芸術家マン・レイの魅力のひとつです。

《アングルのヴァイオリン》[57◆19]はあまりにも有名な写真、というよりも「光画」でしょう。パリに移住してから半年もたっていない1921年末に、カフェで啖呵を切って暴れているキキ・ド・モンパルナス（→P. 64）に一目惚れしたマン・レイは、42年後の自伝『セルフポートレート』のなかで、その日の記憶を克明に綴っていますが、それがこの写真作品の発端です。

◆19 《アングルのヴァイオリン》はモノクロ写真ですが、晩年に再制作されたリトグラフでは彩色されています。→P. 67

食事をおごってから映画館に入り、手をにぎりあってすわっているあいだ、マン・レイはほとんどスクリーンを見ていなかったようです。帰り道で自分が画家であることを打ちあけ、モデルになってほしいと頼みました。絵のモデルになってもらうと、あまりに美しいので邪念を生じてしまうから、一瞬ですむ写真に撮らせてほしいといったのです。

キキはもちろん画家たちに人気のモデルでしたが、写真は困るといってことわります。現実そのままだからいやだ[◆20]と。それに対してマン・レイは、自分は「絵を描くように写真を撮る」し、対象をデフォルメ（変形）したり理想化したりもするのだ、と主張して説得し、数日後に部屋へ招びました。

◆20 写真は「単なる現実の再現だから芸術ではない」に通じますが、ほかにもキキの個人的な事情があったので、その一端はあとで示します。

服を脱いだキキを見てマン・レイは魅了され、「まさにアングルの《泉》にそっくりだった」と回想しています。《泉》はいうまでもなくルーヴル美術館（現在はオルセー美術館所蔵）にあった名作で、マン・レイも実物を見たばかりだったのでしょうが、実際にキキの裸体がアングルの創造した理想の女性像に似ていたというだけでなく、さまざまな記憶が去来しただろうことも想像できます。マン・レイはニューヨーク時代の初期からアングルを尊敬し、影響を受けていたからです。

はじめて実物を見たのは1913年のアーモリー・ショー[◆21]だったでしょう。これはフランス近代の絵画作品が大量に展示された画期的な展覧会で、まだ22歳のマン・レイにとってはピカソやデュシャンのこれまでの仕事をはじめて知り、同時にアングルの絵もまのあたりにすることもできた空前の出来事でした。新古典派からキュビスムまでの近代絵画史

◆21 アーモリー（武器庫）の大きな建物でひらかれた国際現代美術展で、アメリカ美術だけでなく、フランスを中心とするヨーロッパの近代美術の展示も本格的でした。マン・レイはこれを見て発奮し、リッジフィールドのコロニーにこもる決意をします。

が一挙に流れこんできたのです。

アングルが19世紀を代表する画家とされるのは、もちろん新古典派としてではなく、とくに写実を超えて現実を変形し、新しい現実を開示する近代絵画への道をひらいたからで、たとえば解剖学を無視してまでも裸体を理想的にデフォルメする試みもその一端です。マン・レイの初期の裸体画[12,13]の長すぎる背中などはアングル直伝、ないしオマージュであった可能性があります。

アングル風に見えるキキの裸体は、マン・レイの写真に新展開をもたらしました。柔軟でバランスがよくて表現力のある肢体や、表情ゆたかでくっきりとした目鼻立ちや、これもアングルを連想させる「陶器のような肌」など、絵画のモデルにふさわしい美質をそなえていたキキは、マン・レイの写真のモデルとしても理想的でした。「絵を描くように写真を撮る」ことが可能になったのです。

《アングルのヴァイオリン》は1924年、シュルレアリスム運動の準備期の雑誌『リテラチュール』◆22に発表されましたが、それに似つかわしい文学的要素がまずあります。タイトルそのものが微笑を誘うフランス語の成句で、「余技」を意味します。大画家アングルはヴァイオリンにも長(た)けていて、客が来ると弾いて聴かせるのでときには迷惑がられた、という含みもあります。これが画家を自認するマン・レイ自身の「余技」である写真を、ユーモラスにアイロニカルに暗示していることもわかるでしょう。

この題名の効果もあって、うしろ姿のキキの裸体がアングルのもうひとつの名作、《ヴァルパンソンの浴女》◆23への連想を誘います。頭にターバンを巻いているので対応の意図は明らかですが、ただ、浴女とは違って頭部が左向きですし、アングルの裸体の美しい手足も、手に巻いた布も、白い布団や布地も、背景のカーテンや小さな水流も、つまり共通する道具立てはなにも配置せず、背景は黒一色、キキの腰は布で覆われていて、これが模倣でも活人画でもないことがわかります。パロディーでさえなく、むしろオマージュでしょう。

そもそもアングルに特有の得(え)もいわれない絵筆の展開と質感がないということを、この写真はみずから強調しているように見えるほど単純な演出で、しかもくっきりと印象にのこります。キキの背中は照明のもとで白く輝いていますが、ピントの具合でアングルのような繊細な肌あいを見せず、暗い背景のなかに弦楽器のような外形を浮びあがらせ、黒い大きな*f*字孔らしいものが一対、唐突にコラージュされています。

キキの背中がヴァイオリンを連想させるから*f*字孔をつけてみた、という軽さがあり、それが臀部の溝とあいまって漫画の顔のようにさえ見

◆22 『リテラチュール』は「文学」の意で、パリ・ダダの雑誌でしたが、当時はすでにブルトンを中心とするプレ・シュルレアリスムの雑誌になっていて、マン・レイも表紙などで協力していました。かつてイジドール・デュカスの『ポエジー』を発掘・掲載したのもこの雑誌です。

◆23 《泉》と同じくルーヴル美術館にある作品で1808年作。アングルは晩年の1863年になって名作《トルコ風呂》にこの裸体を再登場させ、そこでは彼女がリュートのような弦楽器を奏でているので、これも《アングルのヴァイオリン》と関連するかもしれません。

えます。デュシャンが《モナリザ》に口髭をつけた先例◆24も思いうかびますが、古典的名作への冒瀆の意図は感じられません。アングルの絵の驚くべき表現力や精神性が写真にはありえないこと、「写真は芸術ではない」ことを認めてアングルと絵画とを称賛し、一方で写真という器械の目による客観性・オブジェ性を生かして、マン・レイに特有の着想と機知と思考の力を明らかにしている作品です。

女性の裸体を弦楽器に見立てて男性がそれを奏でる、というエロティシズムの表現はすでに紋切型でしたが、マン・レイはそのことを知りながら逆転させているようにも見えるでしょう。

女性を楽器のような道具とみなして貶(おと)しめるのではなく、オブジェとして讃えているからです。この点もアングルに通じるところでしょうが、マン・レイは女性を道具として所有しようとも支配しようともせず、オブジェとして、つまり外的対象、客観物として讃美するのです。

キキの横顔の表情もそのことを証明しているでしょう。特有の高く尖った鼻や濃い睫毛(まつげ)や形のよい顎と頬が見えていますが、平静で恬淡(てんたん)としていて、演出を拒むかのように自分自身を保ち、写真家にもシャッターにもかかわりをもたず、だが無関心ではないという風情です。

キキが写真のモデルはいやだといった理由のひとつは、写真家が画家よりも欲望をあらわにするということでした。ところがマン・レイはその反対で、撮影中にもキキを道具扱いせず、自由にふるまうにまかせ、ときには彼女自身のアイディアもとりいれ、演出を支配ととりちがえるようなことはしなかったようです。

マン・レイは何ごとも一対一の関係◆25から出発することを旨(むね)としていて、肖像写真を撮るときにも相手の肩書や定評や、地位や経歴や職業などについて先入観をいだかず、対等の関係から人間性を感じとることを前提にしていました。ファッション写真でもある程度そうだったでしょう。その場合は女性だけが被写体でしたが、その写真にも敬意や賛意がさりげなくあらわれているように見えます。こうして写真の客観性を守っていながら人間的で美しい、さまざまな「女性像」が生まれていったのです。

キキにかぎらず、リーもアディもジュリエットも、またメレット・オッペンハイムやニュッシュ・エリュアールも、そのほか多くの友人や知人やモデルたちも、オブジェたちでさえもそうかもしれないのですが、それぞれの個性とアウラを帯びて、それぞれの時代を反映しつつ、それぞれの写真や肖像のなかに「永続」しています。それが「マン・レイと女性たち」の世界でしょう。

◆24 《L.H.O.O.Q.》1919年。こちらは既製品の《モナリザ》の図版を用いていました。

◆25 マン・レイが1972年にパリの国立近代美術館での回顧展で述べた言葉を念頭に置いています。たとえ大勢の人がいたとしても、ひとりとひとりとの、個人と個人との交流にだけ信を置く、という考え方です。

I
ニューヨーク
New York
1890-1921

I ニューヨーク 1890-1921

マン・レイの本名はエマニュエル・ラドニツキーといいます。1890年8月27日、ウクライナとベラルーシから来たユダヤ人の移民夫婦の長男として、フィラデルフィアで生まれました。3年後に弟、5年後と7年後に妹が誕生します。エマニュエルはふだんマニーという愛称で呼ばれました。

1897年に一家はニューヨーク東部のブルックリンに移り、仕立屋を開業します。マニーは両親に似て器用な子で、絵や工作を好み、チョッキを仕立てる父母の手伝いもしていました。

学校では製図やデッサンも習い、やがて画家になる決意をします。成績優秀で卒業時には表彰され、大学で建築を学ぶ奨学金も約束されていたのに、辞退して母を怒らせました。それでも決心をまげず、広告事務所などで働きながら、風景や人物の習作に励むようになります。

1908年、著名な写真家のアルフレッド・スティーグリッツがマンハッタンに開設していた画廊「291」でセザンヌやピカソの展覧会を見て以来、新しい絵画表現に目ざめ、フェレール・スクールなどで本格的に美術や思想を学びます。

ラドニツキー家はそのころ、出自の知られやすい姓を改めて「レイ」としました。マニーも「マン」に変えたので「マン・レイ」という人名（→P. 20）が誕生します。それが画家マン・レイの出発点にもなり、マンハッタンに出て友人の彫刻家たちとアトリエを共有しました。

当時のアメリカ美術界はまだローカルな環境にすぎず、前時代的な写実が幅をきかせていましたが、マン・レイはそれに飽きたりず、1912年末にスクールの展覧会に初出品した裸婦群像でも、新しい表現を試みています。さらに翌年2月、市の武器庫（アーモリー）で催された画期的な展覧会「アーモリー・ショー」を見たことで、作品が大きく進化してゆきます。

その展覧会では西欧の近代美術もかつてない規模で展示されていました。アングルにはじまりフォーヴやキュビスムまで。ピカソやピカビアや、そしてとくにマルセル・デュシャンの油彩《階段を降りる裸体No. 2》[28]が衝撃を与えていました。

マン・レイは心がさわぎ、自分のなかに何かが芽ばえるのを感じたといいます。友人の誘いで西隣の州ニュージャージーのリッジフィールドにあるコロニー（芸術家村）に住み、制作に没頭する決意をしました。

そこは森や丘のある風光のよい村で、孤独な作業にもってこいです。独自のキュビスム風の絵を描き、詩作や写真撮影も試みました。芸術家同士の交流もあり、若いマン・レイはそこに住んだ3年間に、生涯を左右する二つの出会いを体験します。アドン・ラクロワとの、そしてマルセル・デュシャンとの出会いでした。

アドン（愛称ドンナ）はマン・レイがはじめて愛し、6年間をともにした3歳年上の女性です。ベルギー出身の詩人で、すでに娘がいました。二人は会ったその日から恋仲になり、翌年には結婚しています。

アドンの母語はフランス語で、その美しい響きがマン・レイを魅了しました。フランス近・現代詩に造詣が深く、ボードレールからアポリネールまで、とくにロートレアモン伯爵の作品などを朗読し、英語に訳してもくれました。

1915年末にはマンハッタンに戻りましたが、やがて関係がこじれます。アドンは夫が制作に専心するあいだ、ほかの男性と外泊しがちになりました。マン・レイは絶望して自殺を考えたほどですが、ついに1919年末、口論のあげくに自分から家をとびだすことになります。

短い夫婦生活でしたが、マン・レイがアドンから得たものは大きく、少年期以来のフランスへの憧れが具体化し、とくに現代フランス文学に開眼しました。絵画表現の急速な進化、詩や写真やオブジェへとひろがる多彩な活動も、知的刺激にみちたアドンとの生活があればこそでした。

1933年、パリでシュルレアリストたちの試みた「人生でいちばん大きな出会いは何だったか？」というアンケートに答えて、マン・レイはこう記しています。「1913年８月27日に、私はアドン・ラクロワと出会い、妻にした」と。

自伝や伝記で知られるかぎり、マン・レイは家父長制を引きずるようなところがなく、女性を対等に見ていたようです。年上の詩人だったアドン・ラクロワは、別れてなお忘れがたい存在になったのでしょう。

マルセル・デュシャンとの出会いは1915年９月のことです。まだ片言の英語しか話せないデュシャンと、まだ片言のフランス語しか話せないマン・レイは、コロニーで会ったその日にほとんど無言のまま、ボールもネットもなしでシャドー・テニスに興じました。

背が高くて優雅な物腰のフランス人デュシャンと、小柄で敏捷で機知に富むアメリカ人マン・レイ。二人は一見正反対のタイプで、作品の傾向も大違いでしたが、会ったとたんから理解しあい、生涯を通じて協力しあう仲になりました。

デュシャンはアドンと同じく３歳年上で、すでに名声を得ている先人でしたから、マン・レイのほうが強く影響をうけたことはたしかです。それでも模倣はせず、なにかにつけて別の方向を選んでいました。

1917年にはじまった「ニューヨーク・ダダ」の活動の間 (→P. 28)、二人は絶妙の協力関係を保ち、共通の友人にも恵まれました。マン・レイはすでに1915年の初個展以来、絵画だけではなく、写真やオブジェや文筆の領域でも精力的な仕事をしていましたが、作品はほとんど売れず、評価もされずに終っていました。古い伝統にとらわれているニューヨーク美術界への不満が募り、経済的にも行きづまっていました。

1921年、30歳のマン・レイはニューヨークからの脱出と、新天地での新たな誕生を求めて、出発を決意します。前年にチューリヒからパリに移住していたダダ運動の指揮者トリスタン・ツァラなどから誘いがあり、先にパリに戻っていたデュシャンも出迎えの準備をしているとのことでした。７月14日、フランスの革命記念日に、マン・レイはル・アーヴル行きの大西洋横断汽船に乗ったのでした。

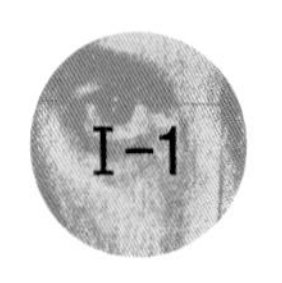

I-1 セルフポートレート

Self-portraits

マン・レイは1916年に試みた二度目の個展で、《セルフポートレート》[1]という作品を発表しました。黒・灰・白の地の上に既製品のベルと電動ボタンをとりつけ、自分の手形を赤く捺した奇妙な平面オブジェです。

二つのベルが「目」にあたりますが、ボタンを押しても鳴らず、いうことをききません。顔の中央には「手」だけ。冗談とも思われそうなこの作品に、いかにもマン・レイらしい自意識と謎かけと遊び心が横溢しています。

いうことをきかないベルは世間に反抗する芸術家の目、自己を刻印した手形は大胆な作業をする芸術家の手でしょう。そもそもマン（Man＝人）という名は発音上、フランス語のマン（Main＝手）に通じます。レイ（Ray＝光線または視線）は目に対応しますから、ここにはマン・レイ（人／手・光線）自体が投影されているわけです。

のちの立体作品《レイの手／マン・レイ（手・光線）》[8]も、目のかわりに遊び玉のような球をもっていますが、同じようにセルフポートレートに仕立てたオブジェです。

じつは「マン・レイ」という名前自体、一種の作品だったともいえるでしょう。1912年にラドニツキー家がレイと改姓したとき、ヘブライ語で神とともにあることを意味するエマニュエル（愛称マニー）という名を、英語で人（または男）を意味するマンに変え、それをレイ（光線）に結びつけたということが、22歳の若者にとって新しい自己、新しい人生のはじまりでした。

改姓によって出自を消し、名は普通名詞のような「人」になること。実際に彼はその後、「マン・レイ」は「名＋姓」ではなく、ひとかたまりの呼称だと主張します。人名録でも姓の「レイ」の項に入れず、「マン・レイ」のまま記載してほしいということです。

また本名や出自を訊かれても明かさず、「私はマン・レイだ」とだけ答えていました。仮面をつけて自分を抽象的な、透明な存在にする意図もあったようです。

マン・レイはそんな自意識の反映として、数多くのセルフポートレートをのこしました。セルフ（自己）もまた「永続するモティーフ」だったわけで、晩年には『セルフポートレート』[251]と題する自伝を書いています。

セルフポートレートの大半は写真による「自写像」でした。それも他人の肖像写真とは違い、多分に自己演出をしたうえで、助手などに撮影させていました。

生涯を通じて見ると、どの自写像もそれぞれの時期の精神状態を映しています。謎かけのようなものもありますが、いつも笑わずに鋭い目つきをして、かすかなユーモアを漂わせてもいるところが独特です。

1915年の《セルフポートレート》[2]は、友人でも先人でもあった写真家、スティーグリッツが撮ったのではないかといわれます。自己演出の少ない写真で、20代なかばのマン・レイは真面目で精悍でどこか初々しく、曖昧な未来を見やっているようです。

彼はすでにアドン・ラクロワと結婚し、精力的に制作をつづけていました。前年にはヨーロッパで未曾有の世界大戦がはじまり、アメリカはまだ参戦していませんが、底知れぬ不安が社会に漂っていた時期です。

マン・レイは同年秋、パリから徴兵を逃れて渡米してきたマルセル・デュシャンと出会い、やがてニューヨーク・ダダの推進者のひとりになるのです。

1
セルフポートレート
Self-portrait

1916 / 1970　Ex. 40　A.P.
セリグラフ、合成樹脂ガラス

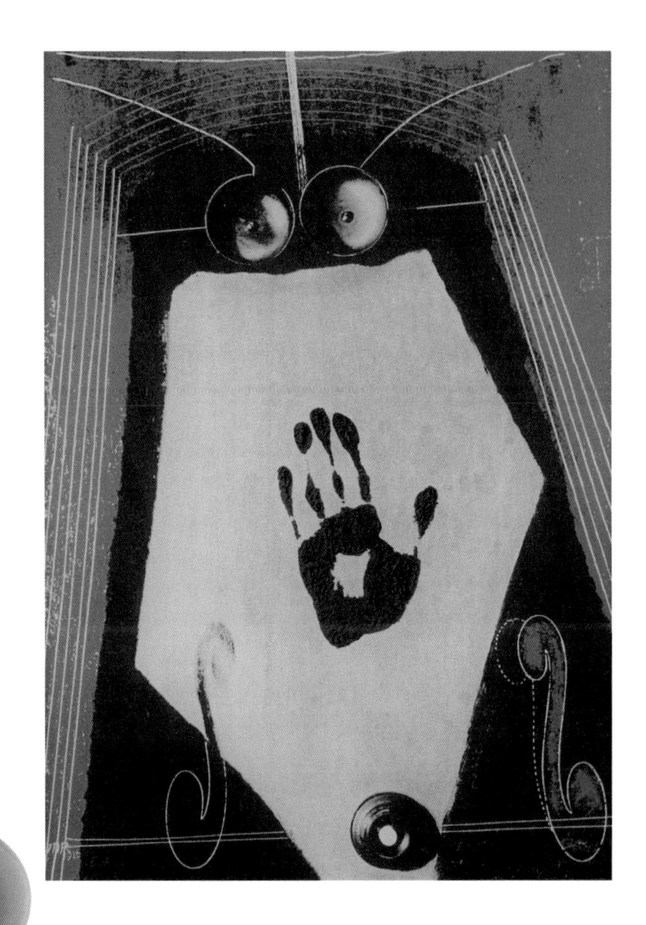

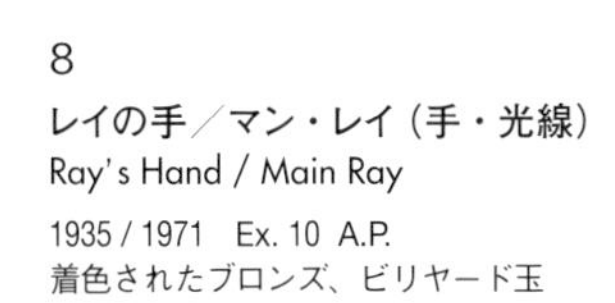

8
レイの手／マン・レイ（手・光線）
Ray's Hand / Main Ray

1935 / 1971　Ex. 10　A.P.
着色されたブロンズ、ビリヤード玉

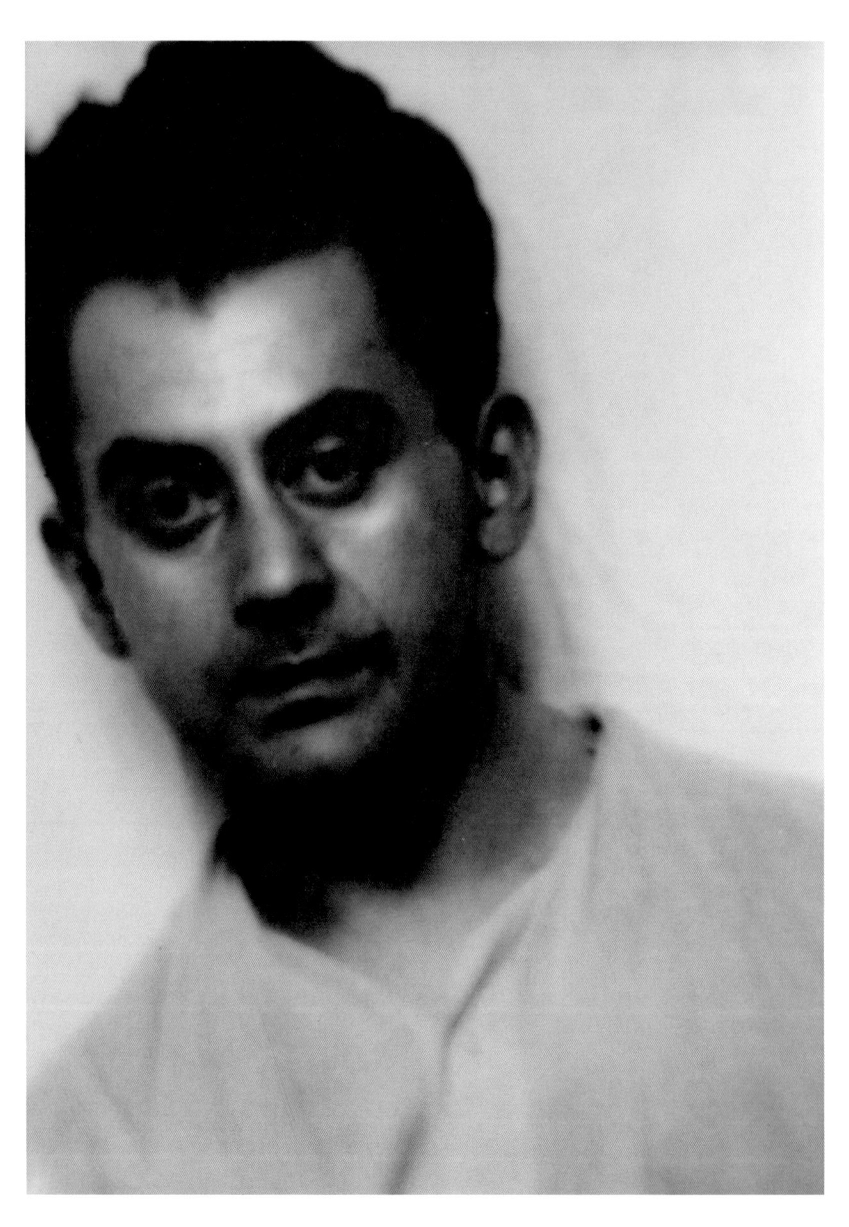

2
セルフポートレート
Self-portrait
1915 / 後刷 / Man Ray
ゼラチン・シルバー・プリント

5
セルフポートレート ▶
Self-portrait
ca. 1930 / ヴィンテージ
ゼラチン・シルバー・プリント

4
セルフポートレート
Self-portrait
1930 / 後刷 / Man Ray
ゼラチン・シルバー・プリント

3
セルフポートレート
Self-portrait
1929 / ヴィンテージ
ゼラチン・シルバー・プリント

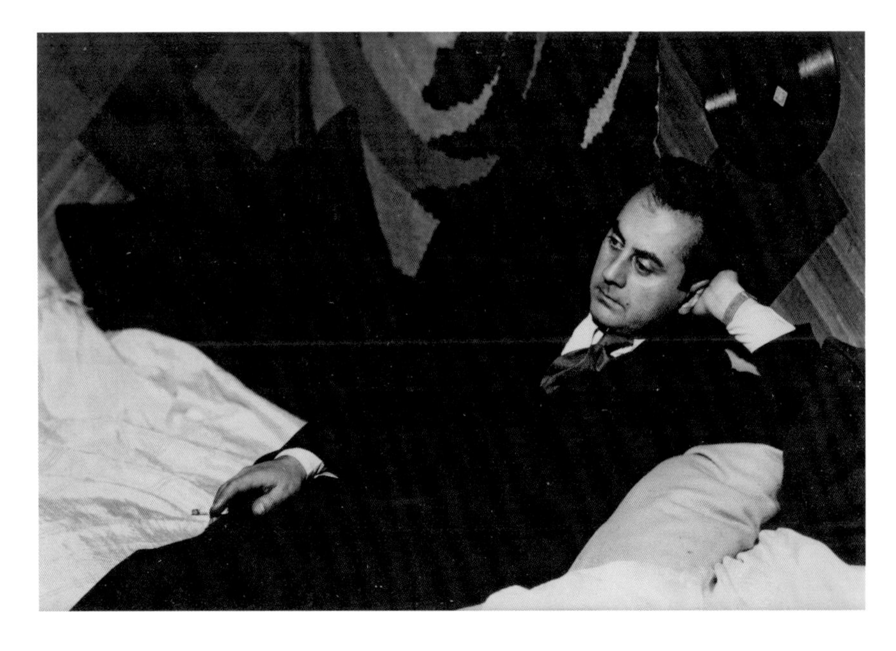

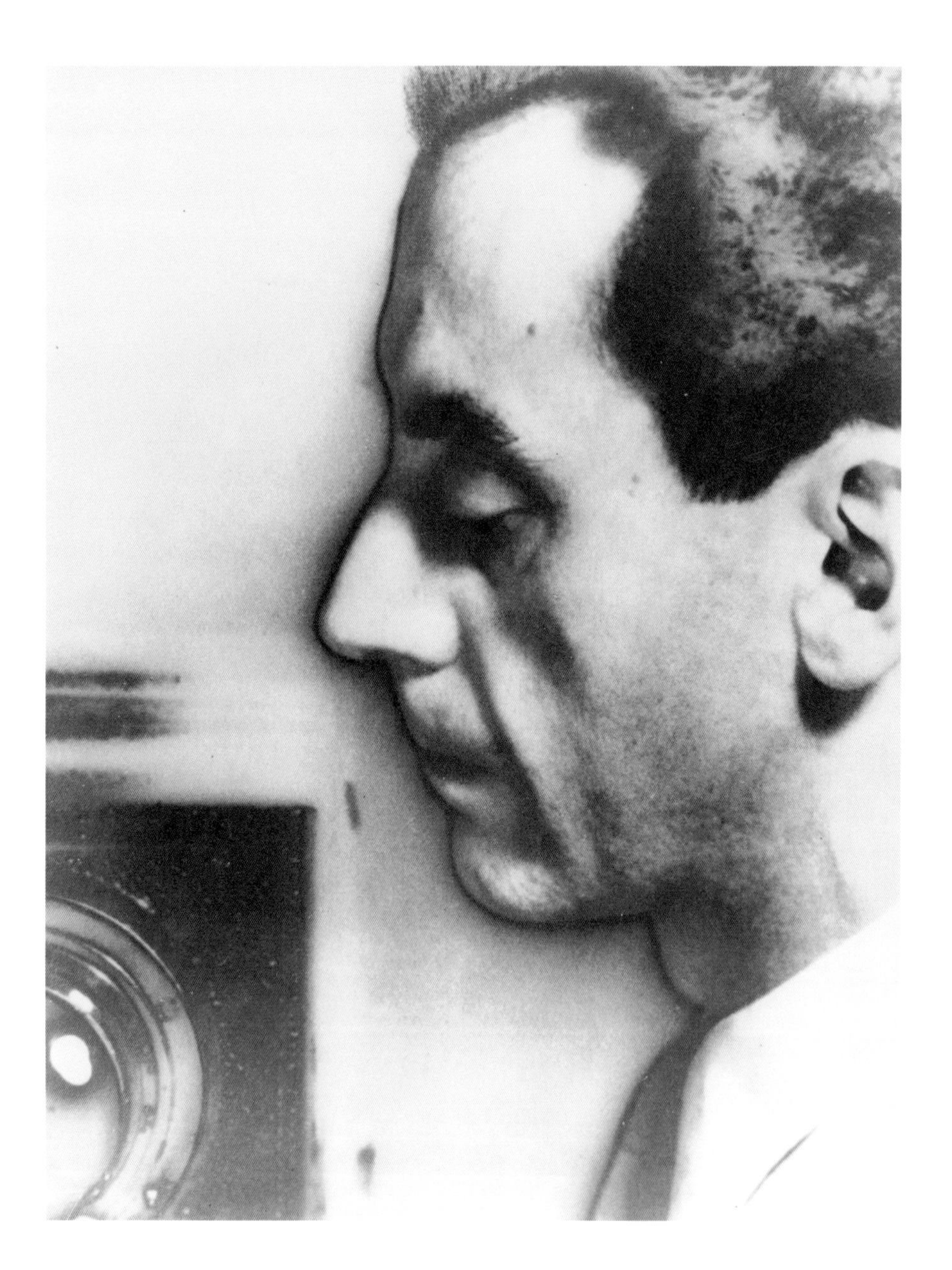

6

カメラをもつセルフポートレート（ソラリゼーション）

Self-portrait with Camera, Solarization

ca. 1932-35 / ヴィンテージ
ゼラチン・シルバー・プリント

ソラリゼーション→ P. 72

7
エマク・バキアとセルフポートレート
Self-portrait with Emak Bakia

1935 / ヴィンテージ
ゼラチン・シルバー・プリント

エマク・バキア→ P. 51, 209

9
セルフポートレート
Self-portrait
ca. 1942 / ヴィンテージ
ゼラチン・シルバー・プリント

10
パイプをくわえたセルフポートレート
Self-portrait with Pipe
ca. 1942 / ヴィンテージ
ゼラチン・シルバー・プリント

11
セルフポートレート
Self-portrait
1946 / 1972　A.P.
リトグラフ、紙

I-2 ダダ時代の作品
Works from the Dada Period

第二次世界大戦は1914年から４年以上にわたった空前の大惨禍でした。最後の年からスペイン風邪も世界にひろがり、史上最大の死者数を記録しました。戦場はヨーロッパ諸国とその植民地だったので、アメリカはしばらく静観しましたが、1917年に参戦して多くの死者を出すことになります。

ダダ運動がおこったのは1916年、中立国スイスのチューリヒが発祥地でした。戦争を逃れてきた若い詩人・芸術家たちが、愚かな大戦に行きついた西欧の旧体制に反抗し、「なにも意味しない」ダダという標語のもとに、過激な言語破壊と反・芸術の狼煙をあげました。詩人ツァラに画家ピカビアなどの協力もあり、運動はまもなく国際化して、ニューヨークへも飛び火しました。

デュシャンの作品はダダの先駆でしたが、1917年のアンデパンダン（独立）芸術展に送りこんだ《泉》は決定的でした。既製品の男性用便器を横に倒して提示する行為だけで、従来の芸術の概念を覆してしまいました。

マン・レイもデュシャンに協力して、雑誌や展覧会でダダ的な活動をつづけ、1920年にはパリ帰りのキャサリン・ドライヤーと三人で「ソシエテ・アノニム」（匿名協会＝株式会社を意味するフランス語で、マン・レイの命名）を結成し、ダダの拠点にします。

作品もすでに大きく進化していました。《泉》と同じアンデパンダン展に出品した《女綱渡り芸人は彼女の影をともなう》[15]は画期的です。デュシャンの《花嫁は彼女の独身者たちによって裸にされて、さえも》に影響されながらも大胆に色彩を配置し、表現の「綱渡り」をしています。

伝統絵画に挑む新しい手法、コラージュやクリシェヴェールやアエログラフなどによる作品もダダ的ですが、同時に独自の創意を示していました。オブジェなどの立体作品もそうです。デュシャンが「レディメイド」の単品をオブジェとしたのに対して、マン・レイのオブジェは二つ以上の物のアサンブラージュ（組みあわせ）でした。デュシャンのオブジェは用途から解放されていますが、マン・レイのオブジェは題名の謎かけもふくめて、どこかに用途を記憶しています。

写真を本格的にはじめたのは1915年、初個展の出品作を撮影したときでした。作品の写真もまた作品だという確信のもとに、デュシャンの《階段を降りる裸体 No. 2》[28]なども撮影しています。

肖像写真は若い女性ベレニス・アボットあたりから試みていますが、白眉といってもよい名作は《ローズ・セラヴィの肖像》[29, 30]でした。フランス語で「薔薇、それは人生」を意味するこの名をもった架空の女性は、命名者デュシャン自身の扮装によって彼の分身になりました。マン・レイの写真による共謀から生まれた謎の女性像です。

ダダ時代のこうした作品はほとんど売れず、評価されませんでした。マン・レイは芸術に冷淡な町ニューヨークに失望して、パリへの脱出を考えていました。

《イジドール・デュカスの謎》[27, 246]はマン・レイ自身にかかわる「謎」をはらんだオブジェ作品ですが、デュカスすなわちロートレアモン伯爵の『マルドロールの歌』の主人公と同様、冒険の旅に出る彼自身の心情を反映していた作品でもあるでしょう。

15
女綱渡り芸人は彼女の影をともなう
The Rope Dancer Accompanies Herself with Her Shadows
1916 / 1970　A.P.
リトグラフ（多色）、紙

28
マルセル・デュシャンの油彩作品《階段を降りる裸体 No.2》を撮った写真
Photograph of Marcel Duchamp's *Nude Descending a Staircase No. 2*
1920 / ヴィンテージ
ゼラチン・シルバー・プリント

12
裸体
Nude
1912
木炭、紙

13
インディアン・サマー
リッジフィールドの二人の裸体
Indian Summer — Two Nudes in Ridgefield
ca. 1913
グアッシュ、紙

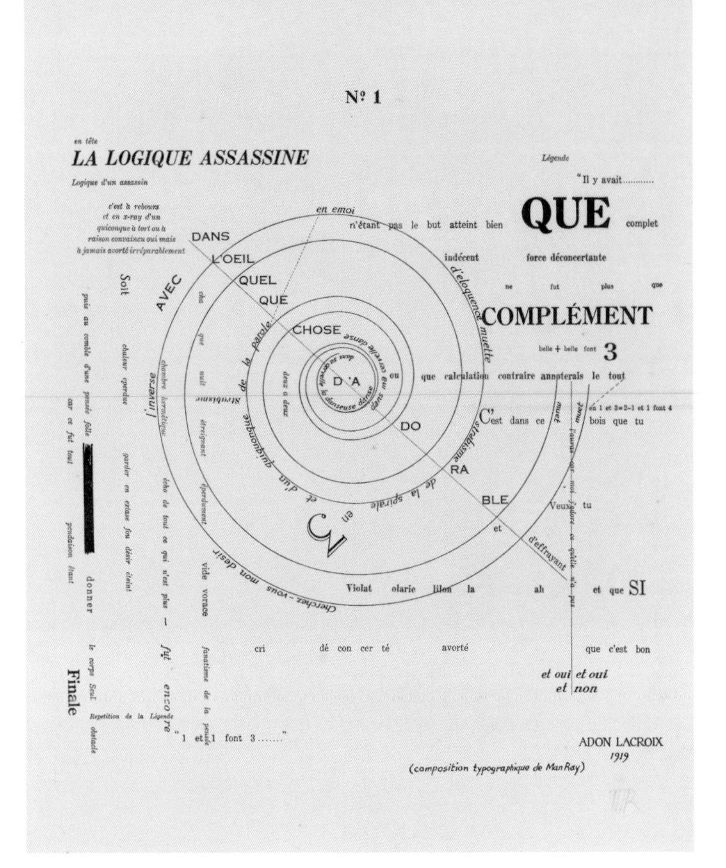

14
殺人的論理
（アドン・ラクロワ詩、
マン・レイ活版）
La logique assassine

1919 / 1975　A.P.
リトグラフ、紙

アドン・ラクロワ

マン・レイは最初の妻アドン・ラクロワの肖像をあまりのこしていませんが、油彩画のほかに、右のグアッシュ画を描いています。1915年にアドンの詩集『さまざまな書き方の本』を手づくりしたとき、自画像（左）とともに挿絵にしていたものです。

上の作品は、別れる前、アドンのフランス語の詩「殺人的論理」を分解し、図形とタイポグラフィーでダダ風に構成したもので、すでに二人の心が離れていたことを思わせます。

Fig. 1
セルフポートレート
1914　インク、紙

Fig. 2
アドン・ラクロワのポートレート
1914　グアッシュ、紙

16

板張りの遊歩道
Boardwalk

1917 / 1973　Ex. 9　A.P.
ミクストメディア、コード、木、布、
引き具、インク、合板

17

DANGER－DANCER（危険－ダンサー）
あるいは不可能性
DANGER – DANCER or The Impossibility

1917–1920 / 1969　Ex. 25/40
セリグラフ、合成樹脂ガラス

一部が歯車と重なった文字はDANGERとも
DANCERとも読める。

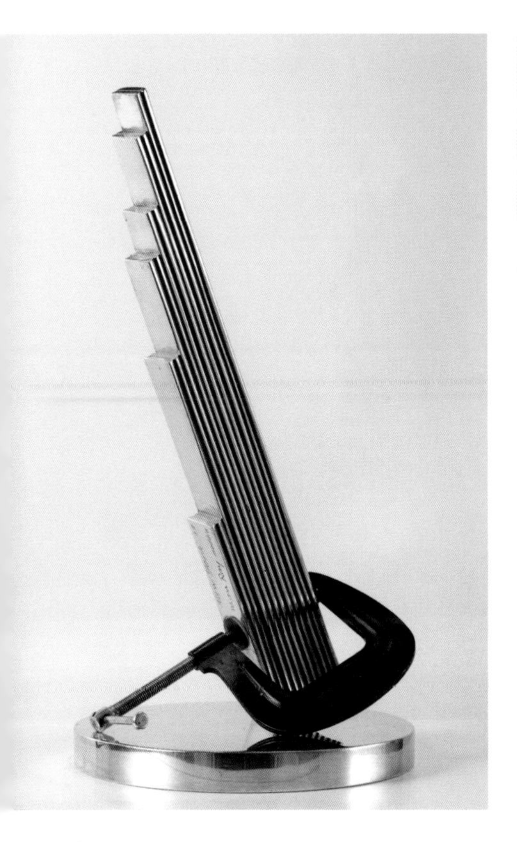

18
ニューヨーク 17
New York 17

1917 / 1966　Model for the edition
銀

21
ニューヨーク 1920
New York 1920

1920 / 1973　MR Ex. 9/9
38個の鋼球、ガラス管、コルク栓、スポンジゴム、フォーム

19
ただそれだけで Ⅰ
By itself Ⅰ
1918 / 1966　Ex. 5/9
ブロンズのアサンブラージュ

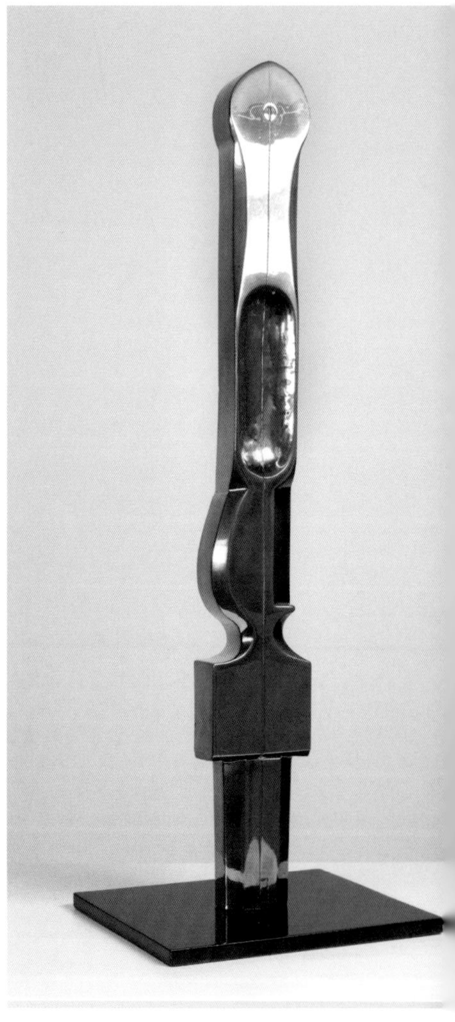

20
ただそれだけで Ⅱ
By itself Ⅱ
1918 / 1966　Ex. Ⅰ/Ⅳ　A.P.
銀に金メッキしたアサンブラージュ

22
育児法(1920年1月の夢)
Puériculture (Dream of January, 1920)
1920 / 1966 Ex. 10/12
着彩ブロンズ

23
障碍物
Obstruction
1920 / 1964 Model for the edition
65個の木製ハンガー、スーツケース

24
ヴィオレッタの偏見あるいは三美神
The Preconception of Violetta or The Three Graces
1920 / 1966
セリグラフ、合成樹脂ガラス

25
ヘルマ(アエログラフ)
Herma, Airbrush
1920 / ヴィンテージ
ゼラチン・シルバー・プリント

26
コートスタンド
Coat Stand
1920 / 後刷
ゼラチン・シルバー・プリント

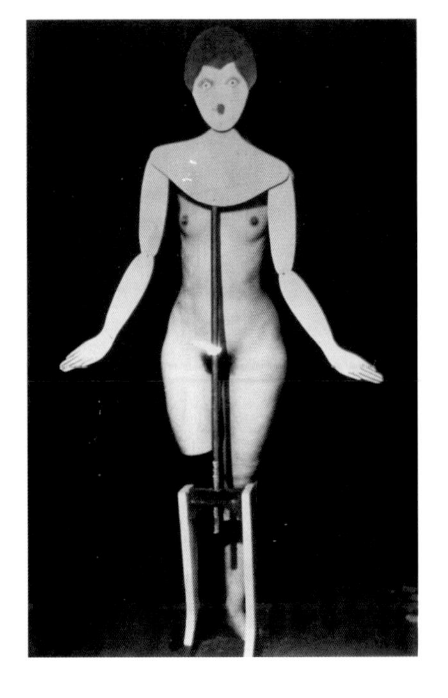

27
イジドール・デュカスの謎
Enigma of Isidore Ducasse
1920 / ヴィンテージ
ゼラチン・シルバー・プリント

→ P. 28, 187, 200

29

ローズ・セラヴィの肖像

Portrait of Rrose Sélavy

1921 / 後刷

ゼラチン・シルバー・プリント

ローズ・セラヴィ→ P. 28

30

ローズ・セラヴィの肖像 ▶

Portrait of Rrose Sélavy

1921 / 後刷

ゼラチン・シルバー・プリント

31

マン・レイ & マルセル・デュシャン(ローズ・セラヴィ)
Man Ray & Marcel Duchamp (Rrose Sélavy)

レディメイド《ベル・アレーヌ、ヴォワレット水》(リゴー社の香水瓶ラベル)

Ready-made *Belle Haleine, Eau de Voilette*,
Perfume bottle label of Rigaud brand

1921 / ヴィンテージ
ゼラチン・シルバー・プリント

ベル・エレーヌ(美女ヘレネ)→ベル・アレーヌ(美吐息)
ヴィオレット水(すみれ香水)→ヴォワレット水(ヴェール水)
言葉遊び(語呂あわせ)による命名。

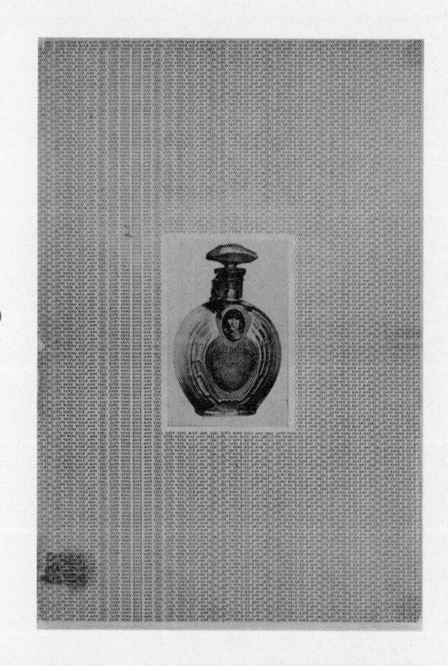

32

マン・レイ & マルセル・デュシャン(ローズ・セラヴィ)
Man Ray & Marcel Duchamp (Rrose Sélavy)

レディメイド《ベル・アレーヌ》(雑誌『ニューヨーク・ダダ』の表紙)

Ready-made *Belle Haleine*,
Cover of Magazine *New York Dada*

1920-21年刊

Ⅱ
パリ
Paris
1921-1940

Ⅱ パリ 1921-1940

1921年７月22日、パリのサンラザール駅に着いたマン・レイは、デュシャンに出迎えられ、その日のうちにカフェ「セルタ」へ同行すると、当時はダダイストだった未来のシュルレアリストたちに紹介されました。マン・レイよりも５歳以上若く、彼に敬意をいだいている詩人たちでした。

アンドレ・ブルトン、ポール・エリュアールとその妻ガラ、ルイ・アラゴン、フィリップ・スーポー、ジャック・リゴーといった面々から真摯な歓迎をうけ、スーポー所有の画廊でパリ初の個展（→P. 45）をひらくことがきまりました。

そこにいなかったツァラやピカビアとも会い、マン・レイはパリ・ダダの活動に協力します。前年に移住してきたツァラはダダ風パフォーマンスをくりかえしていましたが、やがて主力のピカビアともブルトンとも対立して、運動は下火になり、２年後には終息しました。マン・レイはツァラとは気が合い、その後も親交をつづけます。

ブルトンとその友人たちの多くは、チューリヒのダダイストたちとは違って大戦に動員され、戦場の惨禍を体験していたことなど、出発点を異にしていました。1919年のオートマティスム（自動記述）の実験から、理性にしばられない思考＝言語の可能性を見いだし、日常の現実のうちに「超現実」をさぐる生き方を求めて、1924年にはシュルレアリスムという名の新しい運動を発足させます。

マン・レイはその運動にも参加し、第二次大戦の直前まで協力しつづけました。ほとんどのメンバーと交友しましたが、詩人ではエリュアールやデスノスなどと親しく、共作も試みています。

シュルレアリスムにとってもマン・レイの協力は不可欠で、とくに写真による寄与は決定的でした。彼自身が指導的存在ではなかったにしても、精神の自由を求める生き方には共感し、しばしばシュルレアリストを自称してもいました。

マン・レイはモンパルナスを住処（すみか）として、生活のために小さな写真スタジオを設けます。戦勝国のフランスは復興しはじめていて、この地区には世界中から芸術家たちが集まってきたので、友人がすぐに増えて肖像写真の注文もありました。

1921年末にはカフェでひとりの若い美しい女性と出会い、愛しあい、同棲することになります。キキ・ド・モンパルナスと呼ばれ、モデルの素質に恵まれていた彼女は、画家たちの描く肖像画や裸体画に加えて、マン・レイの写真の被写体としても名声を博しました。

モンパルナスの人気者だったキキのおかげで、マン・レイは環境になじみ、フランス語も上達して、多くの友人・知己を得ました。ただ、自由で移り気でもあった彼女の行動には悩まされ、嫉妬心にもとらわれます。７年以上にわたる同棲生活は終りを迎えますが、その後も二人はよき友人としてつきあうことになります。

キキと別れてすぐ、やはりカフェで出会った第二の恋人は、アメリカから来たリー・ミラーでした。知的な美貌の持ち主で、写真を学ぶためにマン・レイに近づいて助手になり、モデルもつとめながら３年間をともにしました。

リーも自由で独立心が強く、やがて他の男性との結婚を選びますが、別れたあともマン・レイの心は鎮(しず)まらず、苦悩のなかで油彩画の代表作を描きます。リーが写真家として自立し活躍するにしたがい、徐々に交友は回復していきました。

第三の恋人はアディ・フィドランです。カリブ海の島グアドループ出身の若い魅力的なダンサーで、1934年冬にパリで出会ったあと、５年間ほどともにすごしました。第二次大戦の近づく不安な時期に、明るく陽気なアディは不可欠の伴侶でした。

二人の関係は大戦勃発によって裂かれますが、戦中もアディはマン・レイの作品を守りつづけました。キキやリーと同様、別れても友人でいられたのです。

この三人のほかに、マン・レイの撮影した女性は数知れません。注文仕事もありましたが、シュルレアリスム運動にかかわった女性たちを友人として撮影しています。メレット・オッペンハイムやエリュアールの第二の妻ニュッシュの連作が代表的なものでしょう。

マン・レイは画家を自負していながらも絵が売れず、生活のためにはじめた肖像写真のほうが人気を呼んで、文学・芸術界から社交界・モード界へと客が増えてゆきます。外国から撮影を求めてくる人々もいたくらいで、この分野での名声はいよいよ高まりました。

1922年に当時のモード界の大立者ポール・ポワレに依頼されたのがきっかけで、ファッション写真も手がけます。マン・レイの斬新な写真はさっそくモード誌の編集者から注目され、以来この領域での仕事で収入を得るようになります。

その種の写真が掲載されたのは高級モード雑誌の『ヴァニティ・フェア』『ヴォーグ』『ハーパーズ・バザー』などですが、マン・レイはいわゆる職業写真家とは別扱いで、芸術家として紹介されがちでした。

当然モード界との接触もあり、ポワレにかわってモードの女王になったココ・シャネルや、のちにそのライヴァルとみなされるエルザ・スキャパレッリの肖像写真も撮っています。1930年代にはシュルレアリスムの影響をうけたファッションも流行しますが、スキャパレッリはその代表者になりました。

こうしてモード界にかかわったマン・レイの活躍はめざましいものでしたが、彼自身はファッション写真を生活のための仕事だと割りきっていました。大きな収入源ではあっても、自分の本領は絵画にこそあるという信念は変らず、やがて油彩画に没頭しはじめます。

シュルレアリスムに協調して商業的活動を避けたマン・レイですが、モードの仕事だけは受けいれていました。彼がブルックリンの仕立屋の子だったことが思いだされます。オブジェ作品に用いたミシンやアイロンやハンガーもどこか暗示的です。

パリに住んだ20年間、マン・レイは多くの魅力的な女性たちと出会ったばかりでなく、女性の服飾にも出会っていたといえるでしょう。心から愛しつづけ、生涯のもっとも豊穣な時期をすごしたパリという大都市が、アートに加えてモードの中心地だったのは意味ぶかいことでしょう。

Ⅱ-3 ダダ・シュルレアリスム
Dada and Surrealism

1921年末、パリでの初個展の出品作は、油彩画、コラージュ、オブジェなど、ニューヨークから携えてきたものがほとんどでしたが、なかにひとつだけ、即興でつくった作品がありました。《贈り物》[34]です。

開幕の日、マン・レイは観客のひとりで英語の達者な作曲家エリック・サティと知りあい、買い物の通訳をしてもらいました。アイロンと釘と膠(にかわ)を手に入れると、戻ってからアイロンの面に一列の釘を膠で貼り、画廊主のスーポーへの「贈り物」にして、写真に撮ってから展示したのです。

この作品はその日のうちに行方不明になりましたが、マン・レイはあわてません。写真もあって再現可能です。事実、その後に何度も再制作・複製して、生涯に数千もの《贈り物》[34]を売りました。

この逸話にはマン・レイの作品の特徴があらわれています。既製品の素材を複数、即興で組みあわせて接着し、写真に撮り、展示すること。作品がなくなってもつくりなおせばよい、ということです。

デュシャンの単品の「レディメイド」とは違いますが、芸術の権威を否定している点ではダダ的なもので、マン・レイ自身もこの作品を「ダダのオブジェ」と称しました。

さらに「二つの異なる要素を結びつけた造形的な詩」とも称しているので、これは3年後にはじまるシュルレアリスムのコラージュなどの考え方、「解剖台の上でのミシンと雨傘の偶然の出会い」(デュカス)の先駆です。

同じころ、マン・レイは写真の焼付をしているときに、ある発見をしました。印画紙にじかに物を置き、光をあててから現像すると、不思議な映像が得られるという現象です。カメラなしでオートマティックに生じるこの写真ならぬ写真に、彼は「光線」を意味する自分の名レイを冠して、「レイヨグラフ」[36]という呼称を与えました。

それを見たツァラに勧められて以来、身近な素材を用いて制作をつづけます。前例もある技法ですが、マン・レイの場合は絵画的傾向が強く、日常の現実から新しい現実(超現実)を生みだす一例とされ、シュルレアリストたちにも歓迎されました。

写真というもの自体が人間の見る現実と違って、意味や用途を失った一種の超現実を写しだすものですから、シュルレアリスムと親和性があります。運動の発足後、機関誌『シュルレアリスム革命』にさまざまな写真を掲載することで、マン・レイはシュルレアリスムの一翼を担い、また写真をシュルレアリスムの一領域にしたのです。

映画はニューヨークでデュシャンと試みて以来、1923年にツァラの依頼でレイヨグラフを用い、たった2分間の『理性への回帰』[37]を即製したのが最初ですが、1926年の『エマク・バキア』[42]以後は独自の発想から、1928年の『ひとで／海の星』や1929年の『骰子(さいころ)城の秘密』によって、シュルレアリスム映画と呼べるものを実現しました。(→P. 209)

このように1920年代のマン・レイは、多種多様の新分野をひらきました。ダダからシュルレアリスムへの移行は彼にとって自然でした。基本は変らないまま、作品は徐々に進化してゆきました。

LIBRAIRIE SIX
5, AVENUE LOWENDAL PARIS 7e

LIBRAIRIE SIX

EXPOSITION
dada
MAN RAY

DU 3 AU 31 DÉCEMBRE 1921
DE 9h A 12h ET DE 2h A 7h
VERNISSAGE LE 3 DÉCEMBRE A 2h 30

MAN RAY

Monsieur Ray est né on ne sait plus où. Après avoir été successivement marchand de charbon, plusieurs fois millionnaire et chairman du chewing-gum trust, il a décidé de donner suite à l'invitation des dadaïstes et d'exposer à Paris ses dernières toiles.
A l'issue d'un banquet quelques-uns de de ses amis ont cru devoir prononcer des phrases définitives qu'il est indispensable de reproduire dans le catalogue de la première exposition européenne de Man Ray.

à Man Ray. Nous devons tous le jour à un moment d'inattention, et notre vie entière se souvient à tout moment de ce moment sans mesure qu'elle imite sans cesse au gré des passages, des chansons, des capitales, des amis soudain sur un banc d'avenue; et de la fuite des idées, pareille à nos visages mobiles, à nos sens parfaits, que rien ne pourra jamais distraire de leur distraction éternelle.

LOUIS ARAGON

Avec des larmes dans mes dents vides je vous remercie du printemps poétique. Je compte vos orteils dont vous avez dix tout le monde le sait je me mets comme une fleur sous vos chaussures je veux vous servir de charbon en hiver et de chapeau de paille en été. Je supporte les frais de détectives chiens policiers taxis mais sachez que je suis chaste comme une fiancée comme une forêt dans l'objectif.

ARP

Les dents empoisonnées de la charmeuse d'échelles au long du chemin vert et de la côte empoisonnée et la candeur des lions que nous mangeons avec Max Ernst et Man Ray, celui-ci et celui-là plus avides que la dompteuse.

PAUL ELUARD

Je vous aime de force comme vous réunissez la toupie qui danse et la toupie qui court, vous trouverez toujours des acheteurs, vous ne m'ennuyez pas pour fixer le manche maudit au balai muni d'un marteau.

MAX ERNST

Pensées sur l'art. Après avoir habillé une moyenne carpe de Seine, vous la coupez par tronçons (ayez soin d'ôter la pierre d'amertume qui se trouve à la naissance de la tête). Parmi les artistes, 281 ont été mis en nourrice, dont un seulement à Paris; et d'autre part, il est à remarquer que, sur ce nombre, il n'y en a que 4 qui sont nourris au sein.

MAN RAY

L'œil bleu des étoiles qui se balance
sur la pointe d'une aiguille
Balaie les larmes du parquet de cœur
Et tous les petits anges suceurs de sueur
Ont fait leur nid dans un chapeau haut de forme
Alors la fleur écarte les jambes

G. RIBEMONT DESSAIGNES

La lumière ressemble à la peinture de Man Ray comme un chapeau à une hirondelle comme une tasse à café à un marchand de dentelle comme une lettre à la poste.

PHILIPPE SOUPAULT

New-York nous envoie un de ses doigts d'amour qui ne tardera pas à chatouiller la susceptibilité des artistes français. Espérons que ce chatouillement marquera encore une fois la plaie déjà célèbre qui caractérise la somnolence fermée de l'art. Les tableaux de Man Ray sont faits de basilic de macis d'une pincée de mignonnette et de persil en branches de dureté d'âme.

TRISTAN TZARA

CaTaLoGUE dE l'eXpoSiTioN

1	Portrait	1914
2	Admiration of the orchestrelle for the cinematograph	1919
3	Invention	1917
4	Suicide	1917
5	Anpor	1919
6	Volière	1919
7	Narcisse	1917
8	Seguidille	1919
9	La fatigue des marionnettes	1919
10	Mon premier né	1918
11	Sculpture	1919
12	Portrait	1919
13	Chanson espagnole	1919
14	Silhouette	1919
15	Doigts d'amour	1917
16	Transmutation	1916
17	Légende	1916
18	La clé	1919
19	La mer de dieu	1919
20	Selbstbildniss	1914
21	Intérieur de X	1915
22	Chemin de fer	1914
23	Alcool à brûler	1914
24	Araignée du soir	1914
25	Isadora Duncan nue	1922
26	Mélange	1918
27	L'impossibilité	1917-1920
28	Deux portraits	1913
29	Tempo Club	1921
30	Le Cheval entre les deux extrémités	1917
31	Ziegfield Follies	1919
32	Suie 1	1918
33	Suie 2	1918
34	Percolator	1916
35	Transatlantique	1921

33
「ダダ　マン・レイ展」（リブレリー・シス、パリ）
Exposition Dada Man Ray, Librairie Six, Paris

1921

マン・レイについてのダダ的な人物紹介につづいて、アラゴン、アルプ、エリュアール、エルンスト、マン・レイ自身、リブモンデセーニュ、スーポー、ツァラによる小文を掲載したパンフレット。

34
贈り物
Gift

1921 / 1970　Ex. 1/11
アイロン、鋲

初個展のオープニングの日につくったオブジェ。

35

1921年の家具つきホテル

L'Hôtel meublé de 1921

1921 / 1969　Ex. 1/8

着色されたブロンズ

「家具つきホテル」とはフランス語で「長期滞在用ホテル」をいう（または「家具つき館」の不動産広告の可能性もある）が、その表現を見て奇妙に感じたことから着想した作品。

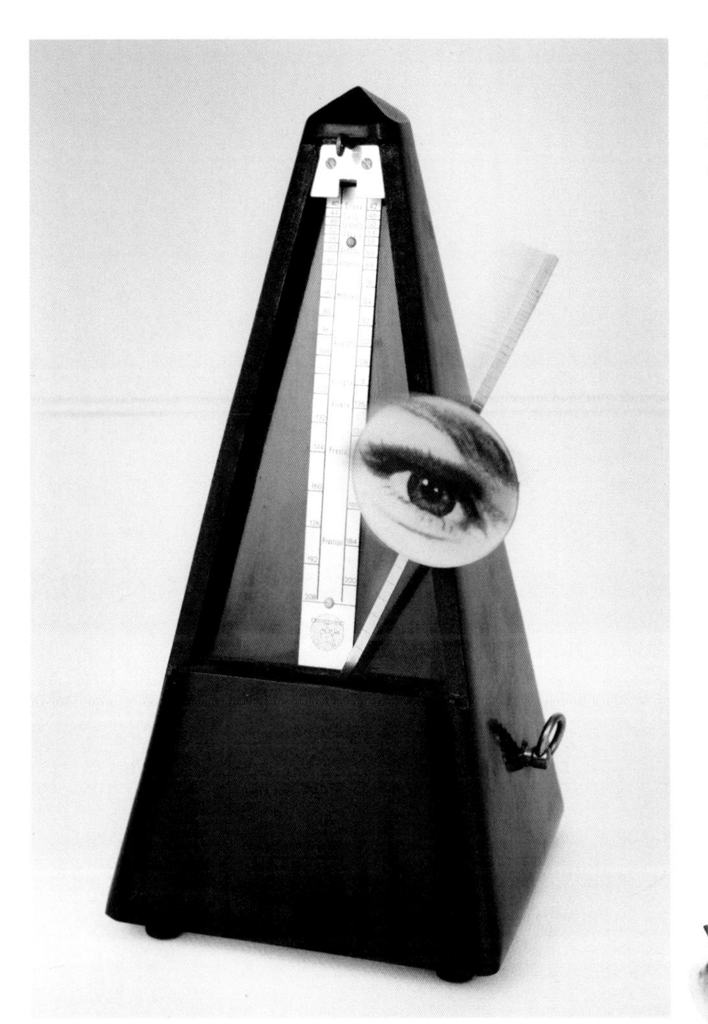

38
永続するモティーフ
Perpetual Motif
1923 / 1971　Ex. 3/40
木製メトロノーム、目の写真

破壊から永続へ

　メトロノームは音楽好きのマン・レイにとって身近なものでした。左右に行き来するその棒の先に女性の目の写真をつけたこのオブジェは、1932年に《破壊されるべきオブジェ》としてリーの目の写真につけかえられました（右）が、1957年の個展の際に観客によって実際に破壊されたので、マン・レイはさっそく6点を再制作してこんどは《破壊できないオブジェ》と命名し、さらに1965年にも複製を100点つくって文字どおりの「永続するモティーフ」にしました。

Fig. 3
破壊されるべきオブジェ／破壊できないオブジェ
Object to be destroyed / Object undestroyable
1932 / 1965　Ex. 77/100
木製メトロノーム、写真

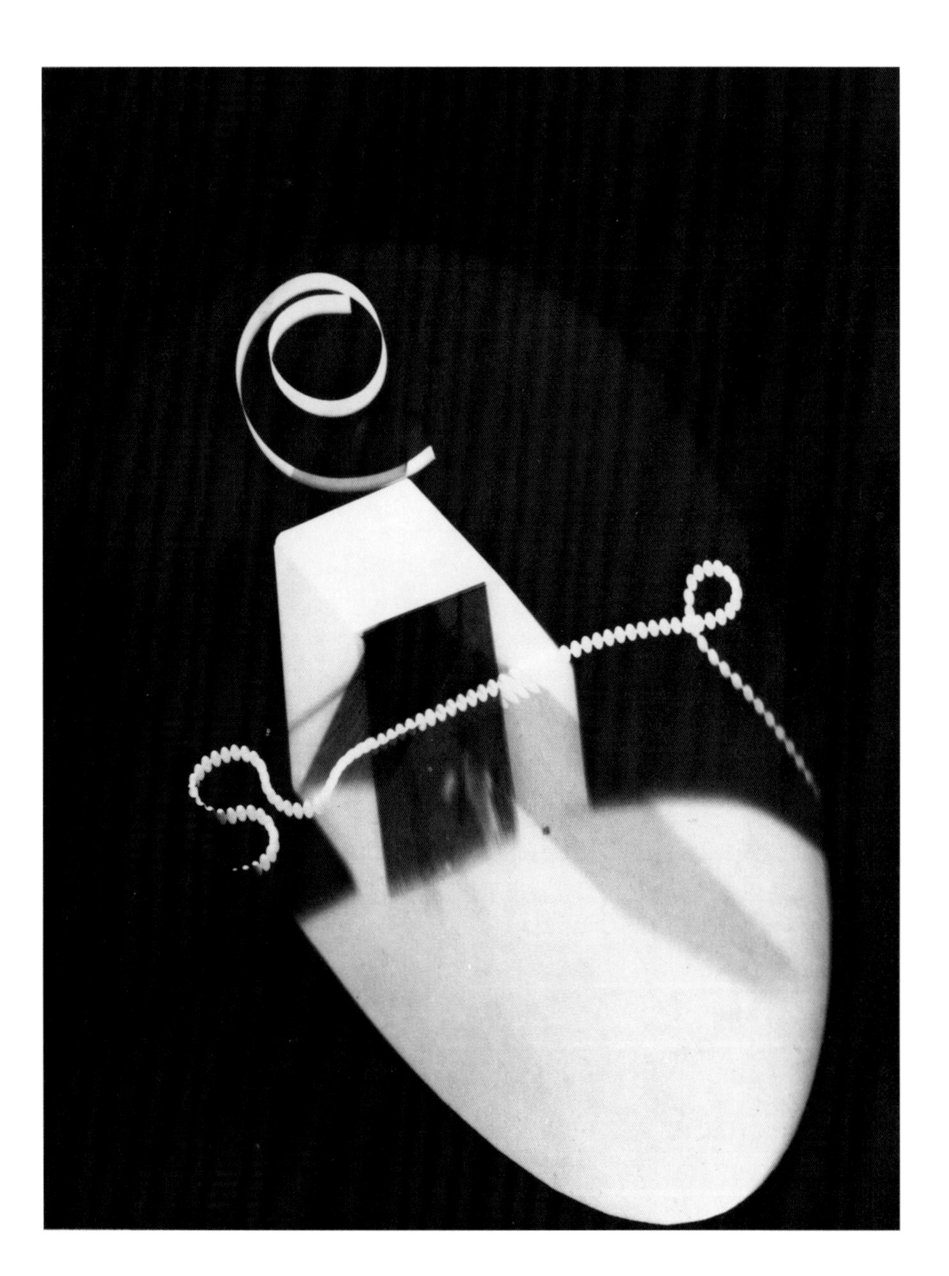

36
女性の思索（レイヨグラフ）
Thought of Woman, Rayograph

1922 / ヴィンテージ / Man Ray, 1955-60
シルバー・フォトグラム・プリント

レイヨグラフ→ P. 44

37

マン・レイの映画「理性への回帰」のスチル写真

Film still from Man Ray's film
Le Retour à la Raison

1923 / 後刷
ゼラチン・シルバー・プリント
→ P. 209

40

キキ・ド・モンパルナス（フェルナン・レジェの映画「バレエ・メカニック」のスチル写真）

Kiki de Montparnasse,
Film still from Fernand Léger's film
Ballet mécanique

1924 / 後刷
ゼラチン・シルバー・プリント

フェルナン・レジェに貸しだして
この映画に使われたキキの写真。
→ P. 209

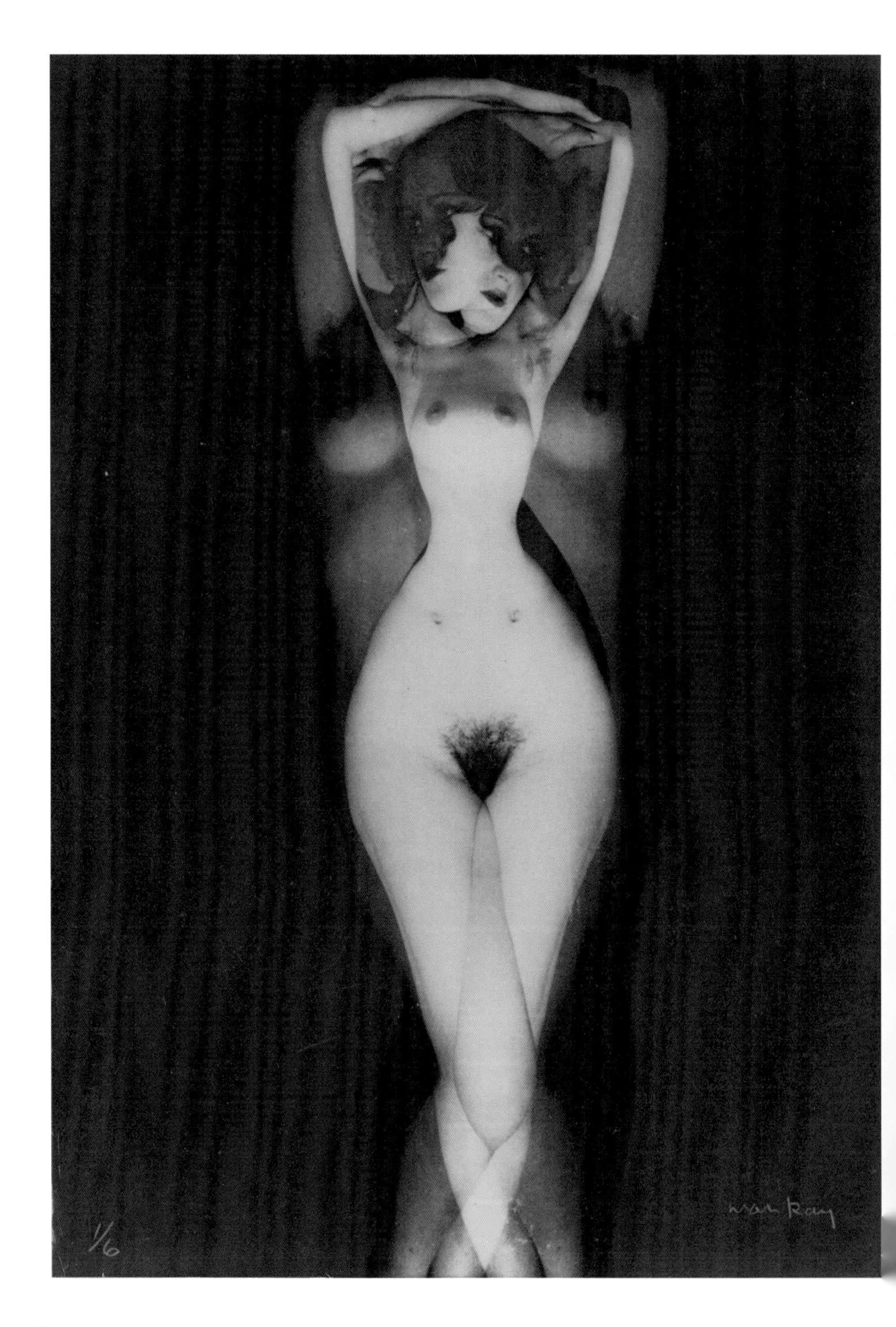
1/6
man Ray

42
マン・レイの映画「エマク・バキア」のスチル写真
Film still from Man Ray's film *Emak Bakia*

1926 / ヴィンテージ
ゼラチン・シルバー・プリント

「エマク・バキア」は「私をほっといてくれ」の意。
→ P. 209

39
◀ **昨日、今日、明日**
Yesterday, Today, Tomorrow

1924 / 後刷
ゼラチン・シルバー・プリント

41
エマク・バキア
Emak Bakia

1926 / 1970　Ex. 0/10
銀、馬の毛

シュルレアリストたちの肖像
Portraits of the Surrealists

マン・レイは1924年からシュルレアリスムのメンバーになり、とくに写真によってこの運動に貢献しました。レイヨグラフなどをふくむ作品の価値はもちろんですが、機関誌のほか個別の刊行物に写真を提供し、また集合写真や肖像写真の数々を通じて、グループの視覚的イメージを世界にひろめました。

外国人として政治的活動を控える立場も配慮されて、中心メンバーにはなりませんでしたが、第二次大戦直前まで、運動の証人、写真による記録者の役もつとめました。

当然シュルレアリストたちを撮影する機会は多く、メンバーのほとんどを写真におさめています。パリ・ダダの立役者でのちに一時シュルレアリストになるツァラ[43]はもちろん、主力のアラゴン[44]から年長者のピカソ[53]、運動参加の遅かったルイス・ブニュエル[52]やサルバドール・ダリ[54]まで、友人たちの各時期にわたる肖像をのこしています。

とくにエリュアール[46]とは親しく、詩画集『自由な手』[155]などは交友から生まれたものですが、風貌にも惹かれていた（ボードレールそっくりだと評しました）ようで、肖像写真をよく撮りました。エリュアールの二番目の妻ニュッシュ[49]も好みのモデルになり、彼女の裸体を撮った写真とエリュアールの詩による名作『容易』[147]が生まれています。

運動の指揮者ブルトン[47]とは多少の距離がありましたが、協力関係は緊密で、写真集などに序文を贈られていたほか、ブルトンの著書『ナジャ』には友人たちの肖像写真を提供しています。この本は挿絵のかわりに写真を用いた試みで、パリの町の写真はマン・レイの助手ジャックアンドレ・ボワファールが担当し、文章に写真が有機的に応える画期的な書物になりました。

ブルトンをめぐる女性たちの肖像も多く、最初の妻シモーヌ[45]、第二の妻ジャクリーヌ[48]も好みのモデルでした。前者は初期シュルレアリスムの記録係だった女性ですが、後者はダンサーを経て画家になる女性で、『ナジャ』と同じくマン・レイの写真を用いたブルトンの書『狂気の愛』に登場します。

画家ではまずマックス・エルンスト[50]です。ほぼ同年に生まれ、ほぼ同年にパリに移住してきたこのドイツ人は、第二次大戦以後のハリウッドでも、1951年にパリへ戻ってからも親しく交友し、最後はパリで同年に亡くなった仲なので、生涯のさまざまな場面が写真にのこりました。

エルンストも各時期に妻や恋人がいたので、その写真も多彩です。一時期の妻マリーベルト・オーランシュ[51]との記念写真から、恋人レオノーラ・キャリントンやペギー・グッゲンハイムを経て、最後の妻ドロテア・タニングとは、ハリウッドでジュリエット・ブラウナーとマン・レイのカップルとともに、合同結婚式[180]を挙げることになります。

マン・レイによる肖像写真は交友の現場を反映していました。人物を肩書や経歴で解釈したりせず、友情をもって観察しながら即興的に撮っています。結果としてシュルレアリスムは、稀有な交友関係の集合体というイメージをのこしました。

43
トリスタン・ツァラの肖像
Portrait of Tristan Tzara

1922 / ヴィンテージ
ゼラチン・シルバー・プリント

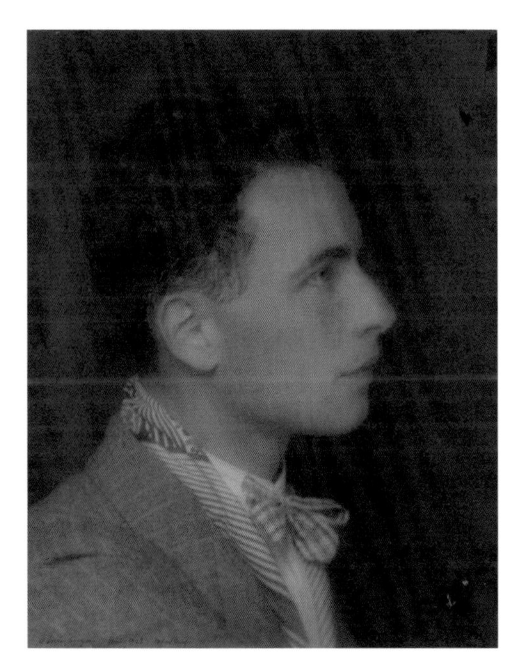

44
ルイ・アラゴン
Louis Aragon

1923 / ヴィンテージ
ゼラチン・シルバー・プリント

45

◀ シモーヌ・カーン（・ブルトン）
Simone Kahn-Breton

ca. 1927 / 後刷
ゼラチン・シルバー・プリント

46

ポール・エリュアールとアンドレ・ブルトン
Paul Éluard and André Breton

1930 / 後刷
ゼラチン・シルバー・プリント

シュルレアリストたちの実験

自己催眠によって自動口述にふけっている詩人ロベール・デスノスの言葉を、アンドレ・ブルトンの妻シモーヌ・カーンがタイプライターで速記している光景です。

前列左から　シモーヌ・ブルトン、ロベール・デスノス、ジャック・バロン、フィリップ・スーポー
後列左から　マックス・モリーズ、ロジェ・ヴィトラック、ジャックアンドレ・ボワファール、アンドレ・ブルトン、ポール・エリュアール、ピエール・ナヴィル、ジョルジョ・デ・キリコ

Fig. 4
醒めてみる夢の会（シュルレアリスム研究本部にて）　1924
ゼラチン・シルバー・プリント

47

アンドレ・ブルトンの肖像
Portrait of André Breton

ca. 1930 / 後刷
ゼラチン・シルバー・プリント

48
ランタンをもつジャクリーヌ・ランバ（・ブルトン）
Jacqueline Lamba-Breton with a Lantern

ca. 1934 / 後刷
ゼラチン・シルバー・プリント

49
ニュッシュとポール・エリュアール
Nusch and Paul Éluard

ca. 1935 / 後刷
ゼラチン・シルバー・プリント

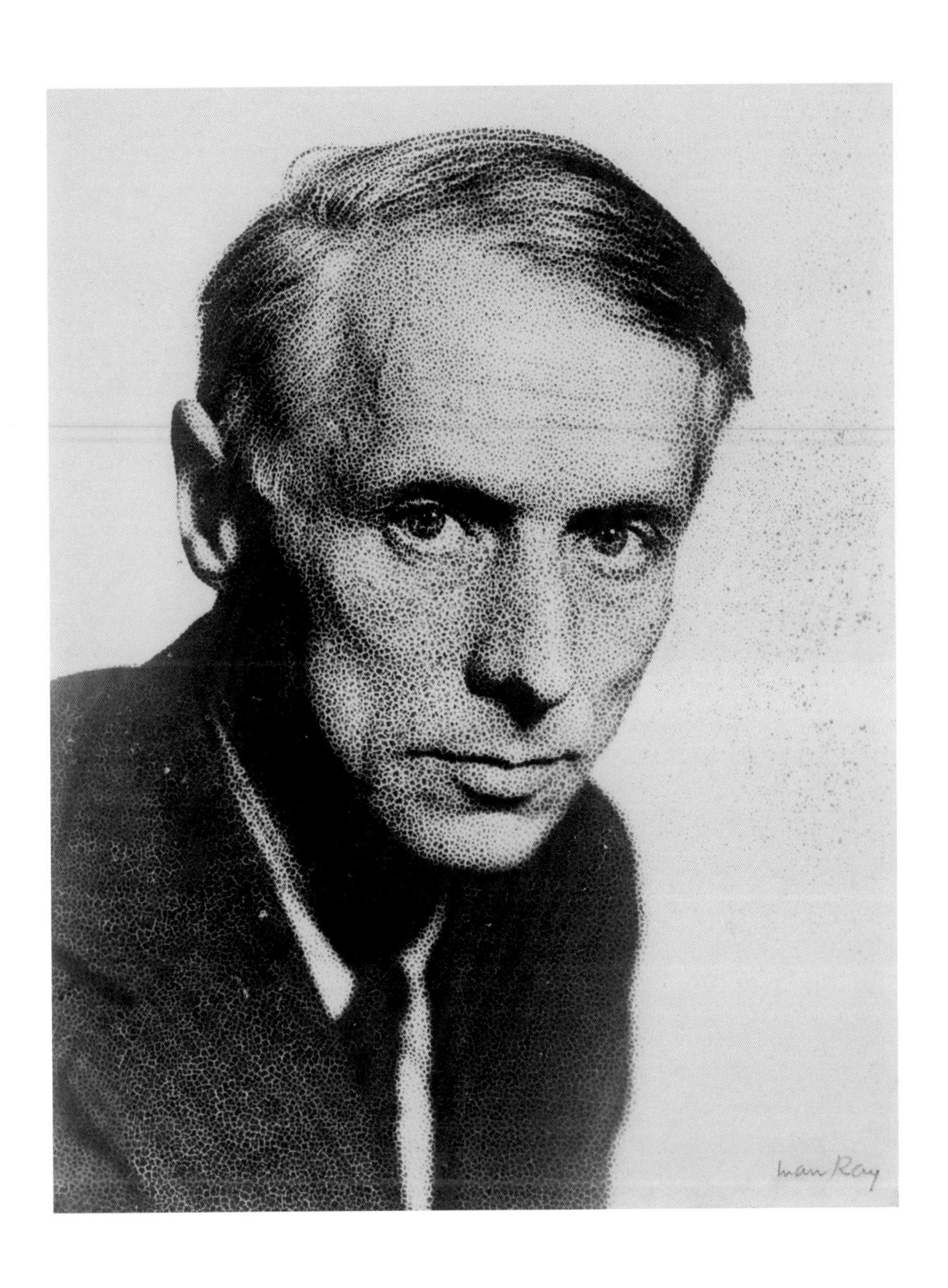

50
マックス・エルンストの肖像（網目効果）
Portrait of Max Ernst, Reticulation

1934 / 後刷
ゼラチン・シルバー・プリント

51
マックス・エルンストとマリーベルト・オーランシュ
Max Ernst and Marie-Berthe Aurenche

ca. 1928 / 後刷
ゼラチン・シルバー・プリント

52
ルイス・ブニュエルの肖像
Portrait of Luis Buñuel

1929 / 後刷
ゼラチン・シルバー・プリント

55
ガラとサルバドール・ダリ ▶
Gala and Salvador Dalí
1936 / 後刷
ゼラチン・シルバー・プリント

53
ピカソの肖像
Portrait of Picasso
1932 / ヴィンテージ
ゼラチン・シルバー・プリント

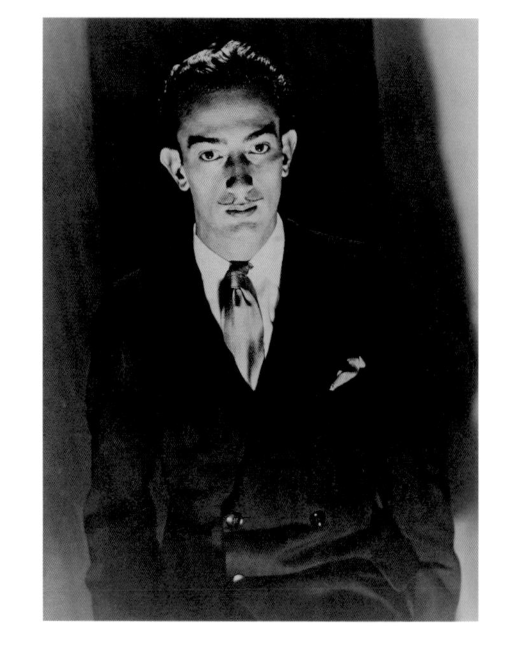

54
サルバドール・ダリの肖像
Portrait of Salvador Dalí
1932 / 後刷
ゼラチン・シルバー・プリント

Ⅱ-5 キキ・ド・モンパルナス

Kiki de Montparnasse

ブルゴーニュ地方の田舎町に私生児として生まれ、12歳でパリに出た少女アリス・プランは、第一次大戦後、17歳のころからモンパルナスの人気者になり、キスリングや藤田嗣治やスーティンなどの画家たちのモデルをしていました。キキという渾名（あだな）はキスリングがつけたといわれています。

マン・レイがキキを見そめたのは1921年末、とあるカフェで、帽子なしで来店しては困ると文句をいってきた店の主人に向って、伝法な啖呵（たんか）を切っている最中でした。仲裁に入ったマン・レイはその日のうちに、彼女をアトリエへ誘いました。

彼はキキの美貌と資質に打たれ、絵よりも写真のモデルになってほしいと頼みました。そのとき以来、7年にわたって同棲生活を送るあいだに、注文仕事ではない多くの肖像写真・裸体写真を撮りつづけます。キキはマン・レイのミューズになったのです。

キキを熱愛するマン・レイは、外出前に彼女のために衣裳を選んだり、化粧をほどこしたりもしました。自分より背の高いキキにつきそって町を歩くうちに、モンパルナスの芸術界・社交界になじみ、肖像写真の注文者も増えました。

キキも彼を愛して、彼の被写体になることを悦び、彼の写真によってさらに名声を得ました。自立心の強いキキはひとりで行動することも多く、1923年には映画女優を目ざして単身ニューヨークへ渡りますが、英語を話せないのでこれは失敗でした。

数多い写真作品のなかでも、代表作とみなされる1924年の《アングルのヴァイオリン》[57]は、一目で19世紀前半の大画家アングルの名作《ヴァルパンソンの浴女》を連想させるので、題名は成句です。アングルがヴァイオリンの演奏を得意とし、来客に聴かせていたという故事から「余技」の意味になりますが、これはマン・レイが画家を自負しつつ、写真という「余技」にかまけていることへの反省とも読めます（→P. 67）。

1926年の《黒と白》[61, 62]も代表作のひとつで、まず『ヴォーグ』誌に掲載されて《黒檀と真珠》と題されましたが、ファッション写真ではなく、アフリカのバウレ族の仮面とキキの顔を組みあわせた画面に、黒人と白人、野生と文明という微妙な問題をはらみつつ、高い芸術性に達している作品です。

流行のアール・デコ気分もとりいれ、斬新な髪形と化粧によって自身も仮面と化して黒い仮面とともに目を閉じているキキの姿は、優美にも神々しくも見えるでしょう。

実際のキキは陽気で奔放で、ときに破天荒で、どこへ行っても派手にふるまい、歌い踊り、男たちの気を引いていたため、マン・レイは嫉妬にかられはじめ、喧嘩をしました。キキは譲らず、別れることになりますが、その後もモンパルナスでよく会い、親友として交遊をつづけました。

キキは1929年に回想記『キキの想い出』[65]を出します。英語版では作家ヘミングウェイの序文もあり、この本は評判になりました。キキの日常に描きためた絵も収録されていて、それらをふくむ個展もひらかれました。さらにナイトクラブ「ジョッキー」で唄う歌はレコード[65]にもなり、すべて大好評でした。

このように多才だった女性ですが、生来のモデルの才能こそ本物でした。マン・レイによる多くの写真があってはじめて、キキ・ド・モンパルナスの名は不滅になったのです。

56
キキ・ド・モンパルナス
Kiki de Montparnasse
1924 / 後刷
ゼラチン・シルバー・プリント

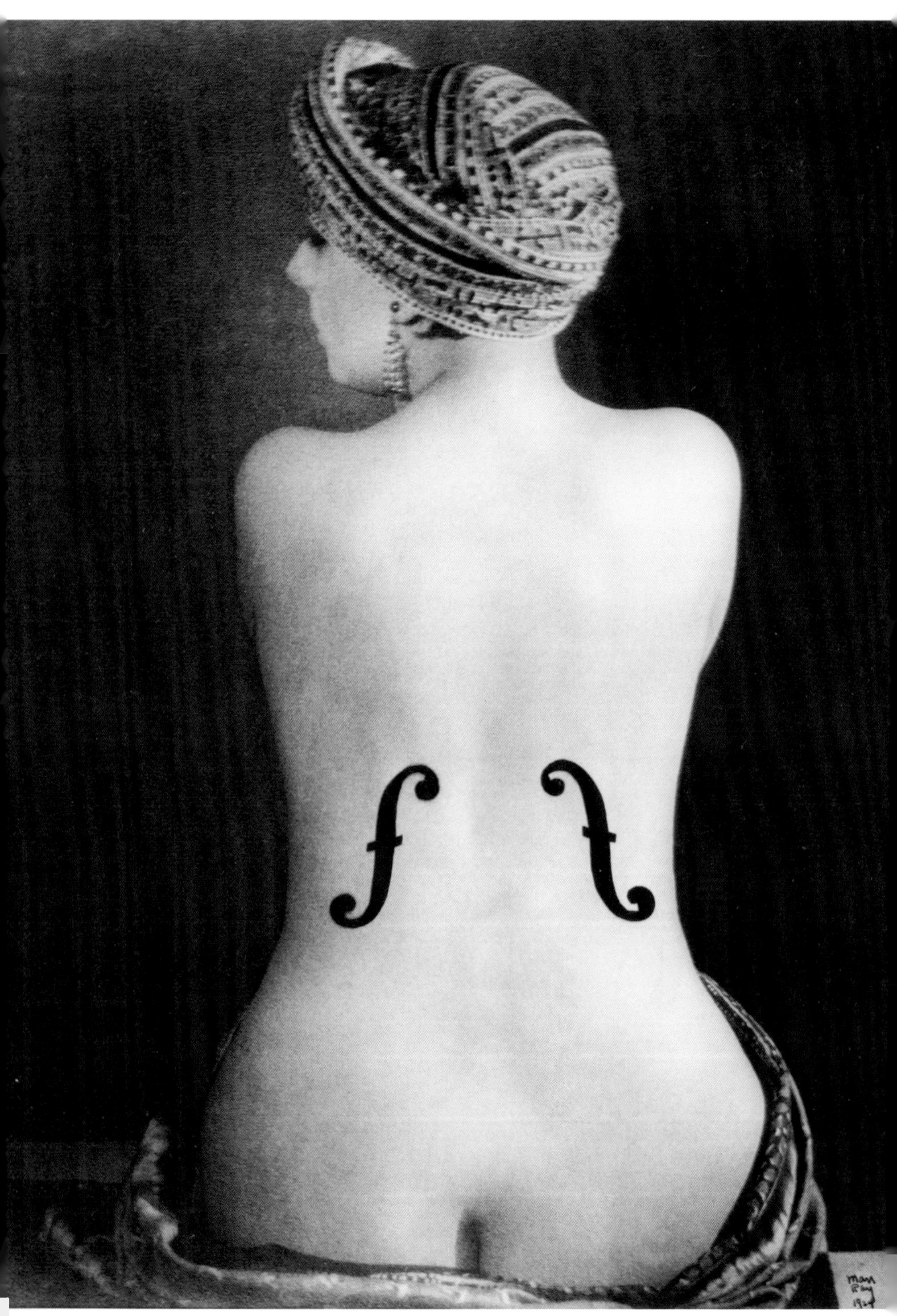
Man Ray
1924

57

◀ アングルのヴァイオリン
Ingres' Violin

1924 / 後刷
ゼラチン・シルバー・プリント

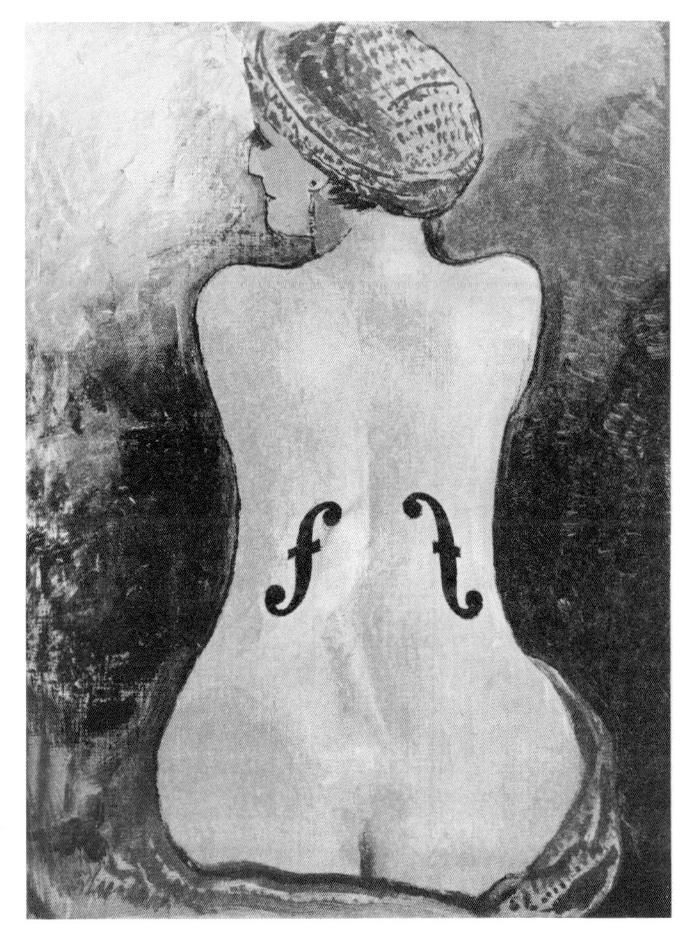

58

アングルのヴァイオリン
Ingres' Violin

1924 / 1969　A.P.
リトグラフ（多色）、紙

アングルのヴァイオリン

キキがはじめて裸体写真のモデルになったとき、「アングルの《泉》にそっくりだった」とマン・レイは回想しています。19世紀フランスの大画家アングルを尊敬していた彼は、こんどは別の名作《ヴァルパンソンの浴女》（1808年）を連想したのでした。《浴女》と同じターバンのようなものを巻いていますが、頭の向きは逆で、いわゆる活人画でもパロディでもなく、むしろアングルへの賛美をこめた作品でしょう。

題名はフランス語の成句で、画家アングルがヴァイオリンを得意としていたという故事から、「余技」（ときには「下手の横好き」）を意味します。とすればマン・レイ自身にとって、写真は余技だというアイロニーが重なります。

しかもその成句を実体化するように、キキの背中をヴァイオリンに見立てているので、この作品は二重三重の含みをもち、マン・レイらしい名作になったのです。

59
キキ・ド・モンパルナス
Kiki de Montparnasse
1924 / 後刷
ゼラチン・シルバー・プリント

60
キキ・ド・モンパルナス
Kiki de Montparnasse
1925 / 後刷
ゼラチン・シルバー・プリント

61
黒と白
Black and White
1926 / 後刷
ゼラチン・シルバー・プリント

62
黒と白
Black and White
1926 / 後刷
ゼラチン・シルバー・プリント

64
キキ・ド・モンパルナス
Kiki de Montparnasse
1928 / 後刷
ゼラチン・シルバー・プリント

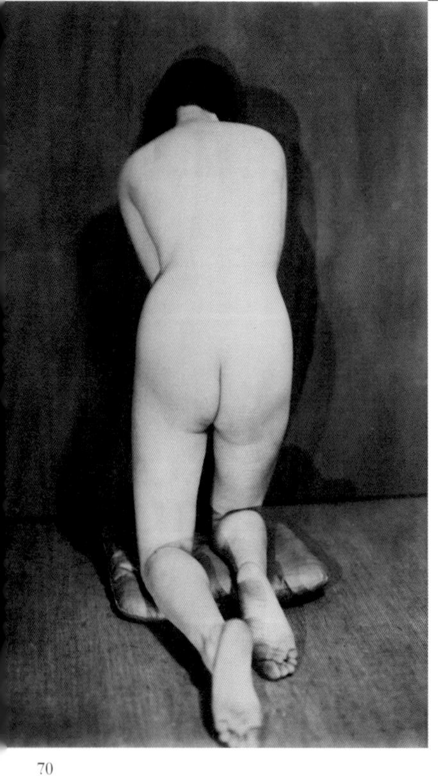

63
白い背中
White back
1927 / 後刷
ゼラチン・シルバー・プリント

65

キキ・ド・モンパルナス（アリス・プラン）
Kiki de Montparnasse (Alice Prin)

『キキの想い出』
（キキの描いた絵画とキキをモデルにしたマン・レイや藤田嗣治やキスリングの作品画像を収録し、アーネスト・ヘミングウェイが序文を贈った英語版の初版）

Kiki's Memoirs

1930年刊
Edward W. Titus /
Black Manikin Press, Paris

66

キキ・ド・モンパルナス
Kiki de Montparnasse

『キキ・ド・モンパルナスとアコーディオン弾き』

Kiki de Montparnasse and her accordionist

1939年　78T レコードディスク

Ⅱ-6 リー・ミラー
Lee Miller

1929年7月、マン・レイがとあるバーに入ってゆくと、ひとりの若い美しい女性が名のり出ました。「リー・ミラーといいます、あなたの新しい弟子です」と。弟子はいらないと答えてから、助手に迎えました。キキと別れて孤独だったマン・レイにとって、彼女は助手以上の存在になります。

本名エリザベス・ミラー、ニューヨーク近郊の生まれで、母はカナダ人、父はアメリカ人。少女時代から人目をひく美貌でモデルになり、モード誌『ヴォーグ』の表紙を飾ったほどですが、独立心が強く、ひとりでイタリア旅行をする間に写真家になろうと決心し、パリにやってきました。当代随一の写真家に学ぼうと考えたのです。

マン・レイの愛は仕事と両立しました。リーは受付係や暗室の作業をはじめ、どんな仕事もこなす能力があったうえに、マン・レイの忙しいときには代役をつとめ、肖像写真も撮れるようになりました。

ある日、リーは暗室の作業をしていて、足もとを走ったネズミかなにかに驚き、思わず電灯を点(つ)けてしまいます。すると現像中のネガに変化がおこり、思いがけない効果が生まれていました。その不思議な現象を報告すると、マン・レイはさっそく作品に応用してめざましい成果をあげ、その方法を「ソラリゼーション」(光にさらす行為)と命名しました。発見者は助手のほうだったのですが。

マン・レイはリーを熱愛しましたが、リーのほうには距離感があり、求婚に応じませんでした。クールで意志の強い性格と、男性を惹きつける魅力そのものが、マン・レイを悩ませます。仮装舞踏会で男たちにもてはやされ、ジャン・コクトーの映画に出たことが、マン・レイの怒りと嫉妬をつのらせました。

リーは近くに部屋を借りて女友達のタニヤ・ラムと住み、マン・レイのアトリエにかよいながら写真家としての独立をめざします。1931年にマン・レイは電気会社の企画で『エレクトリシテ』というグラビア誌を出していますが、これは乗り気でない彼をリーが励まし、協力してつくった作品です。

同年に二人は別れました。リーはエジプト人の資産家と結婚し、一時パリへ戻った1937年、イギリスの富裕なシュルレアリストのローランド・ペンローズとつきあうようになってから、マン・レイと和解をはたします。第二次大戦中には従軍ジャーナリストになり、戦地で撮った連作の写真集『無慈悲な栄光』で評価を得ました。

マン・レイのほうは別れたあとで苦しみ、自殺を考えたほどですが、油彩に没頭することで窮地を脱しました。2年かけて描いた《天文台の時刻に——恋人たち》[76]は、個人の思い出に発しながらも超現実の驚異を現出させた大作で、マン・レイの代表作になったばかりか、いまではシュルレアリスムの名作に数えられています。

マン・レイによるリーの肖像写真は数多く、ほとんどが正面を見ていないことが特徴です。裸体写真でも全身像は少なく、唇や目のほか身体の部分を撮ったものが目立ちます。リーはマン・レイにとって助手であり恋人であるばかりか、なにか特別な被写体だったようにも思われます。

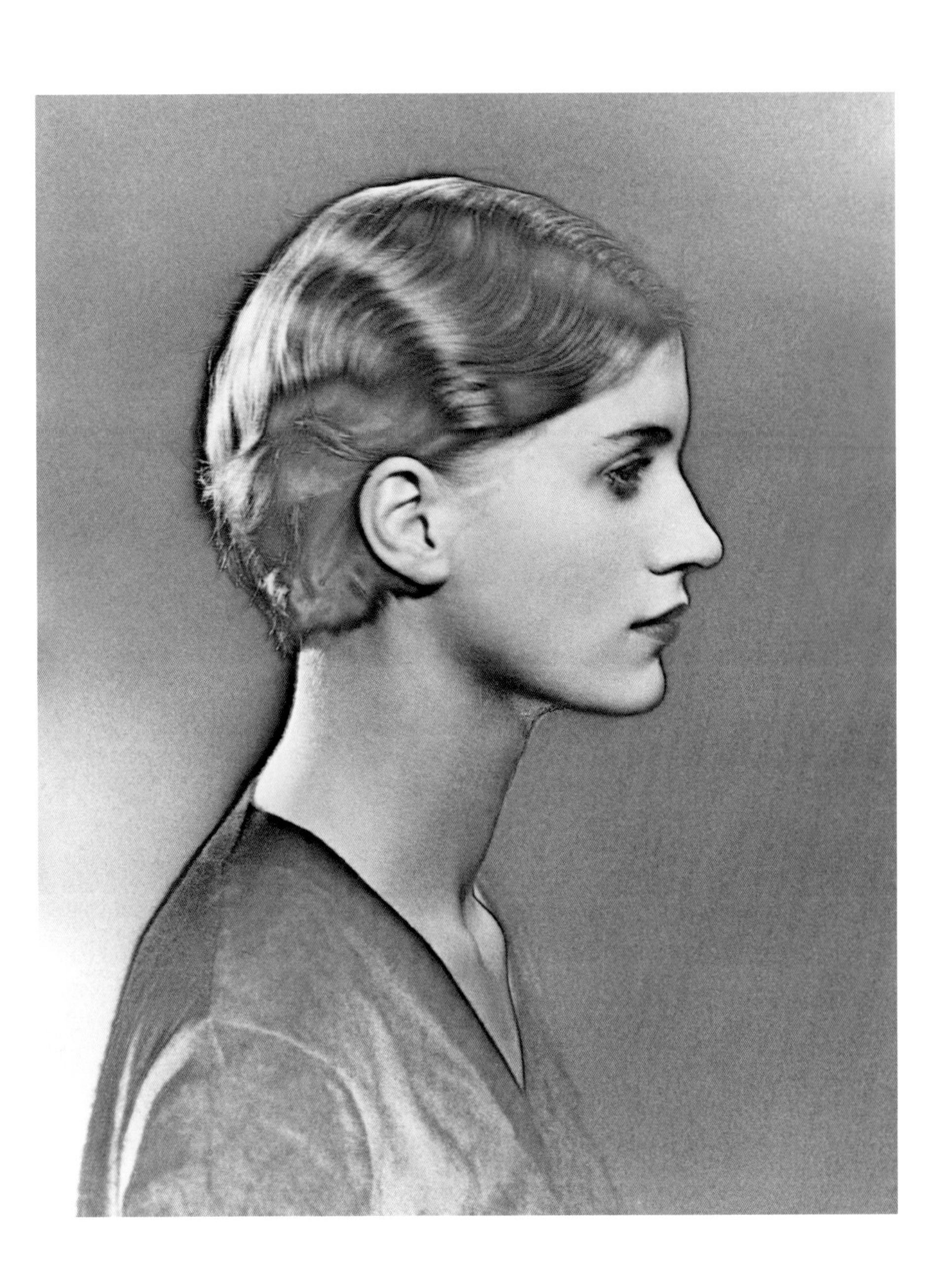

67
リー・ミラー（ソラリゼーション）
Lee Miller, Solarization
ca. 1929 / 後刷
ゼラチン・シルバー・プリント

69
リー・ミラー
Lee Miller
1930 / 後刷
ゼラチン・シルバー・プリント

70
無題
Untitled
1929 / 後刷
ゼラチン・シルバー・プリント

68
リー・ミラー
Lee Miller
1930 / 後刷
ゼラチン・シルバー・プリント

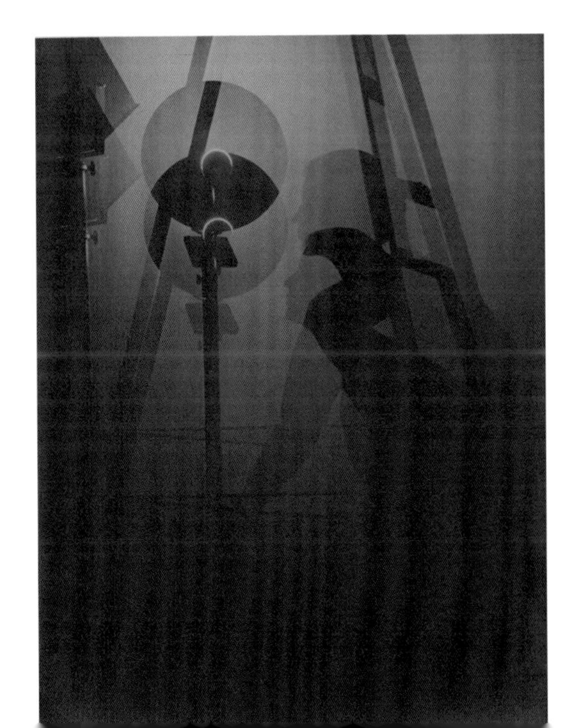

71
影
Shadows
1930 / 後刷
ゼラチン・シルバー・プリント

72
ハーレム
（タニヤ・ラム、マン・レイ、
リー・ミラー）
The Harem
(Tanja Ramm, Man Ray and Lee Miller)
ca. 1930 / 後刷
ゼラチン・シルバー・プリント

75
リー・ミラー ▶
Lee Miller
1932 / 後刷
ゼラチン・シルバー・プリント

74
グラビア誌『エレクトリシテ（電気）』
（マン・レイ写真、リー・ミラー助手）
Électricité
1931年刊
Compagnie de distribution d'électricité,
Paris　Ex. 176/500

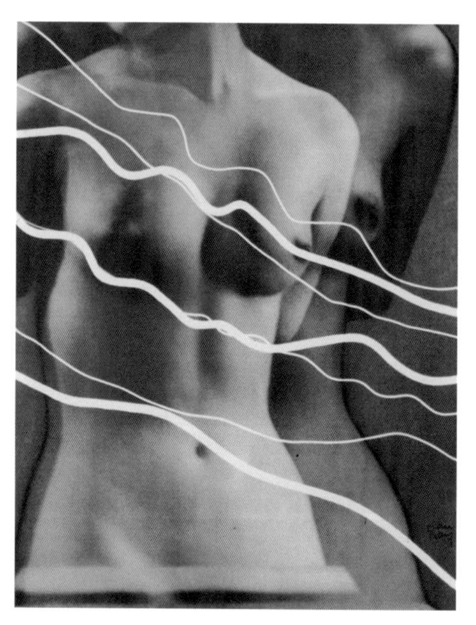

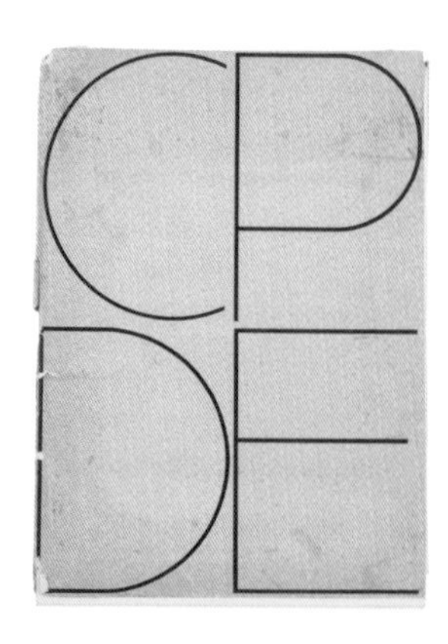

73
無題（グラビア誌『エレクトリシテ（電気）』より）
Untitled, from *Électricité*
1931 / 後刷
ゼラチン・シルバー・プリント

写真集『エレクトリシテ』

『エレクトリシテ（電気）』は電力会社から依頼された電力振興のためのグラビア誌で、マン・レイにはめずらしいメディアです。商業的な仕事なので最初は投げやりでしたが、リーの励ましでやる気を出し、裸体に電流のようなリボンを配したり（左ページ）、ネオンや家庭電化製品（右）を登場させたり、レイヨグラフを多用したりして、かつてない斬新な写真集に仕上げました。

Fig.5
町（グラビア誌『エレクトリシテ（電気）』より）

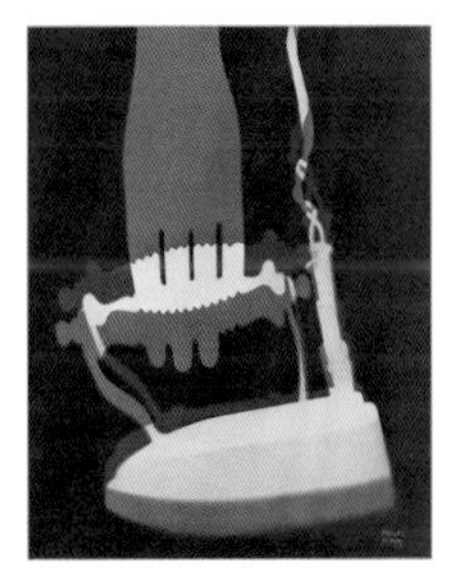

Fig.6
リネン室（グラビア誌『エレクトリシテ（電気）』より）

76
天文台の時刻に── 恋人たち
Observatory Time — The Lovers
1934 / 1967
リトグラフ (多色)、紙

天文台の時刻に── 恋人たち

マン・レイはリー・ミラーと別れてから、ヴァル・ド・グラース通りの家のベッドの上に1.0×2.5メートルの大キャンバスをかけ、毎朝カンパーニュ・プルミエール通りのアトリエへ出かける前に、パジャマ姿で立って絵を描きつづけました。2年かけて完成されたこの油彩大作は、マン・レイの代表作とみなされることになります。

もとはキキの唇の写真が発想源でしたが、この大画面にうかぶ巨大な唇はリーのもので、リー自身を、あるいはそれ以上に、リーとの愛そのものを描いているともいえます。唇の全体が抱きあう恋人同士のようだとマン・レイはいっていますから。

まだら模様の空の下には森。その左奥に乳房のような半円が二つ見えますが、これは二人の家に近かったパリ天文台のドームです。

マン・レイはこの作品を、自分の理解する意味での「シュルレアリスム絵画」だといっていました。将来はシュルレアリスム全体の画集に、この作品がカラー見ひらきで掲載されることを夢みていると。そして事実、そうなったのでした。

右ページの写真はその部屋にかかるこの油彩画と、ベッドの上によこたわる裸体と、自作のチェス・セットとを配して撮影したもので、これもシュルレアリスム写真の名作とされるものです。

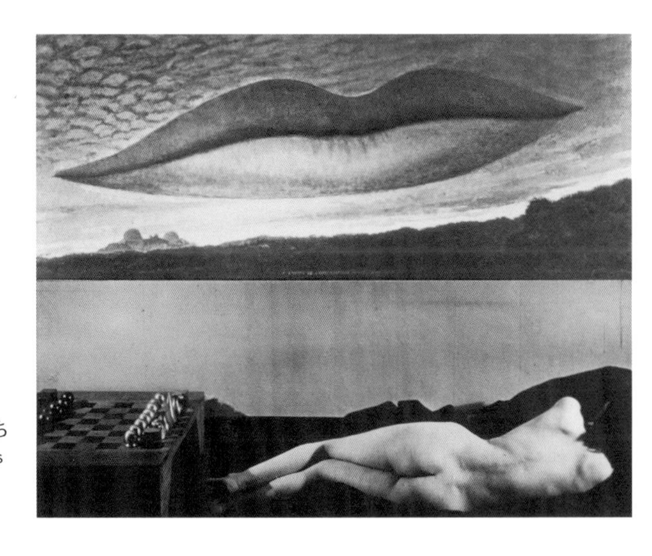

77
天文台の時刻に──恋人たち
Observatory Time — The Lovers
1934 / 後刷
ゼラチン・シルバー・プリント

社交界・芸術界・モンパルナス

Parisian Society and the Artistic Circles of Montparnasse

モンパルナスに住んで写真を生業にして以来、マン・レイは多くの芸術家・文学者や社交界の名士をスタジオに迎え入れました。評判が評判を呼び、外国からやってくる客もいたほどです。

1922年に訪れたイタリアの貴族ルイーザ・カザーティ侯爵夫人[78]も肖像写真を所望しました。それが撮影ミスでブレてしまい、目が４つに写っているプリントを見せたところ、夫人はすっかり気に入って焼き増しを注文し、社交界に配って宣伝してくれました。

アメリカ人の作家・美術批評家ガートルード・スタイン[79]の肖像写真も有名です。この不遇をかこつ大家は、マン・レイの絵はともかく写真を評価していて、自分の肖像の「撮影独占権」を与えましたが、代金を払わなかったので仲たがいしてしまいました。

不世出の舞踊家ニジンスキーの妹で、同じロシア・バレエ団の踊り手ブロニスラヴァ・ニジンスカ[80]の肖像は、舞台用ともマン・レイの演出ともつかない扮装で、新しい感覚のあらわれた写真作品です。

芸術界と社交界との仲介役だった詩人コクトー[82]も、早くからマン・レイの写真のファンで、自分の肖像を何度も注文したばかりか、友人名士たちを紹介しました。女装して綱渡りをするアメリカの芸人バルベット[84]の全身像は、コクトーが執心して撮影を依頼し、女装の過程を記録させた連作の一枚です。

コクトーの俗な立ちまわりを嫌うシュルレアリストたちと違って、マン・レイは交友関係を保ちますが、のちにコクトーがリー・ミラーを誘い、自作の映画『詩人の血』に出演させたときには激怒したものです。

イギリスの富豪の娘でアフリカ芸術の蒐集家であったナンシー・キュナード[85]の場合は、一時期の恋人だったアラゴンの紹介でしょう。のちに反ファシズム運動に身を投じ、黒人解放運動の先駆者にもなったこの自由奔放な女性の姿を、マン・レイのカメラは鮮やかにとらえています。

当時の社交界は芸術界やモード界と直結していて、マン・レイも仮装舞踏会などに招ばれましたが、社交人としてではなく撮影係、または催事の演出者としてでした。

名門貴族ボーモン伯爵の仮装舞踏会[81]で、闘牛士に扮したピカソを、妻オルガ、庇護者だったチリの富豪エウヘニア・エラスリスとともに撮った写真などは貴重です。

シャルルとマリーロールのノアイユ子爵夫妻はシュルレアリスムと近しく、マン・レイの援護もしました。映画『骰子(さいころ)城の秘密』(→P.209)は夫妻の注文で、南仏の別邸を訪問する特異なドキュメントです。夫人のマリーロール[86]は画家としてもシュルレアリスムの影響下にありました。

パリの1920年代は「狂騒の時代(レ・ザネ・フオル)」と呼ばれます。芸術家や富豪がモンパルナスのキャバレや高級住宅地の邸宅で、夜ごとに酒宴をひらきました。バレエにオペラ、シネマにサーカス、ジャズにチャールストン、ミスタンゲットやジョセフィン・ベイカー[88]の歌と踊り。そんな文化の坩堝(るつぼ)のなかにマン・レイも半身を浸していたのです。

けれども1929年にアメリカで大恐慌がおこり、時代は一変します。フランスはしばらく不況に耐えていましたが、1930年代に入るとモンパルナスの栄光にも翳(かげ)りが見えはじめます。マン・レイにとってはリーと別れたあと、行きづまりを実感していた時期でした。

78

カザーティ侯爵夫人

Marquise Casati

1922 / 後刷
ゼラチン・シルバー・プリント

左ページにあるように、ブレた写真が気に入られ、名作としてのこった。

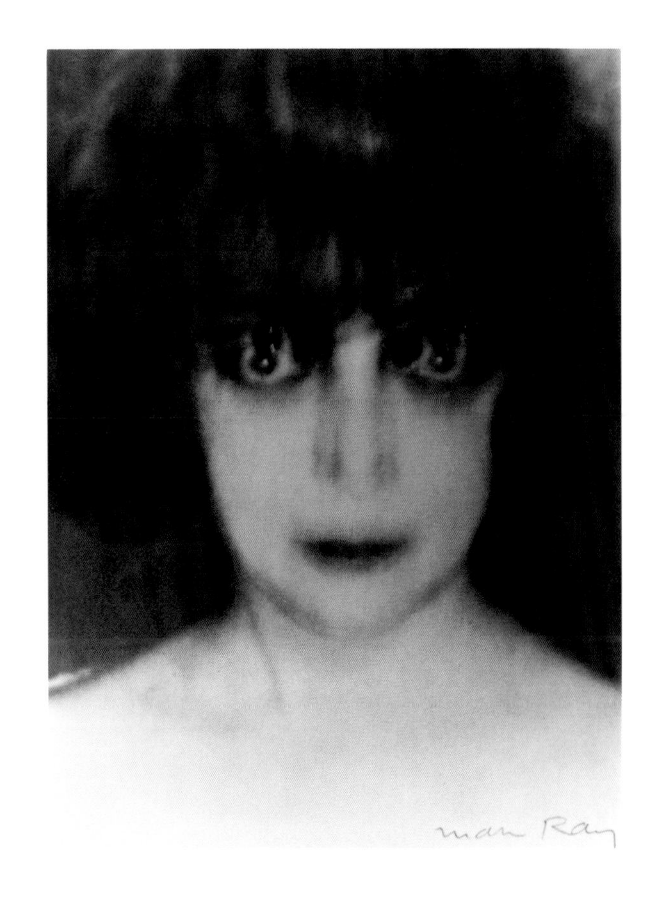

79

ガートルード・スタイン

Gertrude Stein

1922 / 後刷
ゼラチン・シルバー・プリント

背景の絵はピカソによるスタインの肖像。

80
ブロニスラヴァ・ニジンスカ
Bronislava Nijinska

ca. 1922 / ヴィンテージ
ゼラチン・シルバー・プリント

81

ボーモン伯爵の舞踏会
（エウヘニア・エラスリス、闘牛士の衣裳を着けたパブロ・ピカソ、オルガ・ピカソ）

Ball of the Count de Beaumont
(Pablo Picasso in a torero suit with Eugenia Errázuriz and Olga Picasso)

31 May 1924 / 後刷
ゼラチン・シルバー・プリント

82
ジャン・コクトー
Jean Cocteau
1924 / ヴィンテージ
ゼラチン・シルバー・プリント

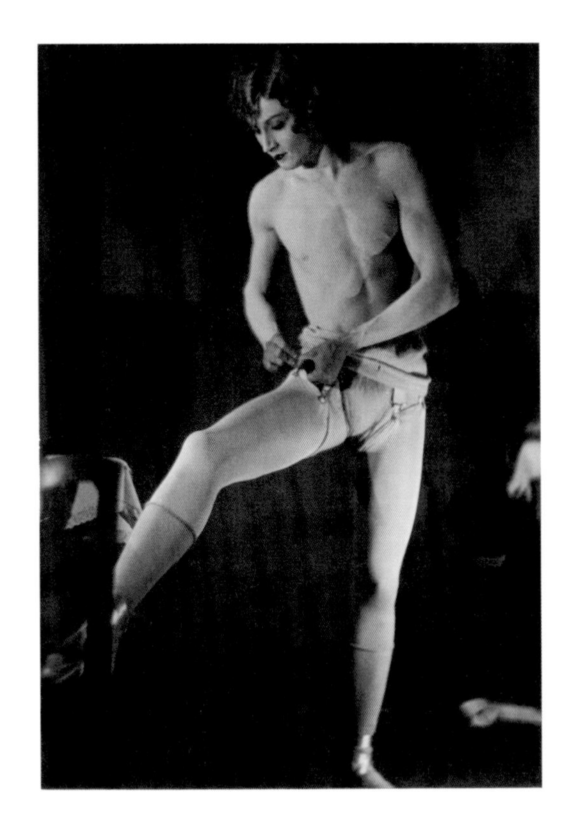

84
バルベット
Barbette
ca. 1926 / 後刷
ゼラチン・シルバー・プリント

女装の過程。

83
◀ バルベットの肖像
Portrait of Barbette
ca. 1925 / ヴィンテージ
ゼラチン・シルバー・プリント

86
マリーロール・ド・ノアイユ
(ソラリゼーション)
Marie-Laure de Noailles,
Solarization
1936 / 後刷
ゼラチン・シルバー・プリント

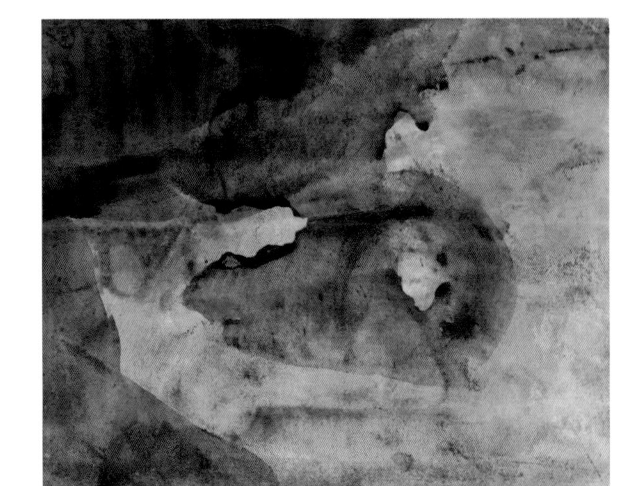

87
マリーロール・ド・ノアイユ
Marie-Laure de Noailles
無題
Untitled
ca. 1936
グアッシュ、厚紙、ニス

ノアイユ子爵夫人は画家でもあった。

85
ナンシー・キュナード
Nancy Cunard

1925 / 後刷
ゼラチン・シルバー・プリント

88

撮影者不詳
Unknown

ジョセフィン・ベイカーの「ルヴュ・ネーグル」
（パリのフォリー・ベルジェール劇場）
Josephine Baker, *Revue Nègre*, Les Folies Bergère, Paris

1926 / ヴィンテージ
ゼラチン・シルバー・プリント

レヴュー情報を掲載した月刊誌『パリ・プレジール』とフォリー・ベルジェール劇場の四半期パンフレット

89

ドラ・カルミュス／マダム・ドラ
Dora Kallmus (Mme. d'Ora)

ジョセフィン・ベイカー
Josephine Baker

1928 / ヴィンテージ
ゼラチン・シルバー・プリント

Artistic Circles of Montparnasse

91
雑誌
『パリ・モンパルナス』
Pages from
Magazine *Paris Montparnasse*

ca.1925

90
撮影者不詳
Unknown

サーカス一座のスナップ写真
（ドゥ・ボスカ座、キャトル・ロマノ座とトロワ・フロリ座）
Snapshots of Circus, Les 2 Boscas, Les 4 Romanos and Les 3 Floris

ca.1925

AU
CABARET des FLEURS
LA JOLIE BLONDE MARGOT
FAIT REVIVRE LA VIEILLE GAITÉ FRANÇAISE
AVEC LES PLUS BEAUX NUS
ET LA TREPIDANTE REVUE
DEBAUCHE DE NU ET DE FLEURS
ET
KIKI KIKI KIKI
ANDRÉ BRAVAL, JETTY BALDY, MOUMOUNE
on rit - on chante
on danse - on fait
les fous
15 - 25 f.

92
撮影者不詳
Unknown

モンパルナスのキャバレでのスナップ写真と
「キャバレ・デ・フルール」招待状
（キキ・ド・モンパルナスや仮装した藤田嗣治などもいる）

Snapshots of Kiki de Montparnasse, Foujita and others at cabaret, and Invitation of "Cabaret des Fleurs"

ca.1925

狂騒の時代のモンパルナス

1920年代のパリには世界中から芸術家たちが集まり、モンパルナスのキャバレなどを中心に夜ごとの狂宴がくりひろげられたため、レ・ザネ・フォル（狂騒の時代）と呼ばれます。そこから次々と新しい作品が生まれました。歌に踊り、軽演劇にサーカスなど、また芸術家たちの催す仮装パーティーも盛んで、「モンパルナスの女王」キキはいつも大スターでした。

Ⅱ-8 ファッションと写真

Fashion and Photography

マン・レイがモード（ファッション）の世界とかかわったのは、1922年にピカビアの妻ガブリエル・ビュッフェの紹介で、当時の服飾デザイン界の王者ポール・ポワレの邸宅を訪ね、オートクチュールの撮影を依頼されてからでした。以来ほぼ20年間、『ヴォーグ』『ハーパーズ・バザー』『ヴァニティ・フェア』などの高級モード雑誌に、マン・レイの写真が掲載されつづけます。

商業的な仕事には抵抗がありましたが、生活のためにモード関係だけは受けいれ、結果としてアートの領域をひろげました。衣裳をつけたモデルをマン・レイが撮ると、見たこともない斬新な写像が生まれ、モードとアートの境界を曖昧(あいまい)にしたのです。

モード誌のページでもマン・レイはしばしば特別扱いで、芸術家ないしはシュルレアリストとして紹介され、写真もときには衣裳を見せるものではなく、衣裳と直接関係のない「作品」として掲載されました。キキをモデルにしたあの《黒と白》[61, 62]などが好例です。ソラリゼーションを用いたり、下半身からの《上半身のカット》[95, 96]を試みるなど、超現実的な表現もとりいれました。

そうした写真による収入は生活を支えました。しかもモード界にかかわることによって、交友の幅がひろがり、肖像写真の注文も増えてゆきました。

ポワレの妻で邸宅の夜会のヒロインだったドゥニーズ・ポワレ[101]の肖像、そのポワレのドレスを着たペギー・グッゲンハイム[102]の肖像なども貴重です。富豪一族出身のペギーはやがて現代美術の大コレクターになり、一時はエルンストと結婚しています。

モード界ではポワレの時代が終り、ココ・シャネル[110, 111]が登場しました。新しい社会の新しい女性像を体現するモードで一世を風靡(ふうび)しますが、彼女はアートの理解者・擁護者にもなり、マン・レイとの交友からは肖像写真の名作[112]が生まれました。

1930年代にシャネルのライヴァルとされ、大胆なモードを展開したのがエルザ・スキャパレッリ[117]です。ダリなどの幻想を衣裳にとりいれ、モードへのシュルレアリスムの影響を明瞭に示しました。

実際、当時の衣裳や帽子や靴をはじめ、装飾品や香水瓶などでも、アートの浸透は強まり、いわゆるシュルレアリスム風を盛りこむものが出てきていました。

マン・レイが装飾品を撮っためずらしい例（→P. 99）として、エルザ・トリオレ作のアクセサリー[105-107]があります。ロシア人のトリオレはソ連の大詩人ウラジーミル・マヤコフスキーの恋人の妹で、モンパルナスに住み、やがてアラゴンと結婚して大作家に成長してゆく女性ですが、1930年代には手仕事で魅力的なアクセサリーを制作していて、その撮影を友人マン・レイに依頼したのです。

マン・レイ自身はモード関係の仕事を生活のためと称して、まもなくやめてしまうのですが、後世にまで大きな魅力と影響力を保ちました。ほかの分野の商業写真は撮らなかったので、なにかしらモードへの関心や執着はあったと考えるほうが自然でしょう。

93
ファッション写真（ソラリゼーション）、ルイーズ・ブーランジェのドレス
Fashion photograph, Solarization, Dress by Louise Boulanger
1935 / ヴィンテージ / for *Harper's Bazaar*, March 1936
ゼラチン・シルバー・プリント

94
ファッション写真
Fashion photograph
1935 / ヴィンテージ
ゼラチン・シルバー・プリント

95 96
上半身のカット、クリードのブラウス
Cut bust, blouse by Creed
1936 / ヴィンテージ
ゼラチン・シルバー・プリント

95

96

97
コンポジション
Composition
1936 / 後刷
ゼラチン・シルバー・プリント

98

◀ リュシアン・ルロンのための
ファッション写真
オスカル・ドミンゲスの手押し車
(ラ・ブルーエット) で
Fashion photograph for Lucien Lelong
with *La Brouette* of Óscar Domínguez

1937 / 後刷
ゼラチン・シルバー・プリント

99

ファッション写真
Fashion photograph

ca. 1940 / ヴィンテージ
ゼラチン・シルバー・プリント

100

マン・レイのファッション写真を
掲載した1930年代のモード誌
『フェミナ』
Magazine *Femina*, pages of
Man Ray's Fashion photograph

1930's

101

ドゥニーズ・ポワレ
（ブランクーシの彫刻《マイアストラ》の前で
ポール・ポワレのドレスをまとうポワレ夫人）

Denise Poiret (The wife of Paul Poiret in one of his dresses with the sculpture *Maiastra* by Brancusi)

1922 / 後刷
ゼラチン・シルバー・プリント

102

ポール・ポワレのドレスを着た
ペギー・グッゲンハイム

Peggy Guggenheim in a Paul Poiret dress

1924 / 後刷
ゼラチン・シルバー・プリント

*"Leisure" women enjoyed at the 1920s to 30s

103

-1 **スキャパレッリの帽子**
Head dress, SCHIAPARELLI, Paris
1920's–30's
コサージュ、ムギワラ

-2 **スキャパレッリの帽子**
Head dress, SCHIAPARELLI, Paris
1920's–30's
コサージュ、シルクサテン

-3 **シャネルの刺繡ドレス**
Robe brodée, CHANEL, Paris
1920's–30's
シルク、刺繡

-4 **シャネルのローブ・デコルテ**
Robe décolletée, CHANEL, Paris
1920's–30's
シルクサテン、刺繡、ベルト

104

◀ **エルザ・トリオレ**
Elsa Triolet

1929 / 後刷
ゼラチン・シルバー・プリント

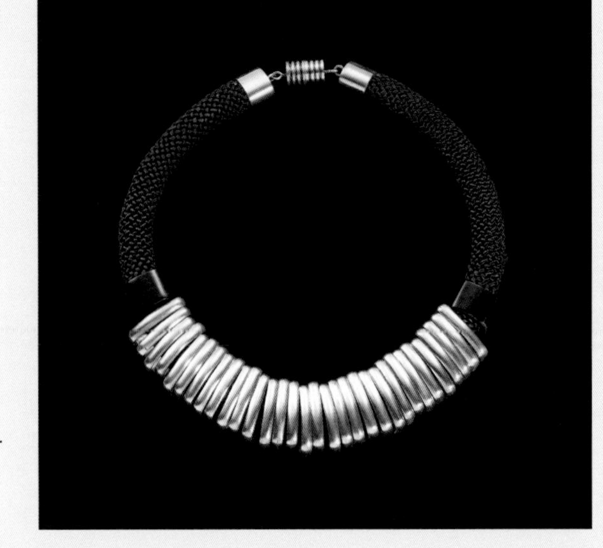

105

エルザ・トリオレ
Elsa Triolet

シルバーの編込チョーカー
Silver metal braid choker

ca. 1930
金属、木綿、合成素材

エルザ・トリオレの手仕事

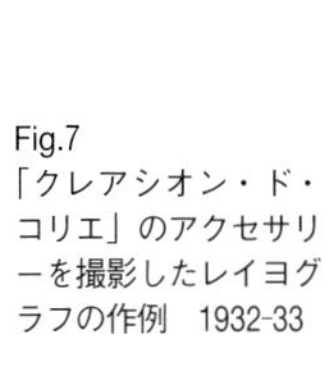

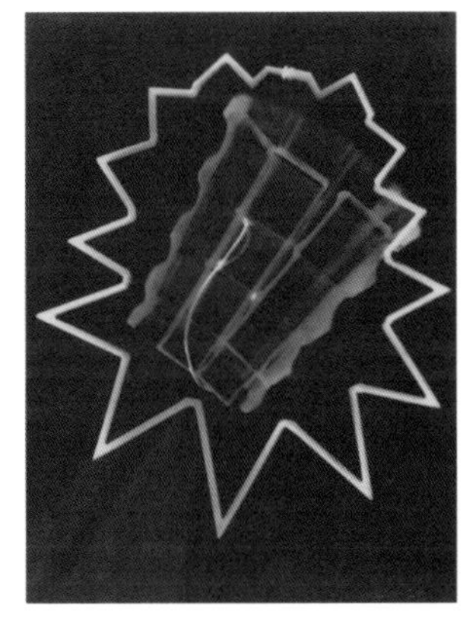

Fig.7
「クレアシオン・ド・コリエ」のアクセサリーを撮影したレイヨグラフの作例　1932-33

Fig.8
エルザ・トリオレのネックレスをつけたモデル（ソラリゼーション）　1932-33

　エルザ・トリオレはモンパルナスに住んでいたロシア女性で、のちにアラゴンと結婚してからフランスの小説家として名をなす人ですが、マン・レイとも交流がありました。手仕事が大好きで、1930年ごろから自分で材料を集めてかわいいアクセサリーをつくりはじめ、自作には札をつけて「クレアシオン・ド・コリエ」というスタンプを捺しています。それらを高級メゾンに出すことを考えていたようで、マン・レイに作品の撮影を依頼したのでした。

　シュルレアリスムを離れて共産党員になったアラゴンとともに、第二次大戦中は抵抗運動をつづけ、1944年に書いた長篇小説によって女性ではじめてのゴンクール文学賞を受賞。以来アクセサリー制作はやめて大作家への道を歩むことになりました。

106

エルザ・トリオレ
Elsa Triolet

木の葉型シェルウッドをつないだネックレス
Shell wood beads necklace

July 1931
シェルウッド（白蝶貝）のビーズ、木綿、銅金具

107

エルザ・トリオレ
Elsa Triolet

ネックレス《ルロン》の試作品
Prototype of *Lelong*, Epaulette necklace

July 1931
セラミック製の白玉ビーズ、木綿、金具

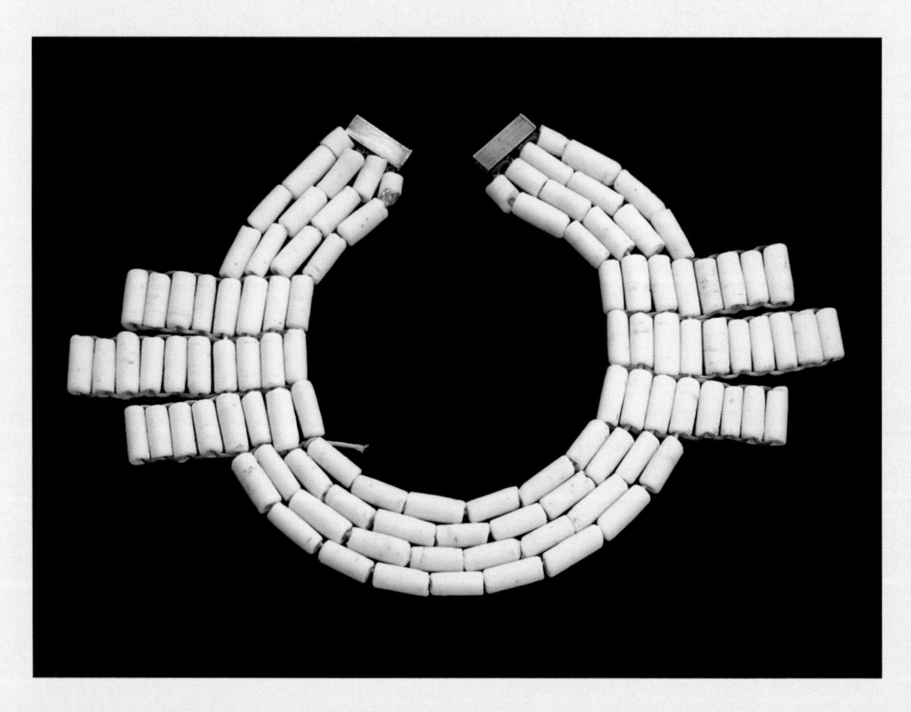

110
ココ・シャネル
Coco Chanel
1930 / 後刷
ゼラチン・シルバー・プリント

111
ココ・シャネル
Coco Chanel
1930 / 後刷
ゼラチン・シルバー・プリント

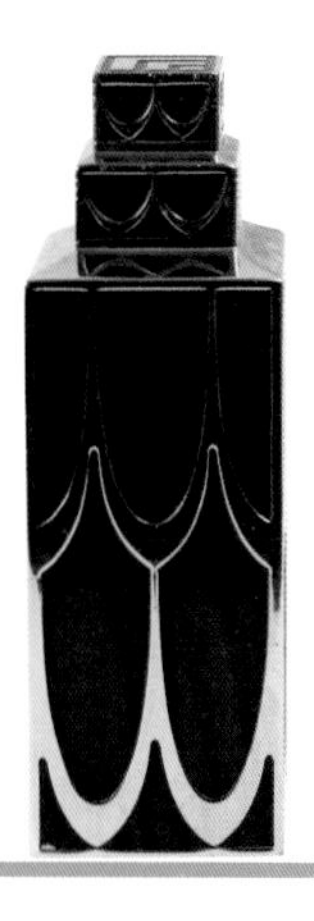
116

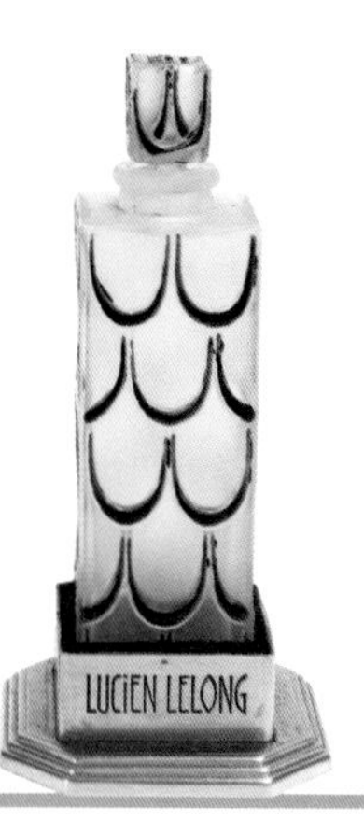

113

114

115

116
香水瓶《ルネ・ラリック》、
リュシアン・ルロン
René Lalique, LUCIEN LELONG
1929

113
香水瓶 《シャネル No. 5》、
シャネル
Chanel No.5, CHANEL, Paris
1920's

114
香水瓶 《ミツコ》、
ゲラン
Mitsouko, GUERLAIN, Paris
1920's

115
ゲランの香水瓶
GUERLAIN, Paris
1920's

112
ココ・シャネル ▶
Coco Chanel
1935 / 後刷
ゼラチン・シルバー・プリント

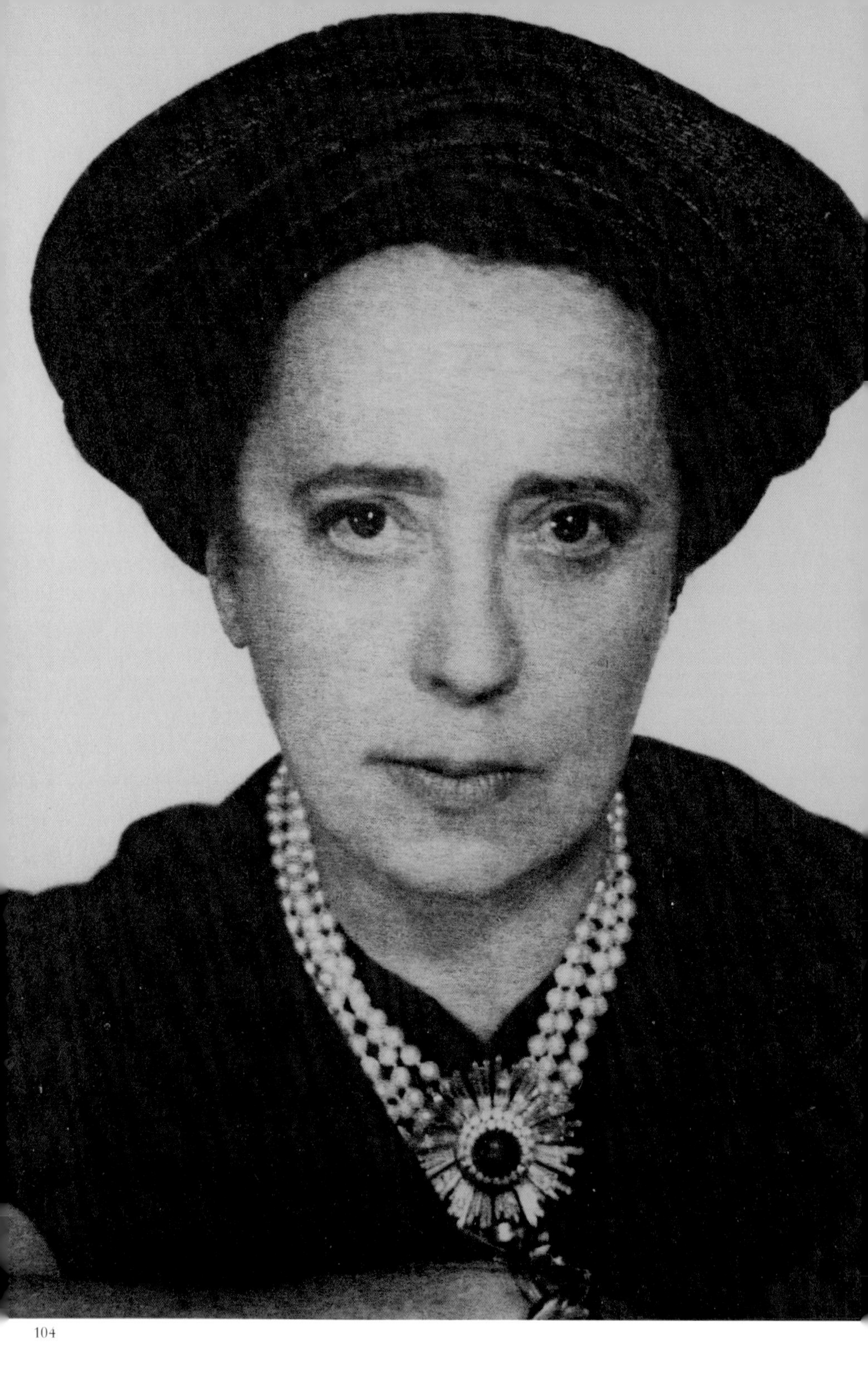

120

119

118

120
香水瓶《シュクセ・フー（大ヒット）》、
スキャパレッリ
Succés Fou, SCHIAPARELLI
1952

119
香水瓶《スリーピング》、
スキャパレッリ
Sleeping, SCHIAPARELLI
1938

117
◀ エルザ・スキャパレッリ
Elsa Schiaparelli
1938 / ヴィンテージ
ゼラチン・シルバー・プリント

118
香水瓶《スリーピング》、
スキャパレッリ
Sleeping, SCHIAPARELLI
1938

Ⅱ-9 裸体からマネキン人形まで

From Nudes to Mannequins

裸体、とくに女性の裸体を撮る「ヌード写真」は、19世紀前半の初期写真の時代からありました。ルネサンス以後の裸体画の影響下に生まれたジャンルです。20世紀の西欧でも、こんにちの日本ほど氾濫しているわけではありませんが、型どおりのヌード写真はかなり流布していました。

マン・レイもその種の作品を撮りましたが、いわゆるポルノ的な傾向はなく、リアルですらなく、パターンを外れて超現実性を帯びているものが中心で、その後の芸術にも大きな影響を及ぼしました。

モデルは恋人や友人が多く、そこがまず特徴です。たとえばキキ、メレット、ニュッシュの裸体写真では、それぞれの個性にかなう演出や照明をほどこし、オマージュをこめて、ときにはまばゆいほどの美しさを実現しています。

他方では特異なポーズのものや、身体の部分だけ撮ったものも目立ちます。有名な《祈り》[123]には臀部(でんぶ)と手足の先しか写っていません。丸い臀部はだれが見ても桃の実を思わせ、アナロジー（類似）による「見立て」を誘います。その下の手足も、左奥に見える物体も、それぞれ意味ありげです。

《祈り》とはそもそも何でしょう。全身のポーズを想像すると、この女性は西洋人にめずらしく正座をしてうずくまり、両手を脚に沿って伸ばしていて、その姿勢が《祈り》なのかとも思われますが、よくわかりません。

臀部は微妙な照明とかすかなボカしによって、生々(なまなま)しさを消され、桃に似た新しい生物のような、意味内容のないオブジェと化しています。

題名が意味を誘いながら意味に到達しない、こうした言葉の用い方もマン・レイの特徴です。答のない謎々に似た画面はシュルレアリスムに共通していますが、マン・レイの場合はとくに写真やオブジェが代表的です。

別の特徴として、技術的操作で超現実をよびおこす方法、ソラリゼーションや多重露光、ネガポジの反転もよく用いられます。奔放な人気モデルを撮った《ジャクリーヌ・ゴダール》[128]など、ソラリゼーションとネガポジの反転が効果的です。

いわゆる写実からは遠く、人か物か、夢か現(うつつ)か、という境界のない表現はシュルレアリスムの特徴ですが、写真でそれを実現したのがマン・レイです。『シュルレアリスム革命』誌に出た写真にも、人間か人形か見わけのつかないファッション写真がありました。

人形や人体模型への関心もシュルレアリスムに固有のもので、「人間みたいなもの」や仮装・変身した人体に加えて、マネキン人形もなじみのモティーフでした。

1938年パリの「シュルレアリスム国際展」では、会場への通路に16体ものマネキン人形が並び、それぞれ違う衣裳をまとっていました。マン・レイ[132]はもちろんデュシャン[133]やエルンスト[134]やダリ[135]、ジョアン・ミロやイヴ・タンギーなどの、思い思いに扮装・演出をほどこしたマネキン人形たちのパレードは壮観でした。

マン・レイはそのすべてを撮影して『マネキン人形たちの復活』[131]という写真集にまとめ、驚異のドキュメントをのこしたのでした。

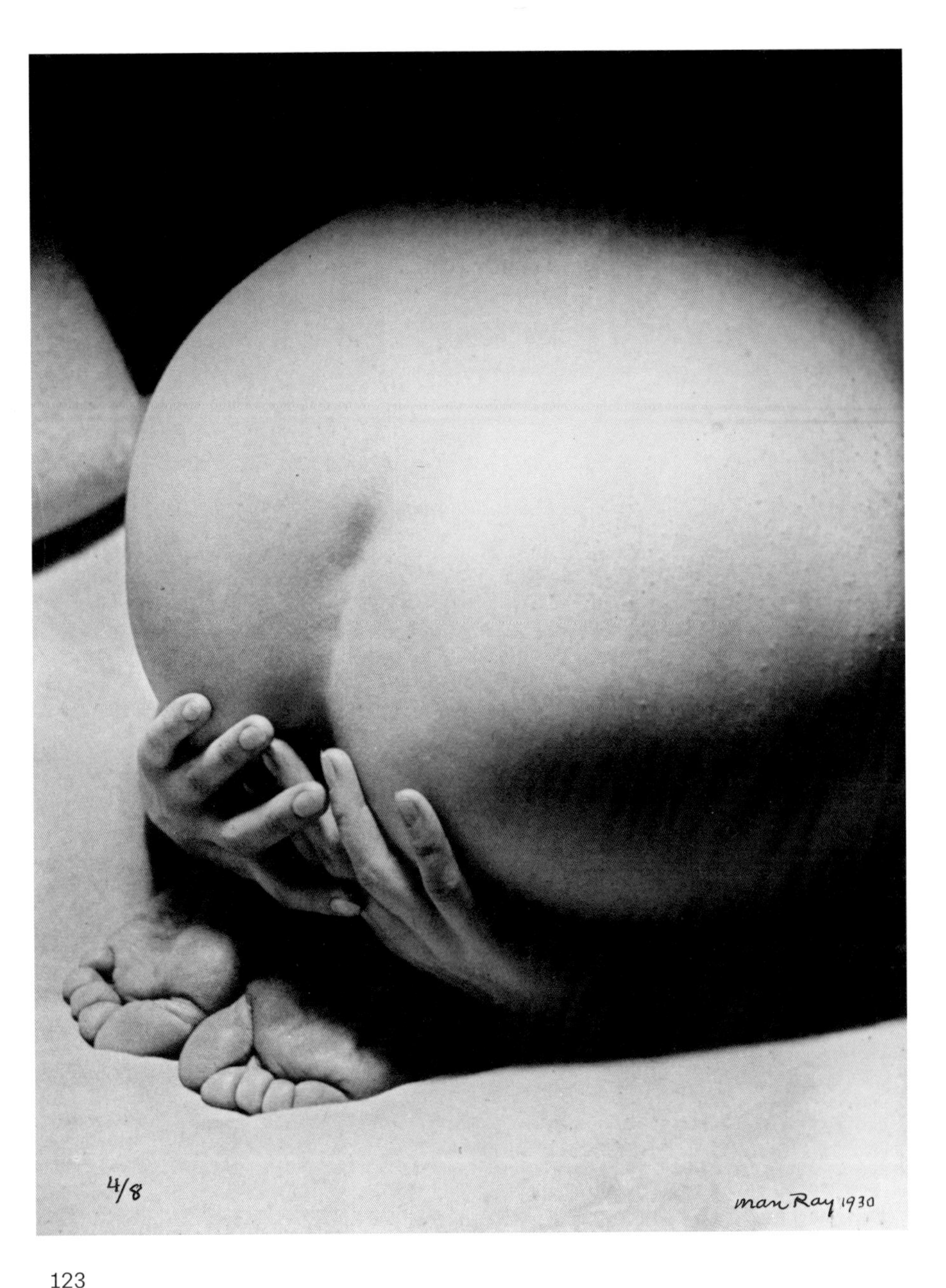

123
祈り
The Prayer
1930 / ヴィンテージ / Man Ray, 1970 Ex. 4/8
ゼラチン・シルバー・プリント

→ P. 189 No.124の同作品は感光布にプリントされている。

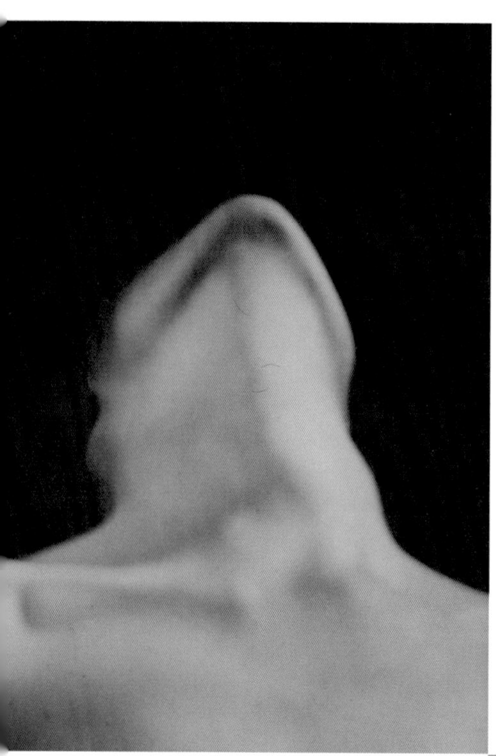

125
解剖学
Anatomy
1930 / 後刷
ゼラチン・シルバー・プリント

122
裸体（ソラリゼーション）
Nude, Solarization
1930 / 後刷
ゼラチン・シルバー・プリント

121
眠る女（ソラリゼーション）
Sleeping Woman, Solarization
1929 / 後刷
ゼラチン・シルバー・プリント

126
ゆがんだ女性胸像
Distortion of the female bust

1931 / 後刷
ゼラチン・シルバー・プリント

127
無題（ソラリゼーション）
Untitled, Solarization

1932 / 後刷
ゼラチン・シルバー・プリント

128
ジャクリーヌ・ゴダール（ソラリゼーション）
Jacqueline Goddard, Solarization
1932 / 後刷
ゼラチン・シルバー・ネガティヴ

129
ガラスの涙
Glass Tears

1932 / 後刷
ゼラチン・シルバー・プリント

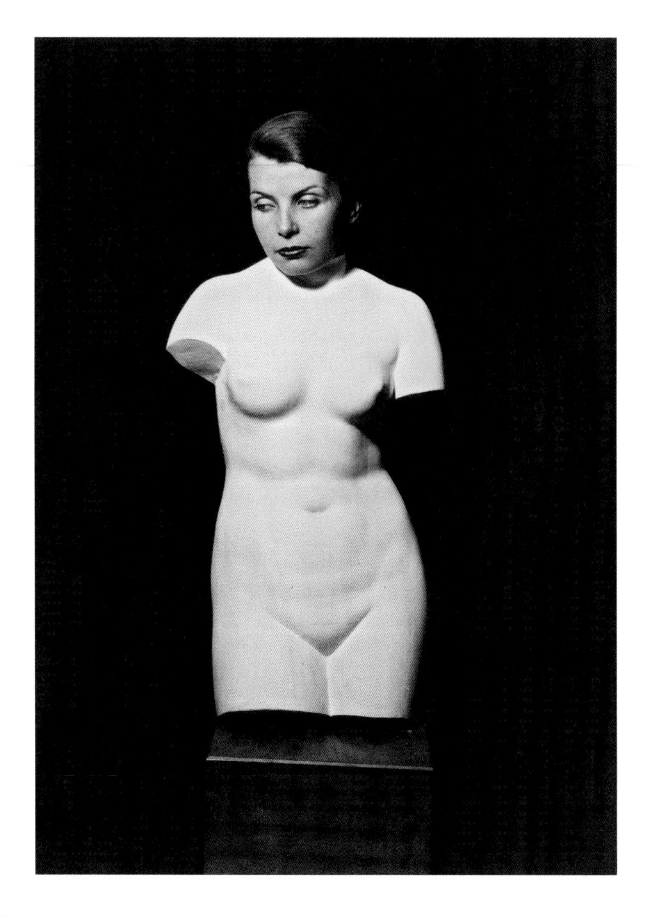

130
無題（上半身像）
Untitled (Nude Torso)

ca. 1933 / ヴィンテージ
ゼラチン・シルバー・プリント

132
マン・レイのマネキン人形（写真集『マネキン人形たちの復活』より）
Man Ray's Mannequin, from *Résurrection des Mannequins*

1938 / 後刷 / Ed. Jean Petithory, 1966
ゼラチン・シルバー・プリント

133
マルセル・デュシャンのマネキン人形
Marcel Duchamp's Mannequin

1938 / ヴィンテージ
ゼラチン・シルバー・プリント

131
マネキン人形たち
（写真集『マネキン人形たちの復活』の表紙）
The Mannequins,
Cover of the Book *Résurrection des Mannequins*

1938 / 後刷 / Ed. Jean Petithory, 1966
ゼラチン・シルバー・プリント

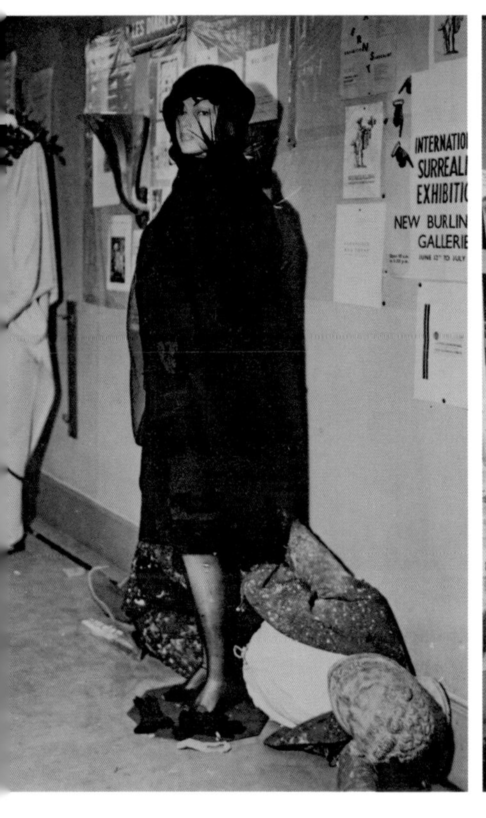

134

マックス・エルンストのマネキン人形
(写真集『マネキン人形たちの復活』より)
Max Ernst's Mannequin,
from *Résurrection des Mannequins*

1938 / 後刷 / Ed. Jean Petithory, 1966
ゼラチン・シルバー・プリント

135

サルバドール・ダリのマネキン人形
(写真集『マネキン人形たちの復活』より)
Salvador Dalí's Mannequin,
from *Résurrection des Mannequins*

1938 / 後刷 / Ed. Jean Petithory, 1966
ゼラチン・シルバー・プリント

Ⅱ-10 女性たちとシュルレアリスム

Women and Surrealism

第一次大戦後の社会環境からすると、シュルレアリスムにかかわった女性たちは他とくらべて数も多く、多彩な芸術家をふくんでもいました。自分から運動に参加した女性もいれば、誘われて加わった女性、またシュルレアリストの妻や恋人もいたので、一概にいえませんが、この運動に女性を惹きつける要素・側面があったことはたしかでしょう。

もともと社会的制約からの解放を唱え、男女の「自由な結びつき」を求める一方で、ロマンティックな女性崇拝の傾向をそなえてもいたせいか、男性中心ではあっても女性芸術家を輩出できるような環境でした。

マン・レイによる女性芸術家の写真の最初のものは、ニューヨーク時代の1921年、ベレニス・アボットを撮って賞を得た《ある彫刻家の肖像》です。彫刻家の卵だったアボット[136]はパリで再会してから助手をつとめ、その影響下に優れた写真家になりました。運動に加わらなくてもウジェーヌ・アジェの発見者のひとりでした。

スイス人の画家メレット・オッペンハイムは、1931年に18歳でパリに出ると、彫刻家ジャコメッティを通じてマン・レイを知り、シュルレアリスム主催の展覧会に参加しました。やがて大胆でエロティックな作品を評価され、「完全な女性シュルレアリスト」と称されるまでになります。

マン・レイはメレットの知的な美貌と反抗精神に惹かれ、同年にその裸体[138, 139]を撮影しました。ルイ・マルクーシのアトリエを借り、エッチングのプレス機に寄りそわせて撮った裸体写真は、目を見はるほど美しく、ブルトンの『ナジャ』『狂気の愛』にある「痙攣的な美」の定義の一項をあてられ、《エロティックにヴェールをまとう》[140]と題されました。

スキャンダルを呼んだほど鮮烈な連作ですが、ポルノグラフィー的な要素はなく、冷たく硬い機械に対比された裸体像に、マン・レイ特有のクールで客観的なエロティシズムがあらわれています。

前記の『ナジャ』に「手袋の貴婦人」として登場する作家リーズ・ドゥアルム[141]は、個人誌『ヌイイの灯台』にマン・レイを起用しました。画家ヴァランティーヌ・ユゴー[142]も幻想的な挿絵で知られていましたが、やがてブルトンを愛し、シュルレアリストたちの肖像画を描きました。

ユーゴスラヴィア人の写真家で、自分から運動に加わり、ピカソの恋人になるドラ・マール[145]も、マン・レイのモデルでした。ブエノスアイレスに生まれてイタリアで育ち、シュルレアリスムの影響下に入ったレオノール・フィニ[143]は、一時接近したあと、独自の幻想絵画を確立します。

シュルレアリスムの周辺にいた女性たちのなかでも、とくにマン・レイの写真のモデルとして貴重な存在になったのは、エリュアールの二番目の妻ニュッシュ[146, 148]でしょう。アルザス出身で、絵葉書などのモデルをしていた彼女は、優美な容姿と生来の演技力によってマン・レイを魅了しました。

エリュアールの詩との共作で1935年に刊行された『容易』[147]は、ひとりの女性へのこのうえないオマージュであり、マン・レイの裸体写真集の白眉でもあります。

136
ベレニス・アボット
Berenice Abbott
1922 / 後刷
ゼラチン・シルバー・プリント

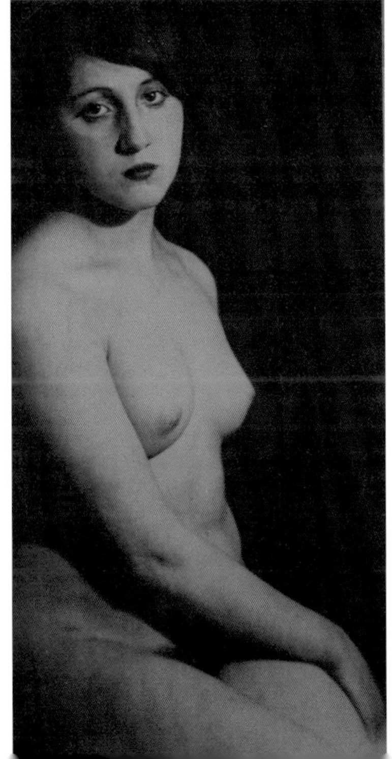

137
ティリア・パルムッター
Tylia Perlmutter
1923 / ヴィンテージ
ゼラチン・シルバー・プリント

ティリアはベレニス・アボットの
パートナー。

138

メレット・オッペンハイム、
正面を向いて横たわる裸体
Meret Oppenheim,
Nude lying down from the front

1933 / 後刷
ゼラチン・シルバー・プリント

139

◀ メレット・オッペンハイム
ルイ・マルクーシのアトリエで
Meret Oppenheim
in the Studio of Louis Marcoussis

1933 / 後刷
ゼラチン・シルバー・プリント

140

エロティックにヴェールをまとう
（メレット・オッペンハイム）▶
Veiled Erotic, Meret Oppenheim

1933 / 後刷
ゼラチン・シルバー・プリント

141
スペードの女王（リーズ・ドゥアルム）
The Queen of Spades, Lise Deharme

1935 / ヴィンテージ
ゼラチン・シルバー・プリント

143
レオノール・フィニ
Leonor Fini

ca. 1937 / 後刷
ゼラチン・シルバー・プリント

142
ヴァランティーヌ・ユゴー
Valentine Hugo

1935 / ヴィンテージ
ゼラチン・シルバー・プリント

144

イヴォンヌ・ゼルヴォス、
アリス・ラオンとパブロ・ピカソ
Yvonne Zervos,
Alice Rahon and Pablo Picasso

1936 / ヴィンテージ
ゼラチン・シルバー・プリント

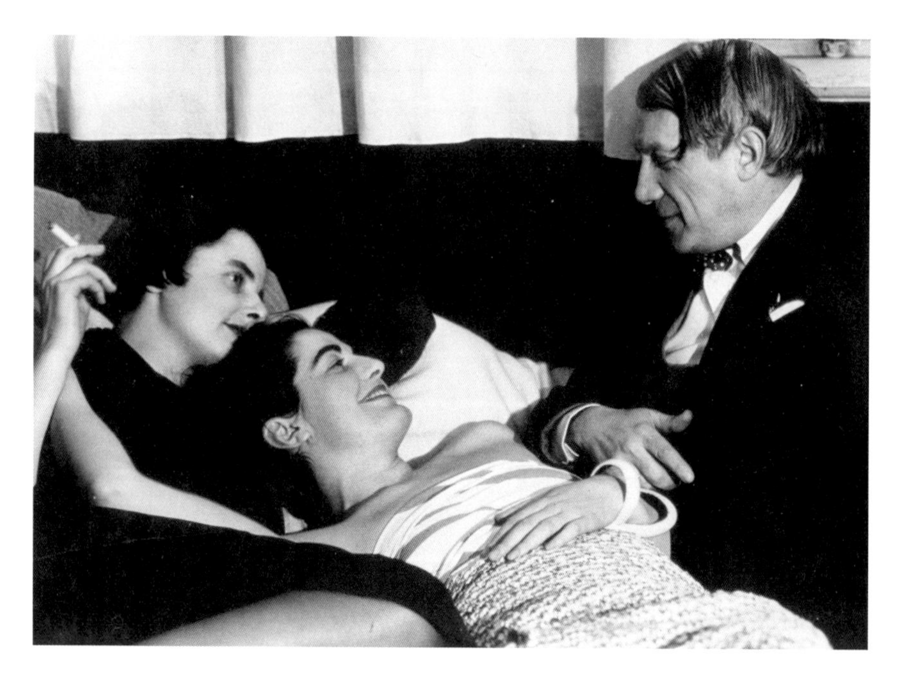

145
ドラ・マール（ソラリゼーション）
Dora Maar, Solarization
1936 / 後刷
ゼラチン・シルバー・プリント

146

◀ ニュッシュ・エリュアール
(詩写真集『容易』より)

Nusch Éluard, from *Facile*

1935 / 後刷 / Man Ray
ゼラチン・シルバー・プリント

148

愛：ニュッシュと
ポール・エリュアール ▶

Love : Nusch and Paul Éluard

ca. 1936 / ヴィンテージ
ゼラチン・シルバー・プリント

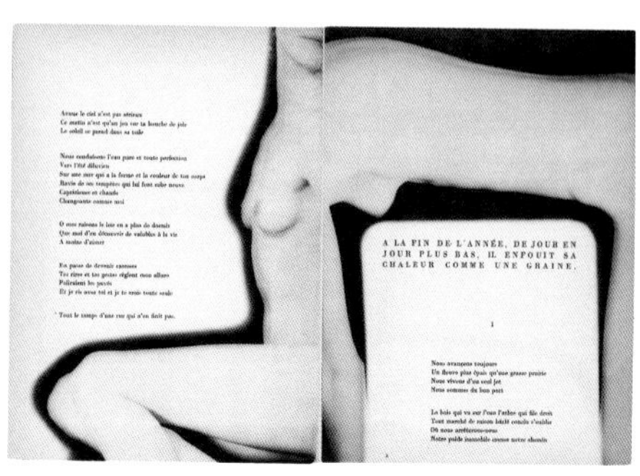

(見ひらき)

147

詩写真集『容易』
(ポール・エリュアール詩、マン・レイ写真)

Facile

1935年刊　G.L.M. Paris.　Ex. LVIII/CCV H.C.

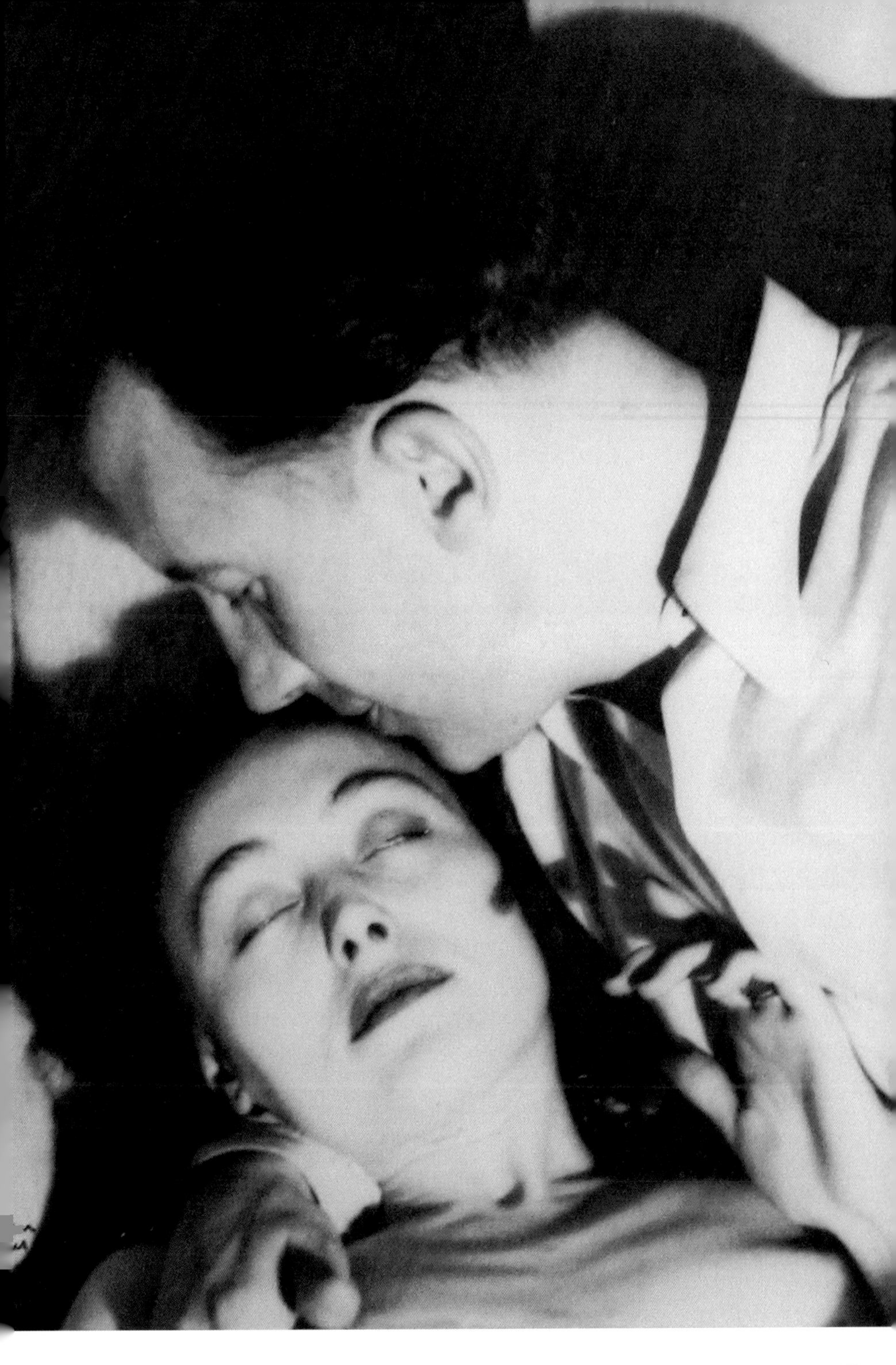

150

ニュッシュ・エリュアール、ドラ・マール、アディ・フィドラン
Nusch Éluard, Dora Maar and Ady Fidelin

1937 / ヴィンテージ
ゼラチン・シルバー・プリント

南仏アンティーブに近い海岸にて。 → P. 136

149

◀ ニュッシュ・エリュアール
Nusch Éluard

1937 / ヴィンテージ
ゼラチン・シルバー・プリント

マン・レイの「自由な手」

Man Ray's "Free Hands"

1930年代後半のヨーロッパは、各地にファシズムが勃興し、不吉な予感が漂っていましたが、マン・レイにとってはある意味で充実した時期でした。モード関係で新たに収入源を得て、本領と自覚している絵画に没頭する暇ができたからです。

そのころのマン・レイは南仏を中心によく旅をしましたが、宿のベッドの脇にスケッチブックを置き、寝つく前と起きぬけに思いうかぶアイディアや、夢の記憶をすばやく素描していました。オートマティックな旅日記のようなそのデッサンのうち66枚に、親友のエリュアールが詩を添えて完成したのが1937年の『自由な手』[155]です。

マン・レイの手描きによるその表紙扉では、一般の詩画集とは反対に、マン・レイのデッサンが主で、エリュアールの詩のほうは「挿詩」（挿画ではなく）の扱いになっています。それだけマン・レイには自負があったらしく、事実これは彼のデッサン集の代表作になりました。

『自由な手』というフランス語の題名のうち、「手 Mains」はマン・レイの「マン／人 Man」と発音が似ているので、これは「自由なマン（・レイ）」とも聞えます。英訳すれば「フリー・ハンド」になり、定規なしで自在に線を引く行為や、自由な行動そのものも意味するので、この題名はまさにマン・レイの象徴的・理想的な自画像とも読めます。

最初の自画像にマン・レイ自身の手形が捺されていたことも思いおこされます。幼時から手仕事が得意で、絵画やオブジェから写真や映画まで、すべてを自分の手でやってきたという自負は、この本を「写真と絵画における私のすべての経験の集大成」だとする言葉にもあらわれています。

『自由な手』には旅先の南仏の風景や建物、ラコストに居城のあったサド侯爵の肖像などとともに、数多くの女性像が登場しています。女性の「手」もです。のちにマン・レイはこのデッサン集をもとにブロンズ彫刻の連作[156-163]を制作しますが、そこでは女性の裸体も「手」も立体化されることで、別種の表情と質感をおびることになりました。

この本を出版してからのマン・レイは写真の仕事を減らし、とくに商業的な分野から手を引くために『ハーパーズ・バザー』誌と縁も切りました。南仏へのヴァカンスに連れだした恋人アディとともにアンティーブにアトリエを借り、油彩に没頭するようになったのも同じころです。マン・レイの「自由な手」はカメラという間接的な器械ではなく、絵筆を必要としていたのです。

1938年にはパリの「シュルレアリスム国際展」で活躍し、エリュアールとの交友もつづけましたが、この詩人がやがてシュルレアリスムを離れ、共産党に身を投じたときには失望を味わいました。マン・レイは政治を嫌っていただけでなく、出自の事情もあって政治的活動をしない立場を貫いていたので、それもやむをえないことでした。

1939年9月に第二次大戦勃発。マン・レイはやや楽観していましたが、翌年夏にはパリがナチス軍に占領されてしまうのです。

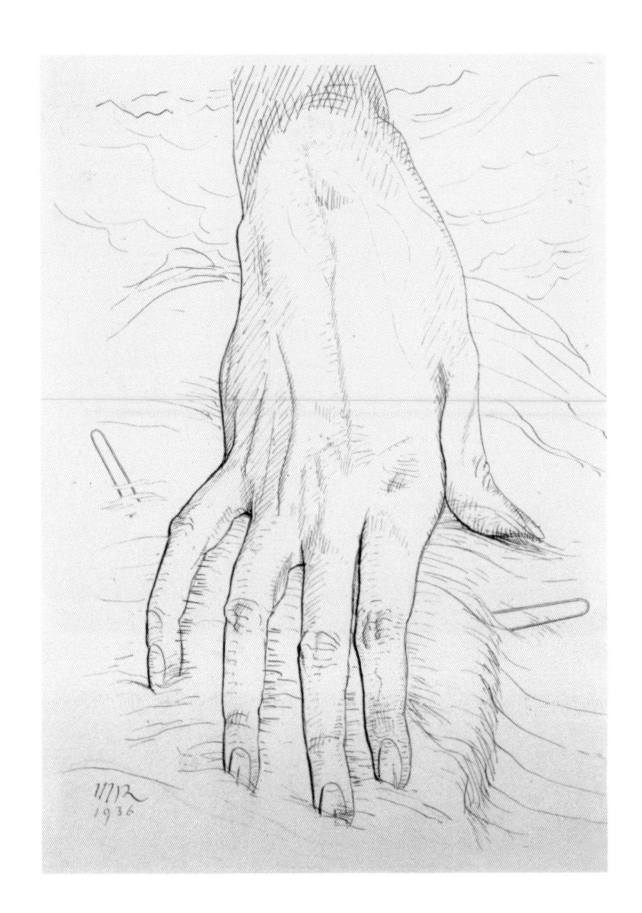

154
手
Hand

1936
鉛筆、紙

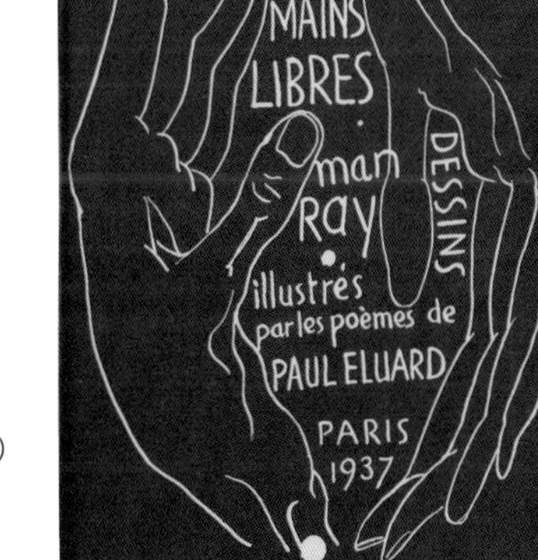

（表紙扉）

155
詩画集『自由な手』
（マン・レイ画、ポール・エリュアール挿詩）
Les Mains libres

1937年刊　Jeanne Bucher, Paris
Ex. 581/675

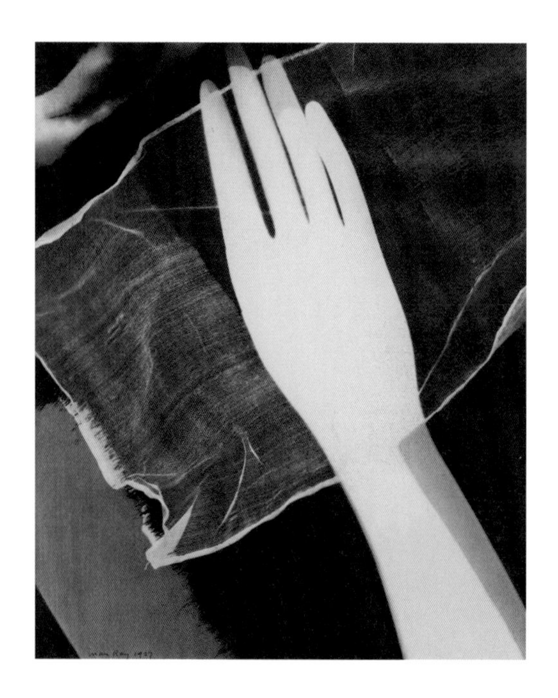

151
手（レイヨグラフ）
Hand, Rayograph
1927 / 後刷
ゼラチン・シルバー・プリント

マン・レイは女性の「手」のデッサンだけでなく、写真も数多くのこしている。

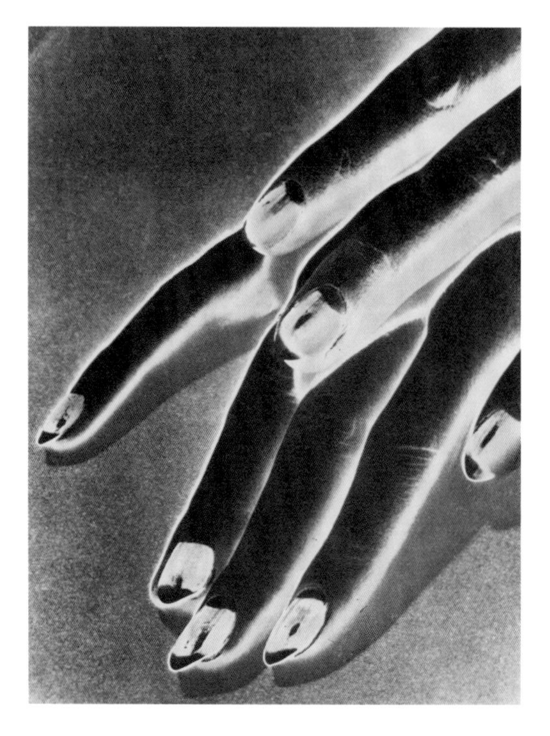

152
手（ソラリゼーション）
Hands, Solarization
1930 / 後刷
ゼラチン・シルバー・ネガティヴ

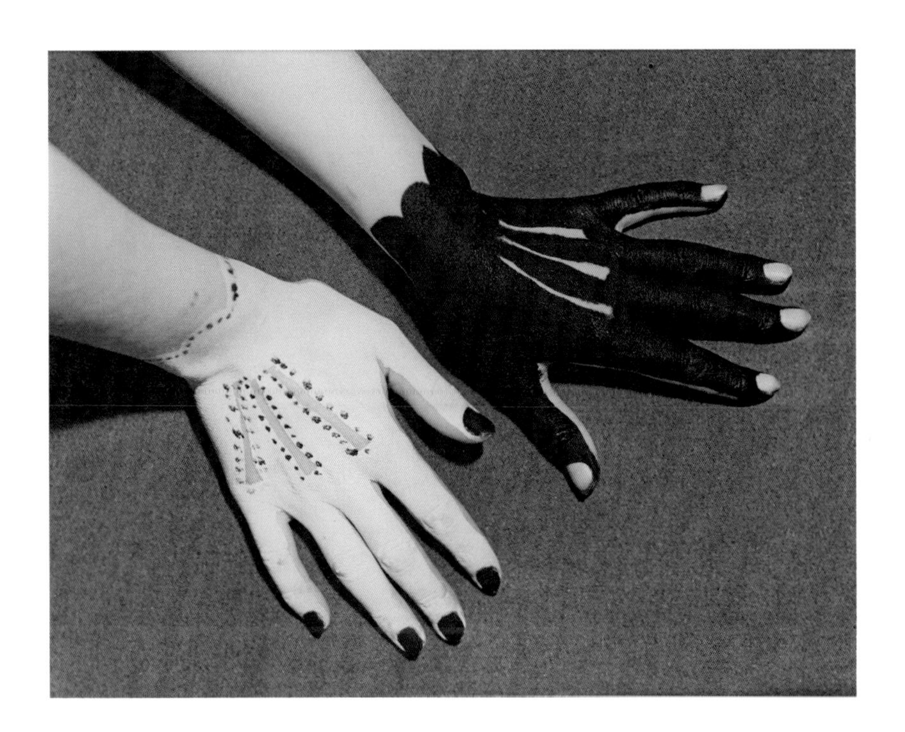

153
パブロ・ピカソが彩色した手
Hands painted by Pablo Picasso
1935 / 後刷
ゼラチン・シルバー・プリント

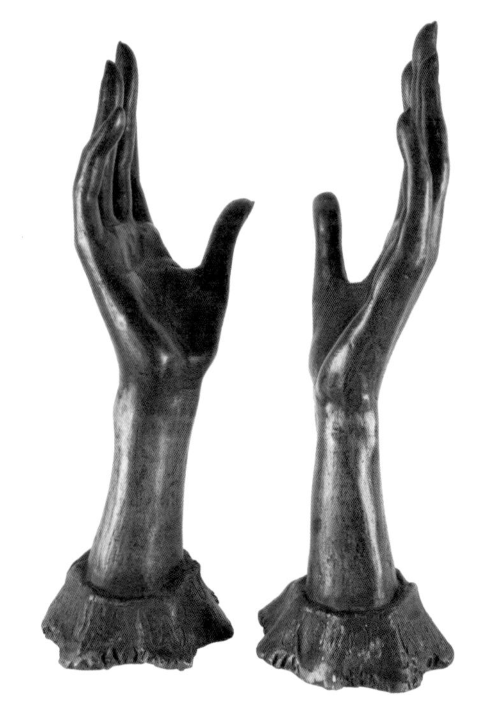

158
孤独（詩画集『自由な手』より）
Lonely, from *Les Mains libres*
1936 / 1971　Ex.2/8
ブロンズ

157
ナルシス（詩画集『自由な手』より）
Narcissus, from *Les Mains libres*
1936 / 1971　Ex.2/8
ブロンズ

159
手と果物（詩画集『自由な手』より）
Hand and fruit, from *Les Mains libres*
1936 / 1971　Ex.2/8
ブロンズ

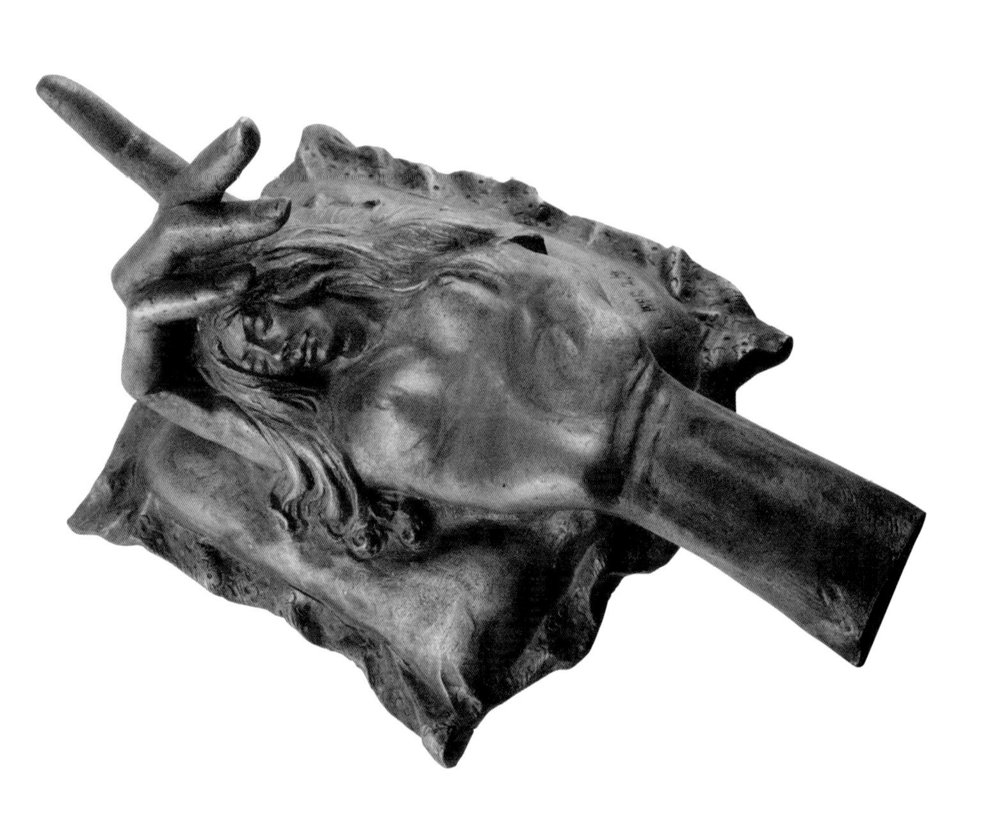

162
美しい手（詩画集『自由な手』より）
Beautiful Hand, from *Les Mains libres*
1936 / 1971　Ex.2/8
ブロンズ

161
力（詩画集『自由な手』より）
Power, from *Les Mains libres*
1936 / 1971　Ex.2/8
ブロンズ

160
裸体（詩画集『自由な手』より）
Nude, from *Les Mains libres*
1936 / 1971　Ex.2/8
ブロンズ

156
壊れた橋（詩画集『自由な手』より）
The Broken Bridge, from *Les Mains libres*
1936 / 1971　Ex.2/8
ブロンズ

163
女と彼女の魚（詩画集『自由な手』より）
Woman with her fish, from *Les Mains libres*
1936 / 1971　Ex.2/8
ブロンズ

Ⅱ-12 アディ・フィドラン
Ady Fidelin

マン・レイがアディを知ったのは1934年冬、歌と踊りのショーのある「バル・ブロメ」でのことです。被写体を探していたとき、この若い美しいダンサーと出くわしました。本名アドリエンヌ・フィドラン、カリブ海のフランス領グアドループ島の出身で、「カフェ・オ・レ色の肌」をしたこの魅力的な女性と、その後５年間ほど生活をともにします。

当時マン・レイは地中海岸の風土に魅せられていました。1936年から三度の夏にムージャンのピカソのアトリエを訪ね、エリュアールとニュッシュ、ペンローズとヴァランティーヌらとアンティーブ近郊の海辺で遊ぶなど、快適な保養の日々を送っています。みなで屋外レストランの昼食を楽しみ、食後にたわむれている有様を、ためしに使っていた新型の映画カメラで撮り、貴重なカラー映像にのこしました。

マン・レイは1937年夏にアンティーブに部屋を借り、翌年にはパリ西郊のサンジェルマン・アン・レイにも小さな家を入手したので、愛の巣は複数になりました。アディはキキやリーと違って野心がなく、年齢も父と娘ほど離れていたせいもあって、陽気で素直で控え目な恋人でありつづけました。

アディを撮った写真も数多く、どれも生き生きとした様子で、いくぶん異国趣味の加わることはあっても、レイシズムの傾向はいっさい見られません。彼女の明るく快活な姿は、ファシズムの暗雲のたちこめる世相とは対照的で、マン・レイの支えにもなっていたことを想像させます。

1939年の写真に、油彩の大作《上天気》[170]を前にして、アディとマン・レイの立っている２点[168, 169]があります。絵のタイトルは《上天気》でも、時はまさに第二次大戦の前夜で、画面には不吉な予感が漂っています。奇妙な形と色に分割された二つの人体、とがった三叉槍、一部をえぐられた壁、旧作の《数学的オブジェ》に似た挿絵のある書物、くねくね曲った道の描かれているビリヤード台、円柱とその蔭で抱きあう恋人たち、死闘をつづけている野獣たち、など。

油彩の代表作に数えられるこの大作は「いくつかの夢の合成」であり、「印象派からキュビスム、シュルレアリスムにいたるすべての技法を用いている」とマン・レイ自身はいい、この写真[169]で見ると厳しい顔つきで制作中です。「上天気」に見えるのはこちらも絵筆をもち、制作を手伝っているかのようなアディ[168]だけでしょう。

第二次大戦勃発はその直後でした。翌1940年にマン・レイがフランスからの脱出をはかったとき、アディもいちどは同行を決意しますが、家族を守れるのは自分だけだと悟り、結局パリにとどまりました。

マン・レイはサンジェルマン・アン・レイの家の倉庫に多くの作品を隠してから、車で出発してフランス、スペインを通り、長旅の末にリスボンに着いて、客船に乗りこみました。ダリとガラやルネ・クレール夫妻なども同じ船でした。

アディはパリでほかの男性と結婚することになりますが、マン・レイの作品を確実に守り、手紙のやりとりをつづけました。パリ時代に売れずにのこったマン・レイの油彩などの重要な作品が失われず、今日にのこっているのはアディのおかげもあります。

164
アドリエンヌ・フィドラン
Adrienne Fidelin
1937 / ヴィンテージ
ゼラチン・シルバー・プリント

165
夢の笑い
Dreaming laughter

1937
油彩、厚紙

166
コンゴ式ファッション（アディ・フィドラン）▶
Fashion in Congo, Ady Fidelin

1937 / ヴィンテージ
ゼラチン・シルバー・プリント

高級モード雑誌『ハーパーズ・バザー』に掲載された写真で、白人ではないモデルがこの種の雑誌に登場したのはめずらしいことだった。

167
◀ アドリエンヌ・フィドラン、
マン・レイの石膏像とルバの彫刻
Adrienne Fidelin with
Man Ray's plaster bust and a Luba statue

1938 / ヴィンテージ
ゼラチン・シルバー・プリント

168
《上天気》を描くアディ
Ady painting *Le beau temps*

1939 / ヴィンテージ
ゼラチン・シルバー・プリント

169
《上天気》を描くマン・レイ
Man Ray painting *Le beau temps*

1939 / ヴィンテージ
ゼラチン・シルバー・プリント

170
上天気
The Fair Weather / Le beau temps

1939 / 1973　A.P.
リトグラフ（多色）、紙

III
ハリウッド
Hollywood
1940-1951

III ハリウッド 1940-1951

1940年の８月16日、50歳のマン・レイはニューヨークの港に着き、妹のエルシー・シーグラーとその娘のナオミに迎えられました。新聞記者にかこまれた人気者のダリに通訳を頼まれてもことわり、西隣のジャージー・シティにあるシーグラー家に向います。以前に失望を味わった町ニューヨークにもう住む気はなく、妹の家に滞在して憂鬱(ゆううつ)な日々を送りました。

秋にナオミの提案で若い男性と旅をする計画を立て、自動車でデトロイト、シカゴ、セントルイス、ニューオーリンズ、ダラスなどを経由して10月13日、西海岸のロサンジェルスに着きました。沿道の雄大な風景にも興味をひかれず、到着してからも長くいるつもりはなかったのですが、出発前に紹介を受けていた若い女性とはじめて会い、親しくつきあううちに心がきまりました。ハリウッドに二人で住み、結局ほぼ10年間をそこですごすことになります。

ジュリエット・ブラウナーは29歳、妖精のように華奢な女性でした。マン・レイと同じブルックリン育ちで、ダンサーやモデルをしながら芸術家たちとまじわり、オランダから来たばかりの画家デ・クーニングと交友してもいたので、すでにマン・レイの仕事を知っていました。

翌年、ヴァイン通りに快適な家を安く借りて、二人は新生活をはじめます。マン・レイはパリでの充実した日々を忘れられず、将来の不安もありましたが、優しいジュリエットと南国の穏やかな気候に助けられ、制作を再開しました。アドン・ラクロワとの離婚が成立していたので、終戦の翌年には正式に結婚します。

他の多くのシュルレアリストと同様にアメリカへ亡命していたエルンストが1946年、ニューヨークで出会った若い画家ドロテア・タニングと西海岸にやってきたときに、思い立って２組４人の合同結婚式[180]を挙げたのでした。

マン・レイは自作を撮影してファイルしていたので、まず以前のものを制作しなおすことからはじめました。「再制作」といっても作品をそっくり再現するわけではありません。「同一主題による変奏」という独自の方法をとったのです。

つまり油彩をすこしずつ描き変えるだけでなく、絵や彫刻などジャンルの別を超えてモティーフを反復・永続させ、作品を自己増殖させてゆく方法です。しばらくこれに没頭しながら、新しい着想のオブジェや、新しい方式のレイヨグラフも試みました。

写真も撮っていましたが、注文による肖像やファッションの写真はやめたと宣言します。個展でもレイヨグラフ以外は写真を出品せず、画家としての自負を貫きましたが、作品はあまり売れませんでした。

名声だけはカリフォルニアにも及んでいたので、講演や執筆の仕事があり、友人も増えました。近所のナイマン夫妻や旧知の作家ヘンリー・ミラー、コレクターのアレンズバーグ夫妻とも交友し、一時滞在したナオミには写真を教えています。

ハリウッドの映画界にも有力なコレクターがいました。アルバート・リューイン監督は、映画『パンドラ』の背景にマン・レイの絵とチェス・セットを用い、主演女優のエヴァ・ガードナーの肖像写真を求めています。この美しいモデルにマン・レイは意欲をそそられ、ほかにも何人かの女優を撮影することになります。

芸術愛好家の女優・歌手メアリ・スタットハートとも交友し、彼女の催すパーティーでチャプリンやヘディ・ラマール、フランスから来ていた大映画作家ジャン・ルノワールとも知りあいました。映画とつながるハリウッドの社交界に、マン・レイ夫妻も顔を出していました。

ただしマン・レイ自身はもう映画を撮る気はなく、ダダ出身のハンス・リヒターがデュシャンやエルンストなどの芸術家を動員するオムニバス映画『金で買える夢』への参加を求めたときも辞退し、自作の一文をシナリオに使わせただけでした。

環境はある意味で快適でしたが、マン・レイにとっては「美しい牢獄」のようにも見えました。ハリウッド生活になじんでいたジュリエットとは違い、また芸術の都パリへの思いを募らせていたのです。

「ニューヨークはパリに20年遅れているが、カリフォルニアはさらに20年遅れている」とマン・レイはいっていました。実際は大戦中のニューヨークにフランスをはじめとするヨーロッパの芸術家たちが亡命してきて、そこでのシュルレアリストたちの活動の影響もあり、アメリカには「抽象表現主義」のような新しい動きが芽ばえていたのですが、マン・レイはそれを評価せず、亡命シュルレアリストたちの活動ともやや距離を置いていました。

他方アメリカの批評界では一種の国粋主義ゆえに、長くパリで活動したマン・レイの作品を軽視し、写真以外は認めない傾向がありました。巨大化した商業主義を背景に、世界美術の中心がパリからニューヨークへ移ったという風説のつくられるなかで、マン・レイは孤独を味わいました。

1947年夏の「シュルレアリスム国際展」を機に、はじめてジュリエットとパリへ行き、サンジェルマン・アン・レイの倉庫にある作品を持ち帰ります。パリにのこる選択をしなかったのは経済的事情のほか、ハリウッドを好む妻を思ってのことでした。

帰国後も制作に励み、シュルレアリスムに入れあげていた若いコレクター、ウィリアム・コプリーの画廊で意欲的な油彩を発表しましたが、好評は得られず、家賃高騰などの不如意もあり、「もうこの町には我慢できない」というようになりました。

ジュリエットのほうが夫に従い、1951年3月12日、夫妻はニューヨーク港から発つことになります。コプリーも同行し、この最後の大西洋横断のために、一行は一等船室をとっていました。

亡命シュルレアリストたちの多くはもう帰国していましたが、デュシャンだけはニューヨークにいて、見送りに来てくれました。東海岸へ出るたびに会っていたデュシャンですが、一対一で別れを惜しむときに、不思議な贈り物を手渡しました。それは《雌のイチジクの葉》と題するエロティックな彫刻で、デュシャンが人知れず制作していた遺作《……与えられたとせよ》に付随するオブジェでした。みずからの女性分身ローズ・セラヴィ[29, 30]の生身の姿を、ただひとり見て撮影してくれた親友のために、秘密の扉の鍵を贈ったのでしょう。

ジュリエット・ブラウナー

Juliet Browner

ジュリエット・ブラウナーはルーマニアからの移民夫婦の長女で、父は薬剤師、マン・レイと同じブルックリン育ちでした。弟5人と妹が1人いて、病気がちの母のために子育てを手伝っていましたが、独立心もあってヴァイオリンやダンスを身につけ、モデルの仕事もし、芸術家たちのグループに加わったこともありました。

1940年秋、ひとりで前年から西海岸に来て細々と生活していた彼女を、モデルに使ってもらえないものかと、マン・レイはニューヨークで依頼されました。ハリウッドに到着してはじめて彼女と会ったとき、父娘に近い歳の差はあっても、二人がすぐ魅かれあったことはたしかです。ジュリエットは芸術への理解が深く、マン・レイをすでに尊敬していました。彼がこれまでのパリでの冒険や、将来の抱負について熱心に話しつづけるあいだ、彼女は熱心に聴いていました。

ジュリエットは快活で優しく、控えめで気どりのない女性でした。東洋人のようにやや吊りあがった目をしていて、手の動きが美しく、身体は健康的に引きしまり、モデルとしても理想的でした。マン・レイは会ってすぐに肖像を素描しましたし、翌年にヴァイン通りで同棲生活をはじめてからは、多くのポートレートやスナップを撮っています。注文による肖像写真とは異なり、妻と自分のために撮った写真でした。

もともと西海岸に永住する気はなく、パリへの帰還を望んでいたマン・レイですが、その後10年とすこしの間ハリウッドにとどまることにしたのも、ジュリエットのためでした。彼女は持ち前の自立心をマン・レイに捧げ、日常生活と制作への助力、遊びと交際にも積極的でした。二人でチェスに興じたり、ピクニックやパーティーなどへ行ったときの楽しそうな写真がのこっています。

近くに住むナイマン夫妻、家に滞在した妹のセルマ、義理の姪のナオミから芸術界・映画界の名士たちまで、誰とでもジュリエットは気持よくつきあいました。終戦後の1946年、マン・レイの朋友エルンストが新しい妻となる画家ドロテア・タニングとともに訪れたとき、マン・レイとジュリエットもいっしょに結婚式を挙げ、仮装パーティーのような扮装で記念撮影[180]をしました。

ジュリエットはマン・レイの心がパリにあることを知っていましたが、自分は国外へ出た経験がなく、フランス語もできないので不安でしたし、なによりもハリウッドの生活が好きでした。マン・レイもそのことを理解していたので、1947年にはじめて二人でパリ旅行をしたときも、のこしてきた全作品をハリウッドへ郵送したほどですが、それでもやがて忍耐の期限が切れてしまい、1951年にはハリウッドを去ることになります。

ジュリエットも同意しました。二人はもはや離れたがたく、最後までともに生きる幸福を選んだのでした。

のちの1963年、マン・レイは友人たちの肖像写真を収めた『ポートレート集』を出したとき、写真を掲載した各人への同意・関心の度合について、シュルレアリスム風の採点遊びをしていますが、満点の20点をつけたのはジュリエットただひとりでした。

ちなみに上位の19点をつけたのはデュシャン、18点はツァラ、ブルトン、サティ、エルンスト、そしてリーのあの唇の写真[70]だったのです。

175
ジュリエット・ブラウナー
Juliet Browner
1943 / ヴィンテージ
ゼラチン・シルバー・プリント

172
◀ ジュリエット・ブラウナーの肖像
Portrait of Juliet Browner
ca. 1941 / ヴィンテージ
ゼラチン・シルバー・プリント

174
ジュリエット
（写真集『ジュリエットの50の顔』より）
Juliet, from *The Fifty Faces of Juliet*
1943 / ヴィンテージ
ゼラチン・シルバー・プリント、
コンタクトシート

173
ジュリエット・ブラウナーと
マーガレット・ナイマン
Juliet Browner and Margaret Neiman
ca. 1942 / 後刷
ゼラチン・シルバー・プリント

176
ジュリエットとマン・レイ
Juliet and Man Ray
ca. 1945 / ヴィンテージ
ゼラチン・シルバー・プリント

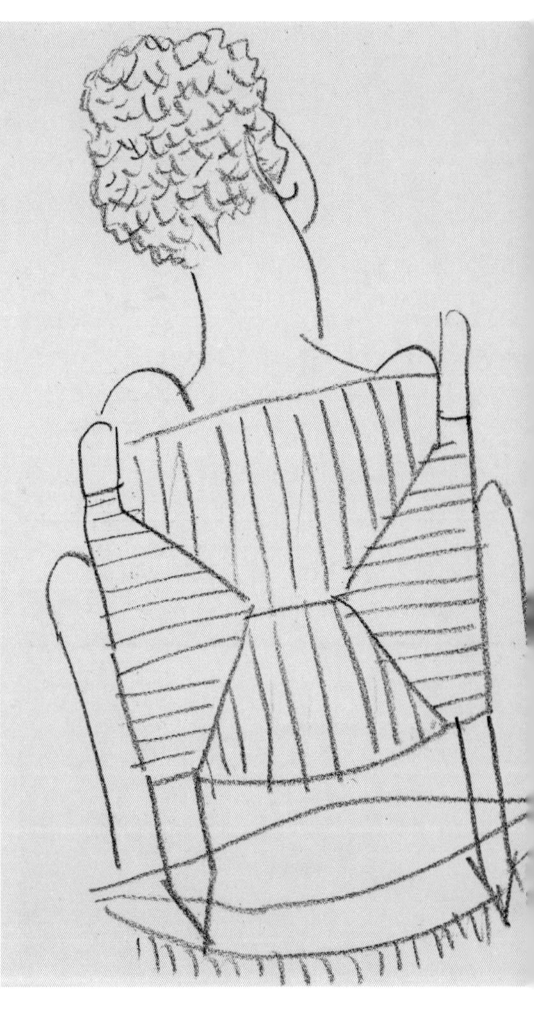

178
ジュリエット・ブラウナー
Juliet Browner
ca. 1945
鉛筆、紙

171
バッハを弾くジュリエット
Juliet playing Bach

1941 / ヴィンテージ
ゼラチン・シルバー・プリント

177
ジュリエットとセルマ・ブラウナー
Juliet and Selma Browner

ca. 1945 / 後刷
ゼラチン・シルバー・プリント

ハリウッドで合同結婚式

1946年、エルンストと新しい恋人ドロテア・タニングはハリウッドを訪れ、マン・レイとジュリエットのカップルとともに合同結婚式をしました。エルンストもブルトンやデュシャン、タンギーらと同様、ニューヨークへ亡命してきたのですが、ペギー・グッゲンハイムと別れて若いドロテアとアリゾナに移り、先住民ホピ族の住む絶景の地セドナに住んでいたのです。

ハリウッドの富裕な友人のコレクター、アレンズバーグ夫妻の邸宅で四人の結婚式がおこなわれました。まるで仮装パーティーのような面々の記念写真（右ページ）がのこっています。俳優オスカー・ホモルカの夫人で写真家のフローレンスも駆けつけ、二組のカップルのふざけあう珍しい写真（下）を撮っています。

マン・レイとエルンストも、ジュリエットとドロテアも、ほぼ同い年で気が合いました。マン・レイ夫妻はその後、エルンスト夫妻のセドナの家を訪れ、またパリに戻ってからも親しく交友をつづけました。

180

1946年10月24日の合同結婚式：
マックス・エルンストとドロテア・タニング、
マン・レイとジュリエット・ブラウナー
（左より エルンスト、ジュリエット、不詳、タニング、マン・レイ）

Double wedding: Couples of Max Ernst & Dorothea Tanning, Man Ray & Juliet Browner

24 Oct. 1946 / 後刷 / Man Ray
ゼラチン・シルバー・プリント

179

◀ フローレンス・ホモルカ
Florence Homolka

マン・レイ、ジュリエット、
マックス・エルンスト、ドロテア・タニング、
ハリウッド、カリフォルニア
（時計まわり）

Man Ray, Juliet, Max Ernst, and Dorothea Tanning, Hollywood, California

1946 / 後刷
ゼラチン・シルバー・プリント

Ⅲ-14 アートの新天地

A New World for Man Ray's Art

ハリウッドはマン・レイにとって新天地でした。かつて苦闘をつづけた町ニューヨークを好まず、ゴーギャンに倣ってタヒチ島へでも行こうかと考えたほどでしたが、たどりついたこの土地には温暖な気候と平穏な日常があり、そしてジュリエットがいました。

ニューヨークへ出ても実家の両親とはあまり会わず、第二次大戦の現実にも新しい芸術の動向にもあまり触れないまま、一見無風のオアシスのようなハリウッドで制作することで、マン・レイは新しいアートの可能性を探りました。到着直後につくったオブジェ《パレッターブル》[183]は、絵画に没頭する意気ごみを反映した作品かもしれません。

題名はフランス語のパレット（調色板）とターブル（食卓）をつなげた彼一流の造語で、「絵で食べてゆく」含みもありそうだからです。実際にこの作品は家具のように、ハリウッドの家にさりげなく置かれていました。晩年までつづく言葉の遊び（語呂あわせ）によるオブジェの好例でしょう。

再制作では油彩の代表作《回転扉》[249]《天文台の時刻に――恋人たち》[76]《サド侯爵の架空の肖像》《上天気》[170]などの変奏を試みたばかりか、以前にパリのシュルレアリスム展に出品した《数学的オブジェ》の写真連作を油彩に発展させ、《シェイクスピア方程式》の連作をくりひろげもしました。

《永遠の魅力》[185]のようなチェス・セットの系列も重要です。彼は初期以来、チェスの名手だったデュシャンと共有するこのモティーフを永続させましたが、1944年には木とアルミで自作のチェス・セットを量産・販売することを試み、これがデパートなどで売れて収入を得られました。のちのレプリカ（複製）やマルティプル（量産）という独特の方法はそこからはじまります。

パサデナ美術研究所での初回顧展をはじめ、展覧会では写真を除外する方針で、商業写真はもうやらないと公言してもいましたが、写真自体をやめたわけではなく、求めに応じて肖像などを撮っています。革命後のロシアからの亡命者で数奇な生涯を送ってきたバレリーナのタマラ・トゥマノワ[186]や、パリに一時滞在した際にエリュアールから紹介された将来の絵本作家ジャクリーヌ・デュエム[187]の肖像などは貴重です。

ハリウッドの映画界では、コレクターでもあったアルバート・リューイン監督の依頼で、当代きっての美人女優とされていたエヴァ・ガードナー[188]を撮ったとき、マン・レイは「これまでどの映画も彼女の真価を表現していない」と思ったそうです。それはつまり、彼による肖像写真こそが「真価を表現した」ということでしょう。

パリ生まれで将来を嘱目されたバレリーナのレスリー・キャロン[189]も、ミュージカル映画の名作『巴里のアメリカ人』の主役としてハリウッドに来たとき、やはりマン・レイに撮影されました。まだ英語のできない童顔のフランス娘が、大写真家からフランス語で話しかけられた場面を想像できます。彼女もその後に大スターになりました。

マン・レイ自身はその翌年にハリウッドを去って、ふたたび「パリのアメリカ人」となる道を選んだのでした。

182
無題
Untitled

1940
グアッシュ、紙

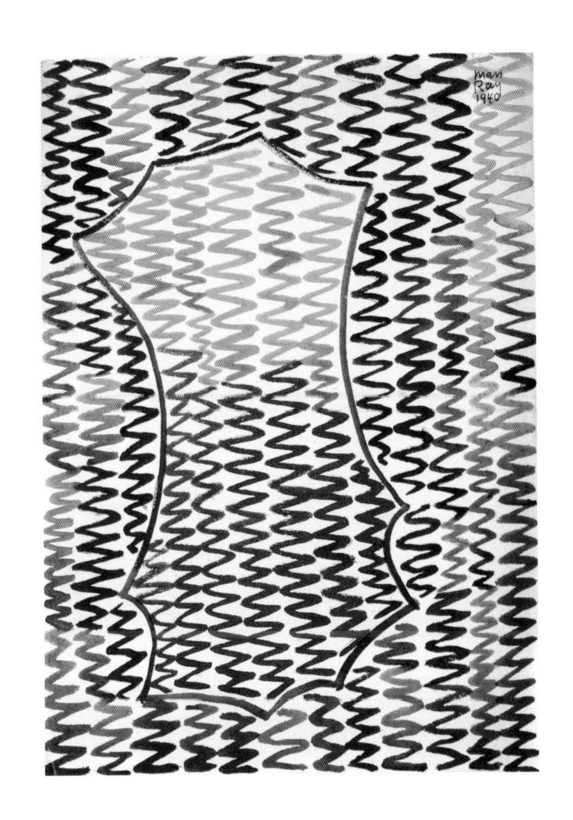

183
パレッターブル
(パレット・テーブル)
Palettable

1940 / 1971　Ex. 8/10
画家のパレットの形をしたテーブル

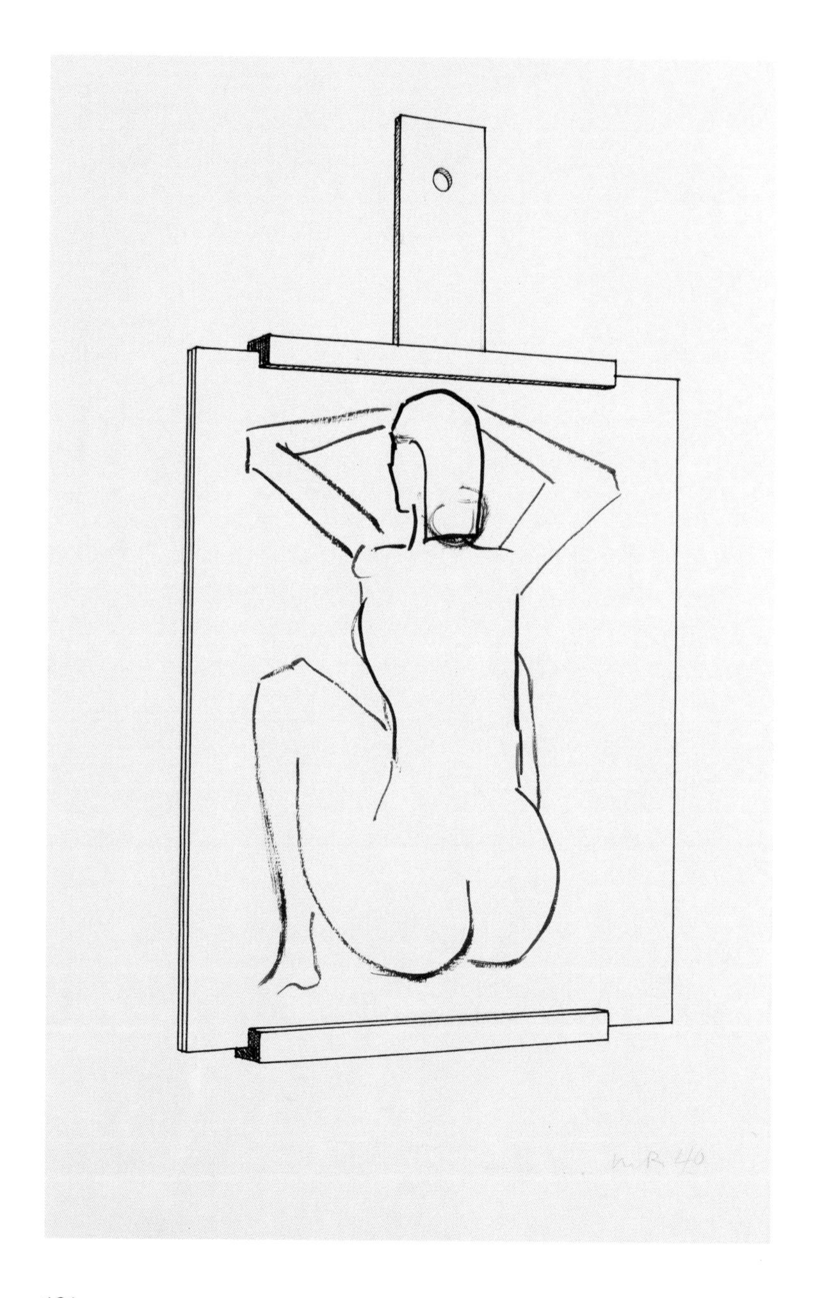

181
イーゼル絵画
Easel painting

1940
インク、木炭、紙

184
ミスター・ナイフとミス・フォーク
Mr Knife and Miss Fork
1944 / 1973　Ex. II/IV　A.P.
木の玉、ネット、ナイフとフォーク、
赤いビロード張りした木箱

185
永遠の魅力
Permanent Attraction
1948 / 1972　Ex. 3/8
格子のボード、木製の駒

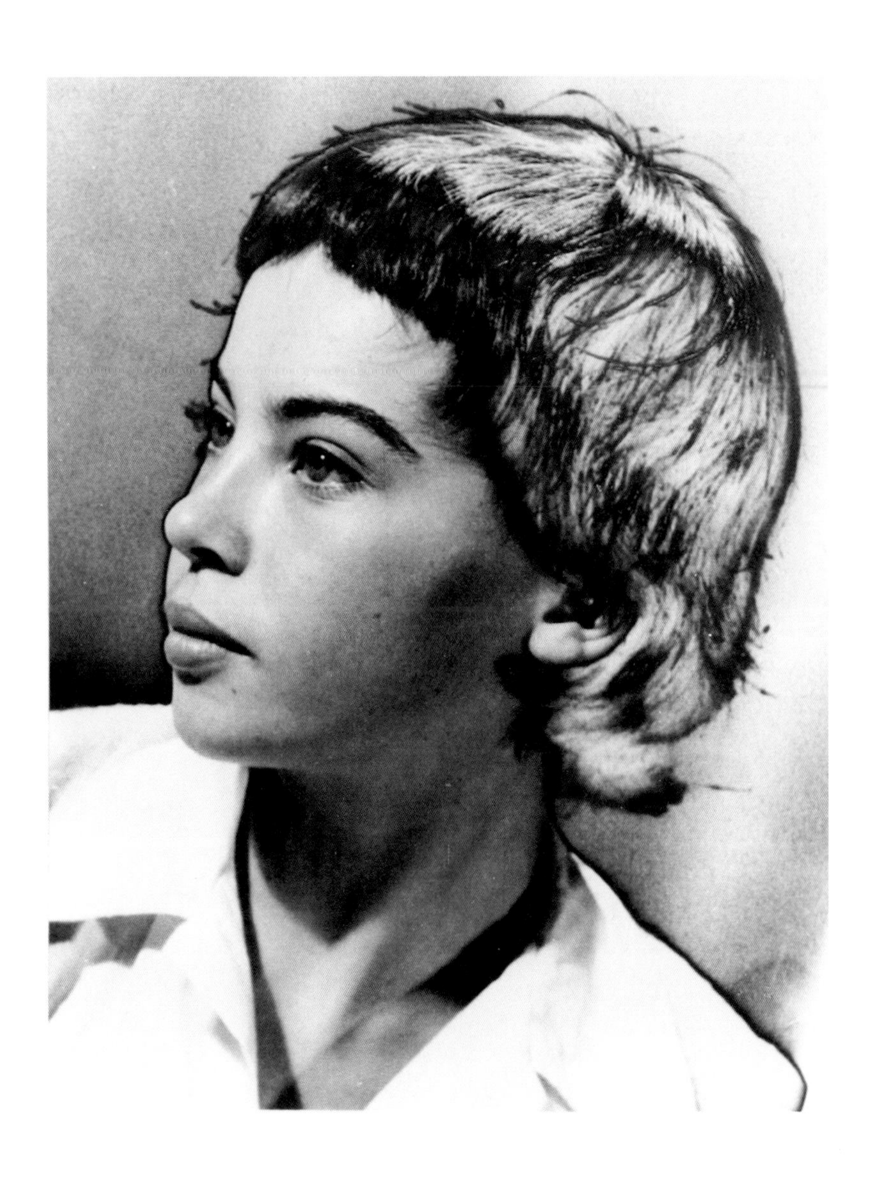

188
◀ パンドラ役を演じるエヴァ・ガードナー
Ava Gardner in her role as Pandora

1950 / ヴィンテージ
ゼラチン・シルバー・プリント

189
レスリー・キャロン
Leslie Caron

ca. 1950 / 後刷
ゼラチン・シルバー・プリント

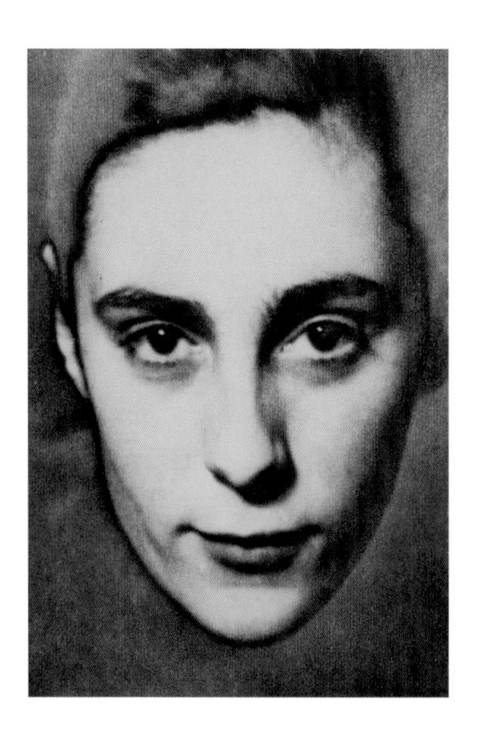

187
ジャクリーヌ・デュエム
Jacqueline Duhême

1947 / ヴィンテージ
ゼラチン・シルバー・プリント

186
タマラ・トゥマノワ
Tamara Toumanova

1945 / ヴィンテージ
ゼラチン・シルバー・プリント

IV

パリふたたび

Returning to Paris

1951-1976

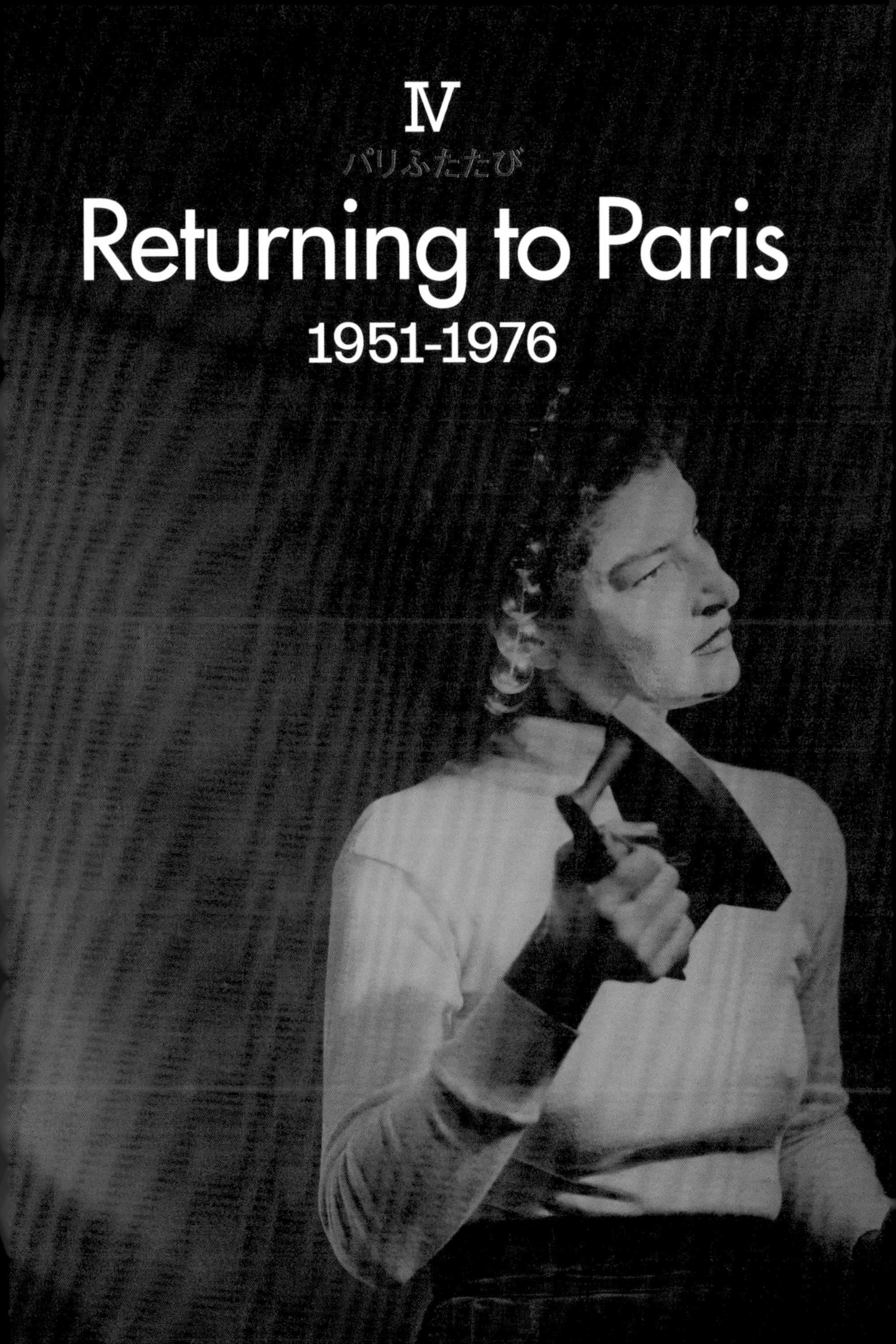

Ⅳ パリふたたび　1951-1976

マン・レイはジュリエットと９日間の船旅を終え、1951年３月20日にパリに着きました。ホテルからカフェ「クーポール」へ食事に行き、故郷に戻ったと感じたようです。戦後のモンパルナスに芸術家たちはいなくても、町の人々がマン・レイを憶えていました。アメリカにはない芸術への敬意も保たれていて、生きかえる思いでした。

いまはサンジェルマン・デ・プレ地区が芸術の中心でしたが、マン・レイはその南のフェルー通りに家を見つけました。リュクサンブール庭園の北西にあたる好みの大建築物、サンシュルピス教会の近くです。

一見ガレージか倉庫のような一軒家で、高い天井に広い窓があり、アトリエには理想的です。煖房の効かない殺風景な大空間を見て、ジュリエットは怯えましたが、仕事を優先する画家の決意を理解し、住むことにしました。内部を仕切って寝室や浴室をつくり、さらに改造して作品や資料を配置し、個人美術館のようにしました。

こうしてマン・レイの「パリ第二期」がはじまります。すでに60代でしたが変らず意欲的に、多様なジャンルを手がけました。油彩では伝統的な画法による《フェルー通り》[247]も描けば、抽象画も、「ナチュラル・ペインティング」のようなオートマティックな画法も試みました。

変幻自在の画風のせいもあって、アメリカの批評家から「様式が一貫しない」とよく批判されましたが、マン・レイはそれに応えて、作品はアイディア（着想）が第一なのだと主張していました。

アイディアに直結する分野として「言葉の遊び」（語呂あわせ）によるオブジェも重要です。《フランスのバレエⅡ》[193]などは典型的で、フランス語のバレエが箒木（ほうき）（バレ）と同音であることから着想し、箒木を逆さに立てています。箒木は立っていてもバレエを踊っているわけではなく、語呂あわせが実体化しただけですが、かえって不思議なユーモアが生じます。

そうしたオブジェは再制作やレプリカ（複製）に加えて、マルティプル（量産）としても販売され、ある程度の収入源になりました。あいかわらず油彩は売れなかったため、生活は質素で、結局は最後までフェルー通りに住むことになります。

大戦後のパリは仲間の多くが去っていましたが、幾人かと再会できました。アメリカから戻ってきたエルンストとタニングや、ニューヨークとパリを往復していたデュシャン、帰国してシュルレアリスム運動を再開していたブルトンなど。

他方、若い芸術家や美術関係者のなかにも、新たに友人として迎え入れた人たちがいます。フェルー通りのアトリエでは話に花が咲き、マン・レイ独特の当意即妙の寸言や毒舌も聞かれました。

写真も職業としてではなく自発的につづけていました。肖像写真は人間への関心に発していたので、思い立つとさりげなく演出して撮りました。1950年代から60年代にかけてのすばらしい女性像、歌手のジュリエット・グレコ[202]や女優のカトリーヌ・ドヌーヴ[206]、ピカソ夫人ジャクリーヌ[203]や彫刻家・宮脇愛子[204]などのポートレートはそのように撮影しています。

もちろん被写体の代表は妻のジュリエットです。はじめはパリの気候になじめず、言葉の不如意もあってハリウッドを懐かしんでいた彼女も、やがてフランス語を身につけ、友人も増え、マン・レイとの日常を楽しんでいるうちに、パリの生活を最良のものに感じはじめました。

マン・レイは文筆家としても到達点を示しました。ハリウッド時代から下書きしていた自伝を一気に完成させ、1963年に『セルフポートレート』[251]として出版します。厖大な著書ですが、最終行にあえてピリオドをつけず、人生の冒険が終っていないことを暗示しました。

マン・レイは1961年のヴェネツィア・ビエンナーレで写真部門金獅子賞を受賞し、写真家としての世界的名声を得ました。ただ本人は画家を自認して新しい絵画をたえず試みていた以上、それだけでは満たされません。1966年のロサンジェルス・カウンティ美術館での回顧展以来、各地で大きな展覧会がひらかれましたが、絵は総じて評価が低く、あまり売れなかったので、ときに不平をかこち、批評や美術史とあいいれない生き方を自覚していました。

70歳のころには体が弱り、杖をつくようになりました。友人たちもすこしずついなくなります。1968年10月1日、ジュリエットとパリ西郊ヌイイにデュシャン夫妻を訪ね、歓談し、冗談や人の悪口をいいあってから夜中に帰宅すると、ティーニー夫人から電話が入り、最大の親友がいま亡くなったことを知りました。享年81。

マン・レイはその後、近くのシェーズ通りに煖房完備の部屋を借り、フェルー通りと往復する生活になりました。杖を２本ついてジュリエットに支えられて歩き、人に心配されると、「こう見えても私のほうが妻を支えているんだ」と応じました。

あるとき路上で、もうひとりの親友エルンストと出会いました。こちらも若い妻ドロテア・タニングに支えられていたので、マン・レイは「シュルレアリストの脚がいちどにイカれちまったようだな」といいました。そのエルンストも1976年に亡くなります。享年84でした。

同年にマン・レイはフランス政府から芸術功労賞をうけています。体は弱りきって、仕事をしていましたが、とうとう入院し、11月18日、帰宅後に呼吸困難に陥って、86歳で世を去りました。

モンパルナス墓地での葬儀のとき、ジュリエットは悲しみのあまり涙も出ませんでした。10年たってからマン・レイの墓石をつくりました。彫刻《平らな卵》をかたどった楕円形の石の面に〈Man Ray 1890-1976／Love Juliet〉とあり、さらに手書きの文字で「かかわりをもたず、だが無関心ではなく」と記されました。

いまではその墓の右にジュリエットの墓が寄りそっています。〈Juliet Man Ray 1911-1991／Together again（またいっしょ）〉とあり、その上に二人の写真が並んでいます。ジュリエットはにっこり笑っていますが、マン・レイのほうは例のとおり生真面目な表情です。

Ⅳ-15 アートのなかの女性像

The Female Figures in His Artwork

ジュリエットはパリの生活に慣れ、冬には煖房の効かないアトリエで辛い思いをしましたが、マン・レイという特異な芸術家を支えて暮す日々に、楽しみを見いだしてもいました。自分で絵を描くこともあって、マン・レイに倣って新開発のアクリル絵具を用いた作品[201]など、新鮮で魅力的です。

マン・レイの制作する女性像もジュリエットが多く、肖像デッサンや本格的なポートレートはもちろん、花を女性に見立てたインク画[191]などを見ても、吊りあがった葉＝目に彼女を投影しているようです。

オブジェ作品ではあいかわらず身近な日用品を用いており、《フランスのバレエⅡ》[193]には箒木のバレリーナに元ダンサーの妻が重なり、また《パン・パン》[194]（パンと「彩色された」が同音）にはバゲットを買って帰る妻の姿が重なりそうです。《ペシャージュ》[198]（ペシュ＝桃とニュアージュ＝雲とペイザージュ＝風景との語呂あわせ）には伝統的な画題「三美神」や、自作の裸体写真《祈り》[123, 124]などへの連想があるかもしれません。《ピンナップ》[199]にコラージュされたピン（縫い針）や安全ピンは、女性の家事のモティーフとして、《贈り物》[34]のアイロンをもつジュリエットともつながるでしょう。

マン・レイは最小限の家事を妻にまかせてはいても、外出や旅はいつも二人でしましたし、仕事で人と会うときもいっしょでした。隠れて他の女性と遊ぶようなことはいっさいせず、誠実そのものの夫でした。

それでも美しい女性が訪れたりすると、写真家の本能が目ざめて撮影に誘いました。巧みに緊張をほぐしてから、小さなカメラをとりだし、さりげなくシャッターを切ります。その結果としてこの時期にも、肖像写真の名作が生まれました。

ジュリエット・グレコ[202]といえば、戦後のサンジェルマン・デ・プレで一世を風靡し、自由な生き方をしていたシャンソン歌手ですが、「実存主義のミューズ」とも呼ばれる彼女を撮った写真はみごとです。有名な黒装束の彼女を黒い背景のなかに置き、特徴のある張った頬に両手を当てさせたポーズも、マン・レイの演出でしょう。

晩年のピカソに熱愛され最後の妻になり、400枚もの絵に描かれたジャクリーヌ[203]（旧姓ロック）の肖像写真は、1958年夏に、マン・レイ夫妻がカンヌにピカソを訪れたときの撮影で、個展ポスターの前の横顔は、まさにピカソの好んだとおりのものです。

日本からミラノへ留学し、パリにもよく来ていた彫刻家の宮脇愛子[204]は、リヒターを通じてマン・レイに紹介され、フェルー通りを何度も訪れました。あるとき1枚撮ろうかといわれて、指示どおりに手を組んでいるうちにシャッターが切られ、できあがった写真を見ると、なんと《モナリザ》のポーズそっくりでした。この魅力的な肖像は《マッチ箱》[205]にも複製されています。

当代一の美女と謳（うた）われた大女優カトリーヌ・ドヌーヴ[206]のポートレートは、1968年、マン・レイ78歳のころの作品です。シュルレアリスム時代の朋友ブニュエルが、驚くべき映画『昼顔』を撮影したあと、アトリエを訪れていた彼女をマン・レイが誘ったのでしょうか。旧作のオブジェ《ランプシェード》[207]の横で、その再制作であるイヤリング[208]をつけて微笑んでいるドヌーヴは、すでにマン・レイの世界の住民かもしれません。

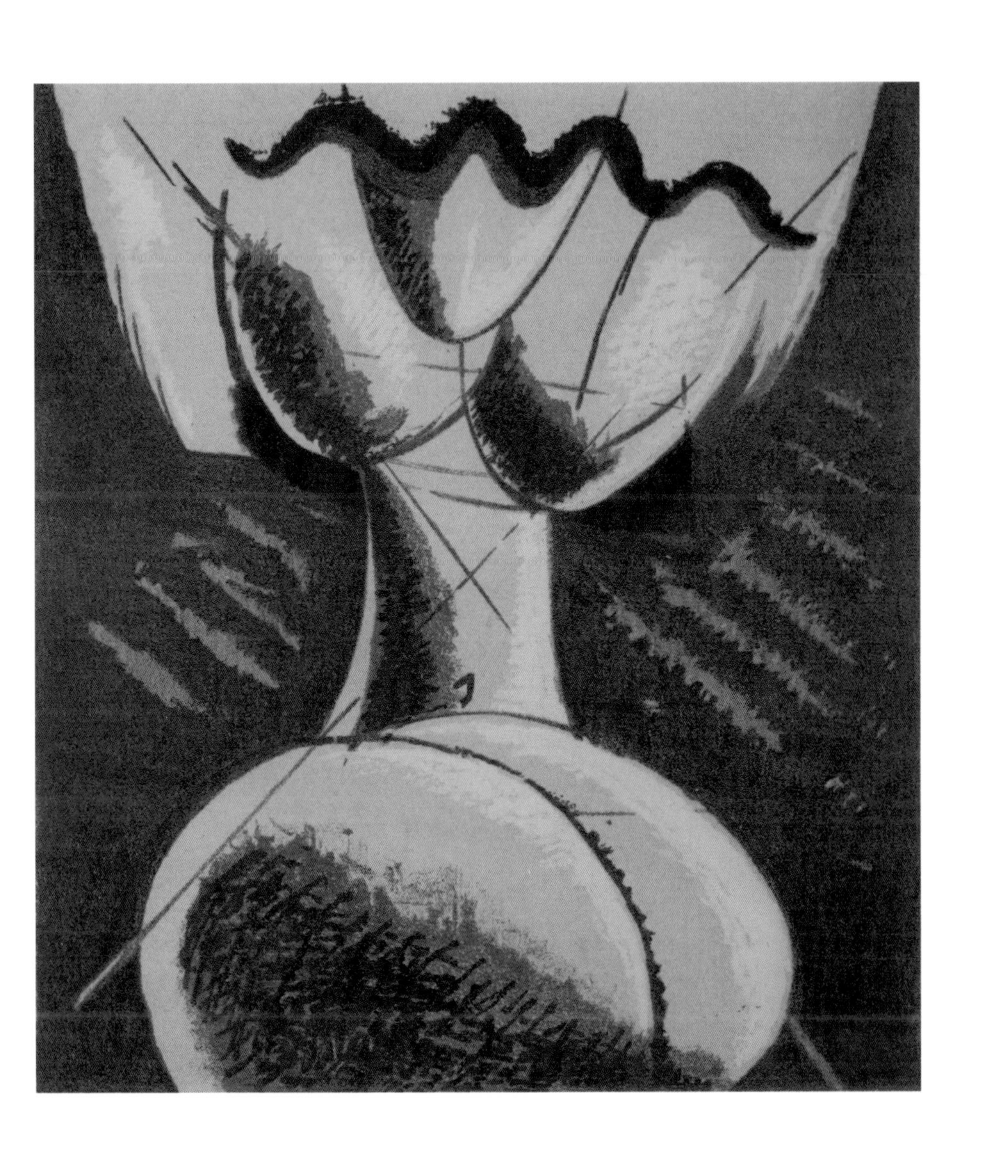

190
女性の絵
Feminine Painting
1954 / 1976　A.P.
リトグラフ（多色）、紙

191
花－女性
Flower – Woman

1954
インク、紙

201
ジュリエット・マン・レイ
Juliet Man Ray

無題
Untitled

1960 Signed Juliet Man Ray
アクリル絵具

200
詩人の肖像（ジュリエット）▶
Portrait of a poet (Juliet)

1954 / 後刷 / Man Ray, 1975
ゼラチン・シルバー・プリント

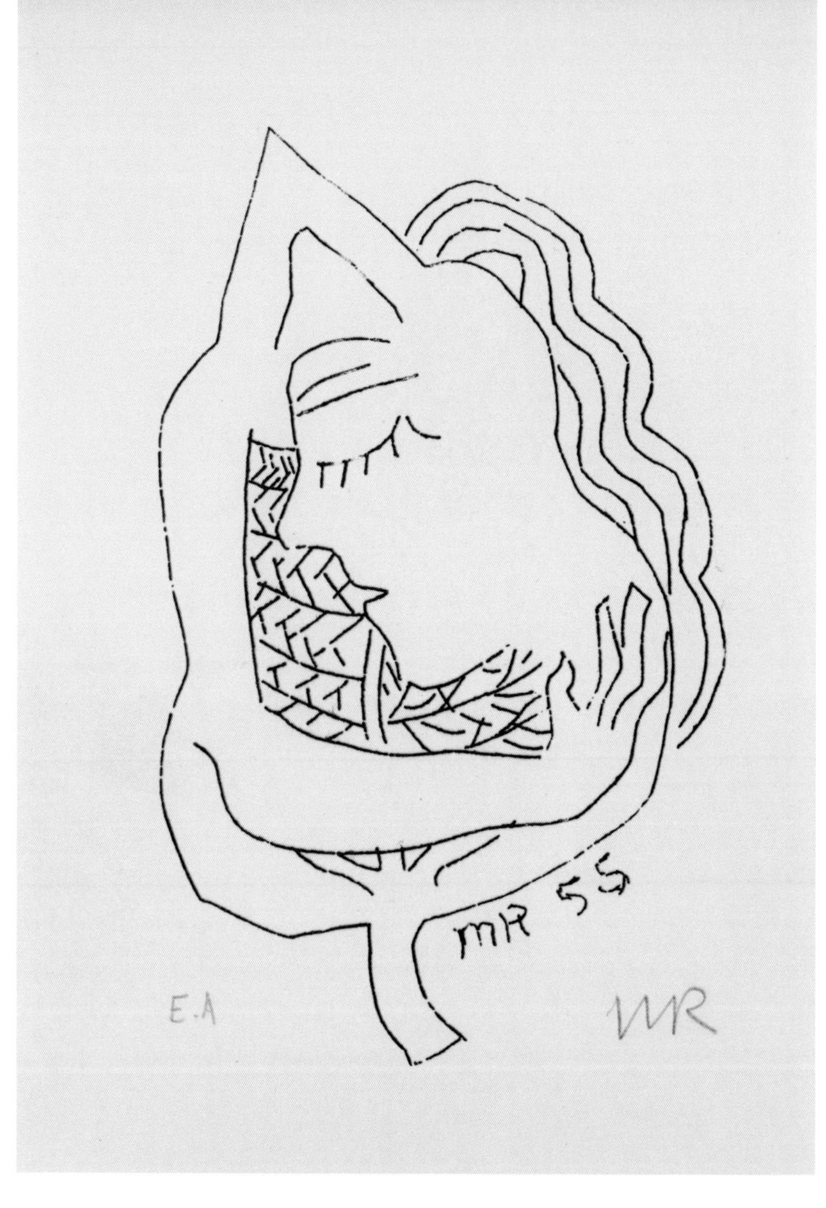

192
13の型にはめられた処女たち
Les treize clichés vierges

1955　A.P.
リトグラフ、紙

194
パン・パン（彩色パン）▶
Pain peint

1958 / 1966　Ex. 7/9
青に着彩したポリエステル
樹脂のパン

197
飼いならされた処女／私をつれだして
Domesticated Virgin (Let me Out)

1968　Ex. Ⅳ/Ⅶ
シルバー、透過面のあるプラスティック箱

193
フランスのバレエ Ⅱ
Ballet français Ⅱ

1956 / 1971　Ex. 4/10
着色したブロンズ

198

ペシャージュ（桃・雲・風景）

Pêchage

1969 / 1972　A.P.

木製箱、人工の桃３個、綿、塗料

199
ピンナップ
Pin-up
1970 Ex.2/29
レディメイド、板に敷いた紙にコラージュ

196

チェス・セット

Chess set

1962　Ex. 43/50
チェス・セット（32個のブロンズ製の駒）、木製箱
マン・レイの手書きの詩

195

羽根の重石

Featherweight

1960 / 1968　Ex.10/10
3つの羽根、着色した鉛板

202
ジュリエット・グレコ
Juliette Gréco

1956 / 後刷
ゼラチン・シルバー・プリント

203

ジャクリーヌ・ピカソ

Jacqueline Picasso

1958 / ヴィンテージ
ゼラチン・シルバー・プリント

204
宮脇愛子の肖像
Portrait of Aiko Miyawaki
1962 / 後刷
ゼラチン・シルバー・プリント

205
マッチ箱
Macth-box
ca. 1962
マッチ箱、小鳥のオブジェ、
宮脇愛子の肖像ファクシミリ

206
◀ カトリーヌ・ドヌーヴ
Catherine Deneuve
1968 / ヴィンテージ　Ex.3/4
ゼラチン・シルバー・プリント

207
ランプシェード
Lampshade
1919 / 1964　Ex. 68/100
エナメルがけした金属

208
ペンダンツ・ペンディング
Pendants pending
1961 / 1967　A.P.
金のイヤリング、塗られた木、箱

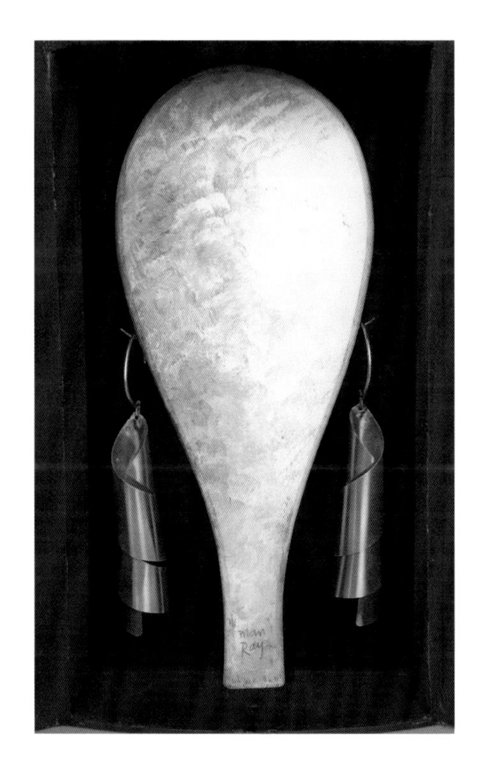

Ⅳ-16 新しいジュエリーとモード

Novel Jewelry and Fashion Design

第二次大戦後パリのマン・レイは、再制作やレプリカ（複製）やマルティプル（量産）の考え方を推し進めて、さまざまな試みをしています。それら自体は以前からある概念だったにしても、彼の場合は独特の発想をふくみ、ある意味で画期的な方法でした。

再制作とは作品をつくりなおすことですが、マン・レイはかならずしも同じものにせず、欲求に応じて「変奏」していました。レプリカはいわゆる複製ですが、厳密に同じものにはしません。マルティプルは一定数を量産しますが、工場生産物とは違って規格がなく、サインを入れることもできます。

オリジナルに固執しないそうした方法は、批判されながらも新しい芸術の可能性をひらきました。それらはけっして「贋物」ではなく、作品として見ることができますし、オリジナルがなくても「永続するモティーフ」が生きつづけるからです。

ジュエリー（装身具）にも適合する方法だったので、マン・レイはこの分野の仕事もしました。《ペンダンツ・ペンディング》[208]や《オプティック・トピック》[211]などは、ジュエリーで再制作したものをレプリカにし、マルティプルで販売したものです。

ジュリエットも元モデルらしいセンスがあり、マン・レイのジュエリーを身につけることを好んでいました。ラピスラズリの吊りあがった目のついている《ラ・ジョリ（かわいい娘）》[210]などは、彼女自身の横顔に似ているせいか、とくに気に入っていたようです。

ふだんは控え目にしていても、パーティーなどでは高級モードを身にまとうのが好きで、ディオールの新作を着こなしている姿なども写真にのこっています。マン・レイの自伝『セルフポートレート』の出版記念展で渡米したときは、パーティーに最新流行の銀紙のドレスで登場しました。あとでマン・レイとデュシャンがふざけあい、その銀紙を切って遊んだとのことです。

マン・レイ自身はいつも黒装束で、ニューヨーク製のワイシャツに紐タイといういでたちでしたが、ジュリエットのセンスと欲求を理解していました。本人もかつてはモード界とかかわっていたのですから。

ジュエリーやモードに通じた芸術家は彼だけでなく、とくにシュルレアリストたちにはその傾向がありました。エルンストの最後の妻、マン・レイ夫妻の親友でもあった美貌の画家ドロテア・タニング[212]も、またエルンスト自身も、独特の装身具[213, 214]をデザインしています。

この方面でとくに長く本格的なデザインを試みていたのは、あのメレット・オッペンハイム[215]でしょう。スイスからパリに出てシュルレアリスムに加わり、マン・レイによる裸体写真のモデルや超現実的なオブジェの制作で知られたこの美しい画家・彫刻家は、戦前から身のまわりの物品のデザインをスケッチブックにのこしていたので、ジュエリーやドレス、手袋や靴などが晩年から没後にかけて制作され、すてきな作品[216-226]になりました。

1930年代に骨などを用いて原始のイメージをとりいれていた作品や、有名なオブジェ《毛皮の朝食》の記憶をとどめる《毛皮の朝食の思い出》[217]など、マン・レイの再制作の思想に呼応するところもあり、こんにちに再評価されてよいものです。

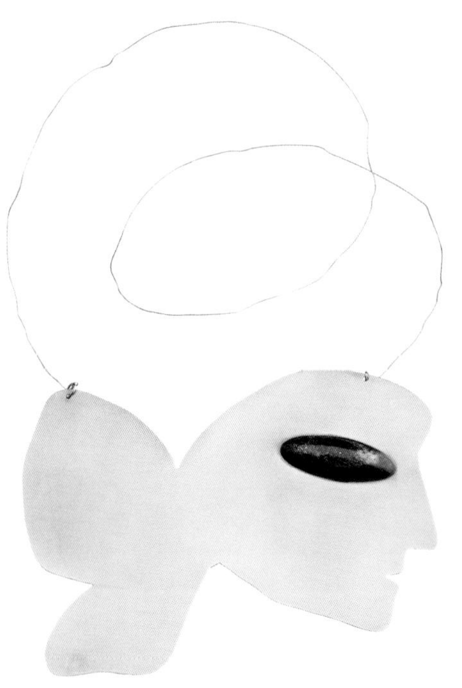

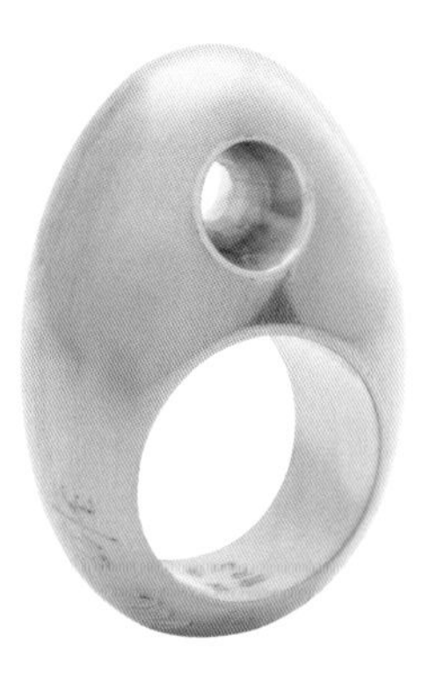

209
ル・トルー（穴）
Le trou

1970　Ex. 3/12
金とプラチナのリング

210
ラ・ジョリ（かわいい娘）
La jolie

1961 / 1971　Prototype, A.P.
from the state of Juliet Man Ray
金のネックレス、ラピスラズリ

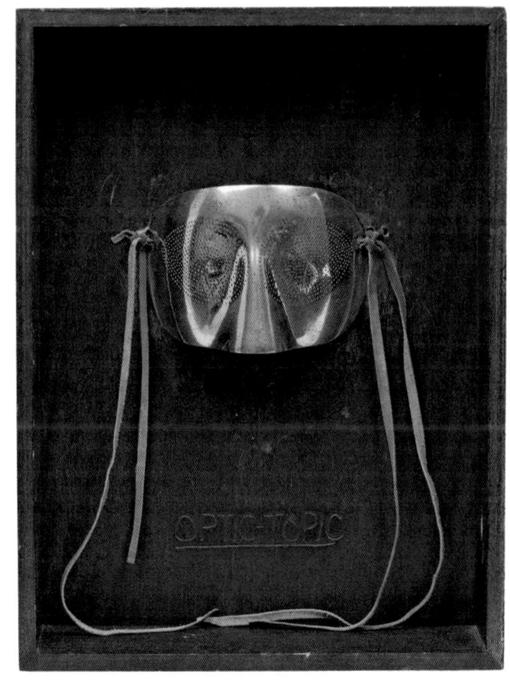

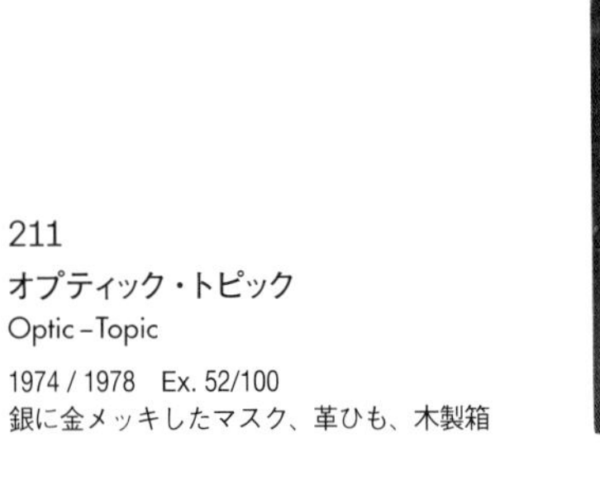

211
オプティック・トピック
Optic－Topic

1974 / 1978　Ex. 52/100
銀に金メッキしたマスク、革ひも、木製箱

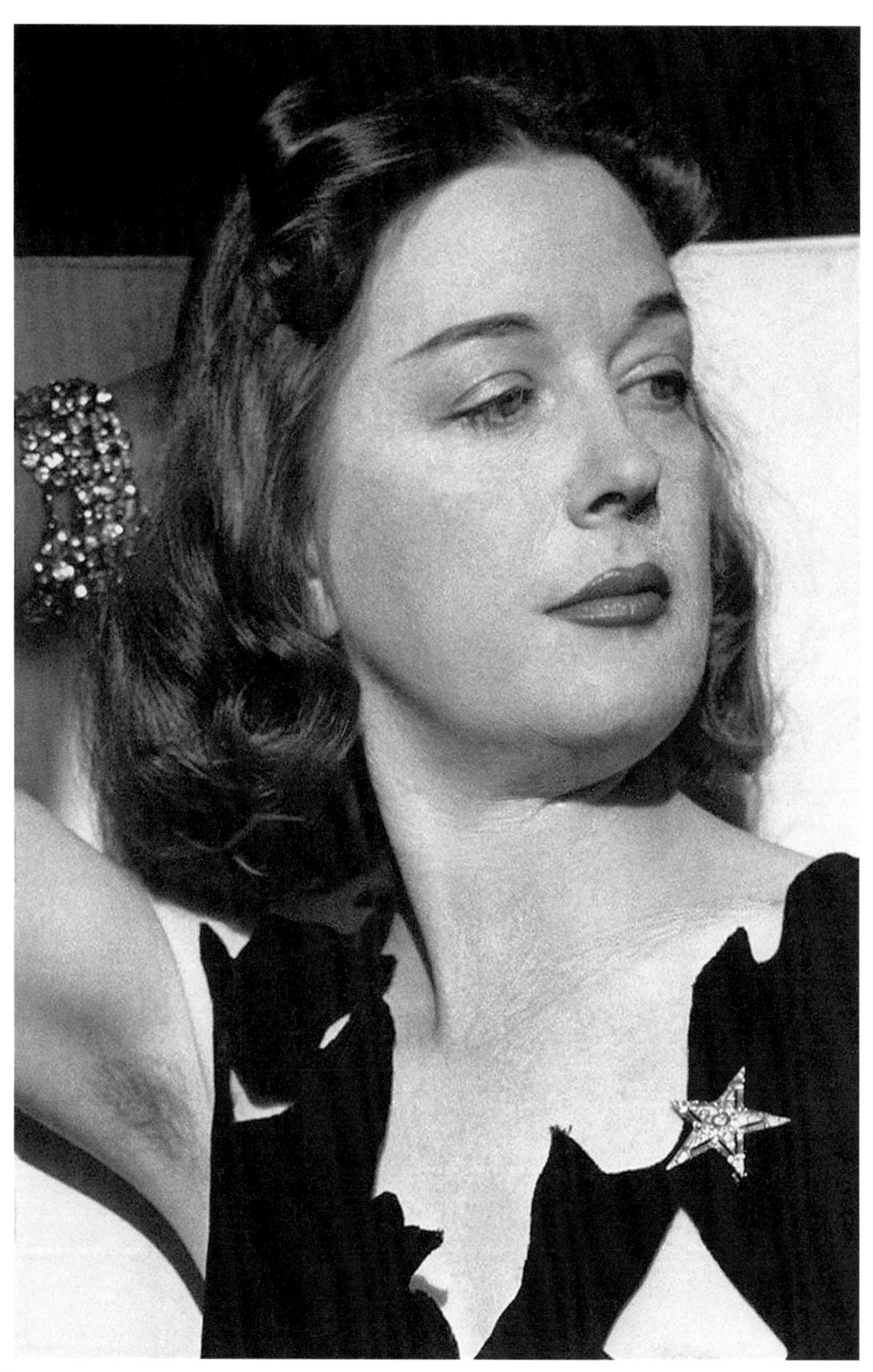

213
ドロテア・タニング
Dorothea Tanning
パルフュメ（香りつき）
Parfumé
1966 Ex. VII / XVII
金のペンダント

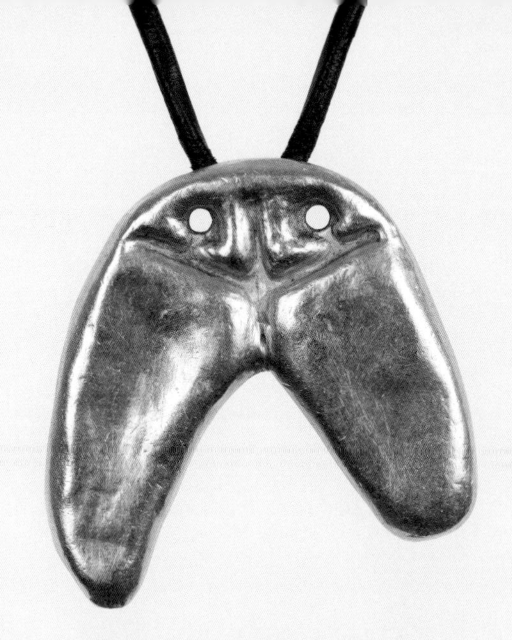

214
マックス・エルンスト
Max Ernst
グランド・テット（頭でっかち）
Grande Tête
1975 Ex. 6/6
金、木製箱

212
◀ドロテア・タニング
Dorothea Tanning
1942 / 後刷
ゼラチン・シルバー・プリント

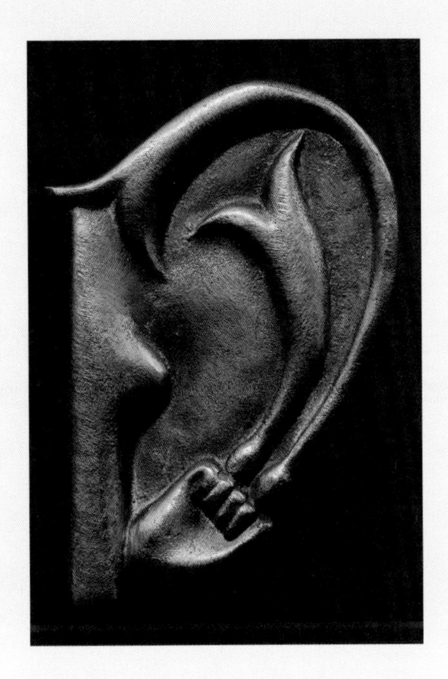

218
メレット・オッペンハイム
Meret Oppenheim

ジャコメッティの耳
The Ear of Giacometti

1977　Ex. 500
ブロンズ

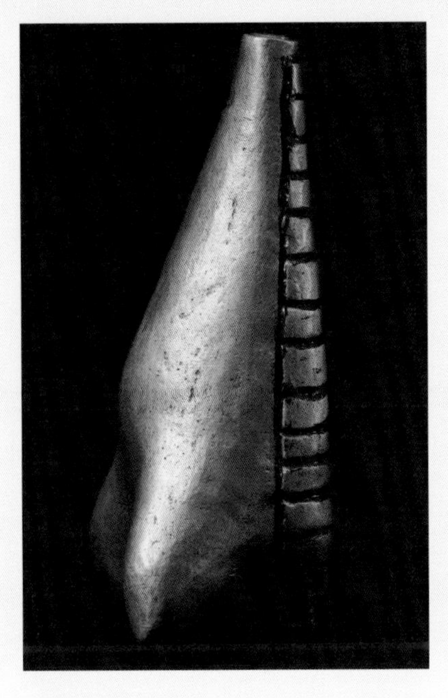

219
メレット・オッペンハイム
Meret Oppenheim

原始のヴィーナス
Primeval Venus

1933 / 1978　Ex. 100+10 A.P.
ブロンズ

215
◀ メレット・オッペンハイム
Meret Oppenheim

1932 / 後刷
ゼラチン・シルバー・プリント

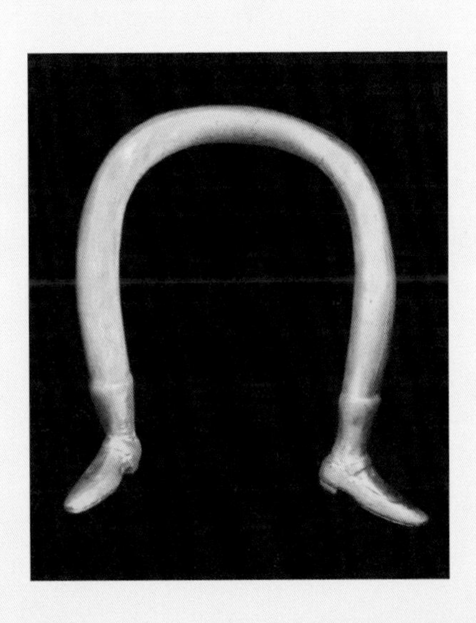

221
メレット・オッペンハイム
Meret Oppenheim

ネックレス
Necklace

1936 / 2003
金色に塗ったプラスティック

216
メレット・オッペンハイム
Meret Oppenheim

セットされた食卓のブローチ
Laid Table Brooch

1936–40 / 1985　Ex. 3/12
銀、金

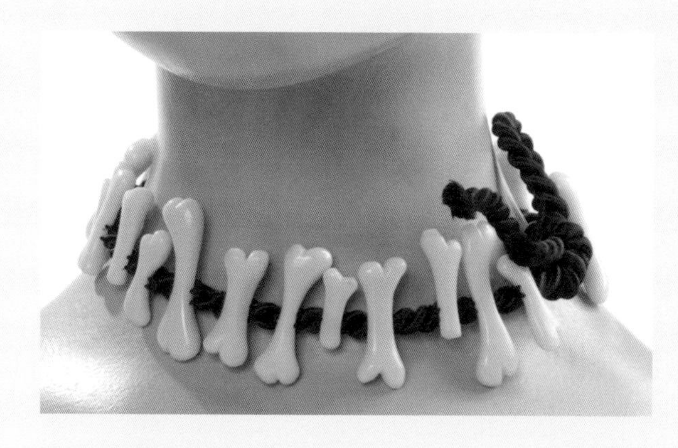

220
メレット・オッペンハイム
Meret Oppenheim

ハルスバント（チョーカー）
Halsband (Collar)

1934–35 / 2003　Ex. 2/12+2
プラスティック、紐、金

222
メレット・オッペンハイム
Meret Oppenheim

唇のある骨ネックレス
Bone Necklace with Mouth

1935–36 / 2003–13　Ex. 3/12+2
銀に金メッキ

217
メレット・オッペンハイム
Meret Oppenheim

毛皮の朝食の思い出
Souvenir of Breakfast in Fur

1972　Ex. 46/120+10 A.P.
楕円グラスの下に布、毛皮、
プラスティックの花とスパンコール

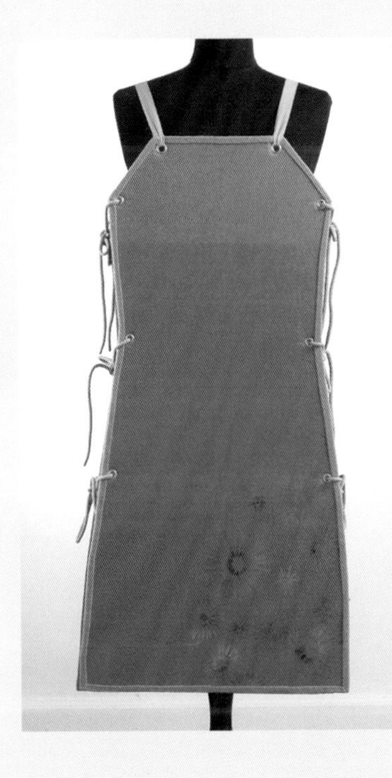

223
メレット・オッペンハイム
Meret Oppenheim

シンプル・ドレス
Simple Dress

1942–45 / 2003
着色した厚紙

224
メレット・オッペンハイム
Meret Oppenheim

シンプル・ドレス
Simple Dress

1942–45 / 2003
紙の芝生とプラスティックの花のついた厚紙

226

メレット・オッペンハイム
Meret Oppenheim

手袋（『パルケット No.4　豪華版』に収められた150部の限定品）
Gloves, the limited edition of 150 pairs of gloves housed within
the Deluxe Edition of Parkett, No. 4

1942–45 / 1985　Ex. 34/150
シルクスクリーンをほどこした山羊革スエードの手袋

225

メレット・オッペンハイム
Meret Oppenheim

毛皮のついた靴
Shoe with Fur

1934–36 / 2003
靴、毛皮、着色した陶器

Ⅳ-17 マン・レイとは誰だったか?

A Look Back : Who Was Man Ray ?

マン・レイは1963年に大部の自伝『セルフポートレート』[251]を出版しています。題名のとおりセルフポート（自写像）の感覚で「私とは誰か」を折々に写しながら、最後に答のない「謎」の印象をのこす独特の文学作品になり、好評を博しました。

自伝なのに出自や本名すら示さず、家族のことも曖昧です。青年期にマン・レイ（人・光線）という名を選ぶことで別人格を得たかのように、両親とは疎遠になり、弟妹にとっても不可解に見える兄でした。姪のフローレンスが「あなたは誰？」と尋ねたときには、「私は謎だ」と答えています。

マン・レイは自伝の出版記念展のために、ジュリエットと久しぶりにニューヨークを訪れて滞在しました。1966年には初の大回顧展があってロサンジェルスに行きましたが、批評界の反応はまだかなり否定的でした。

他方、1971年にオランダのロッテルダムで大回顧展が開幕し、翌年はパリに来て評判になりました。80歳をすぎても制作をつづける彼は「回顧」されるのが不満でしたが、自分の過去が歴史に組みこまれてゆくことをやっと受けいれるようになりました。

同時期の美しい版画集『時を超えた貴婦人たちのバラード』[234-245]には、かつて出会った女性たちの肖像を通して、自分の歴史をたどる意図もあったでしょう。実際、ドンナ（アドン）やアドリエンヌ（アディ）やジュリー（ジュリエット）も登場します。エリザベス（リー）だけは別人のようですが。

総題は1934年にブルトンが彼に贈った文章「女の顔」から借りたもので、マン・レイにのみ可能な「現代の貴婦人たちのバラード」という賛辞をもじっています。現代を超えて永続する時を暗示したともとれそうです。

晩年のマン・レイは画廊主やコレクターや研究者など、熱心な支持者に恵まれました。旧友コプリー夫妻や、レプリカ（複製）を実現させたシュヴァルツ、アンセルミーノ、ゼルビブや協力者トレイヤールなどと交友し、ようやく経済的安定も得られたのに、体がめっきり弱っていました。

それでも最晩年の1974年に、52年の油彩《フェルー通り》[247]をリトグラフに再制作したことは注目にあたいします。

リトグラフでは絵柄が変りました。フェルー通りのアトリエへ引かれてゆく荷車の上の包みは、もう紐で縛られていません。包みは初期のオブジェ《イジドール・デュカスの謎》[27, 246]そのものなので、紐とともに「謎」が解かれたということでしょうか。

たしかに包みの中身が既製品のミシンであることは明らかでした。作家ロートレアモン伯爵（本名イジドール・デュカス）の有名な言葉「解剖台の上でのミシンと雨傘の偶然の出会い」が答だともいえるでしょうが、作品の「謎」のすべてがそれで解消されたわけではありません。

作家ロートレアモン伯爵がマン・レイの分身であったとして、この題名にはなぜ本名のほうを用いたのか、という謎ものこります。マン・レイ自身は本名を明かしていなかったのだから不思議です。その他もろもろ、謎が謎を呼ぶような作品です。

マン・レイとは誰だったか。その一端を覗くことはできても、さらに未知を秘めている「人・光線」が視界にひろがるばかり。彼は亡くなる２年前にもういちど、「私は謎だ」といいたかったのかもしれません。

227
ジュリエット・マン・レイと《贈り物》
Juliet Man Ray with *Cadeau*

1960 / ヴィンテージ
ゼラチン・シルバー・プリント

贈り物 → P. 45

228
セルフポートレート
Self-portrait

1965 / ヴィンテージ
ゼラチン・シルバー・プリント

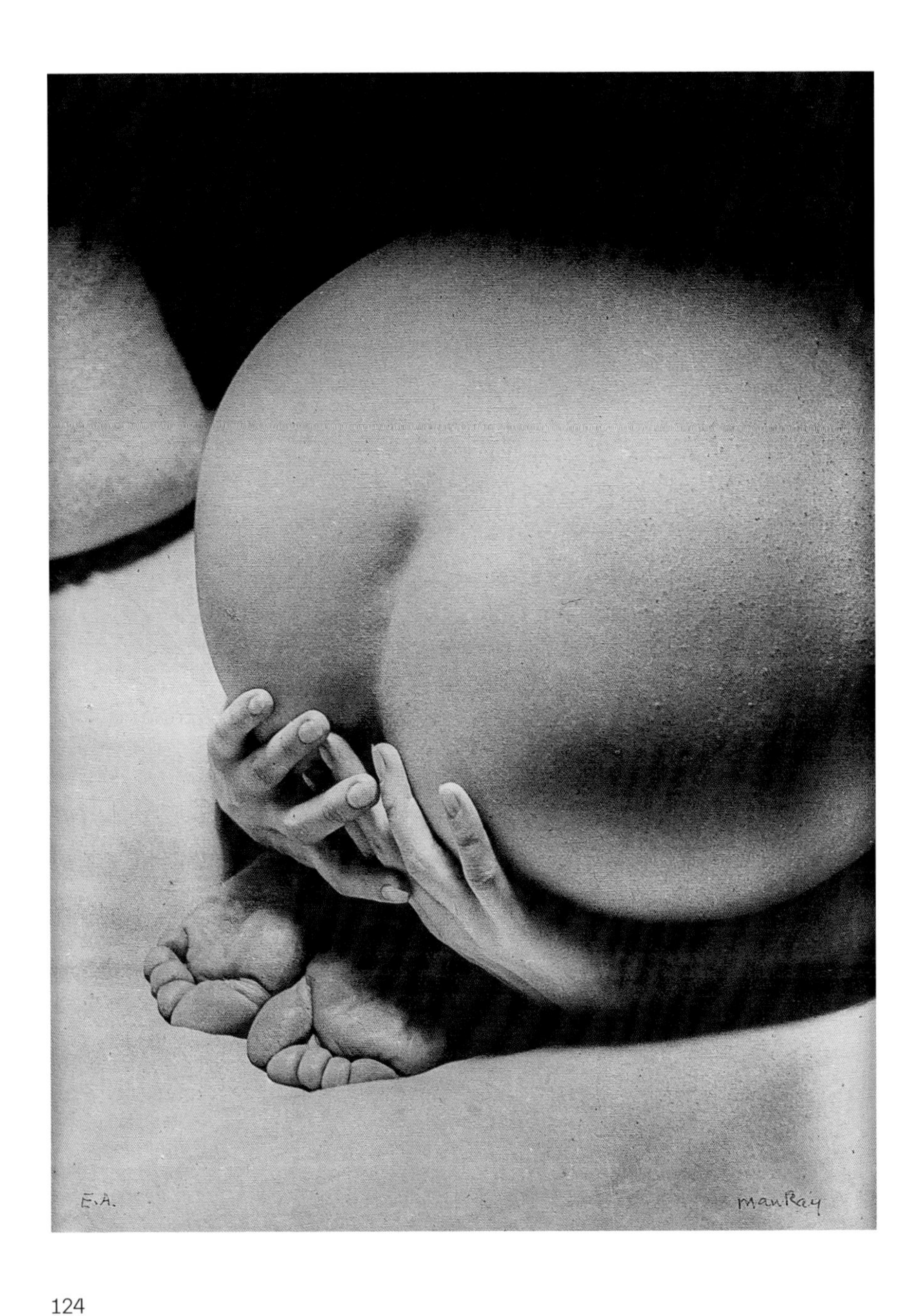

124

祈り

The Prayer

1930 / ヴィンテージ / Man Ray, 1971　A.P.
ゼラチン・シルバー・プリント、感光布

229

アナ：電灯の花

Anna : Flower of Light

1970　Ex. 69/75
リトグラフ（多色）、紙

230
キキ・ド・モンパルナス
Kiki de Montparnasse
1970 (after the drawing of 1924)　A.P.
リトグラフ（多色）、紙
1924年の素描にもとづく

231
二つの顔のイメージ
Two-Faced Image
1971 (after the painting from 1959)　A.P.
リトグラフ（多色）、紙
1959年の油彩の再制作

234
アドリエンヌ
Adrienne

232-234
版画集
『時を超えた貴婦人たちのバラード』より
from *La Ballade des Dames hors du Temps*

1971　H.C. XIV/XXV
エッチング、アクアティント（多色）、紙

時を超える女性たち

この題名はアンドレ・ブルトンの言葉からとられました。1934年の『マン・レイの写真 1920-1934 パリ』のなかの文章「女の顔」に、「現代の貴婦人たちのバラード」を創作できるのはマン・レイただひとりだ、とあったのです。もともと「往古の貴婦人たちの〜」のもじりだったのを、マン・レイはさらにもじって「時を超えた貴婦人たちの〜」としました。

それは思い出のなかの女性たちで、ドンナ（アドン）やアドリエンヌ（アディ）やジュリー（ジュリエット）のほか、似ていないエリザベス（リー）もそうでしょうし、シーラもイギリスで会ったシュルレアリストのようです。ただ、あとはいまのところ未知の女性なので、時を超えて「永続」する女性たちの謎、というふうに見ることもできるでしょう。

232
ルネ
Renée

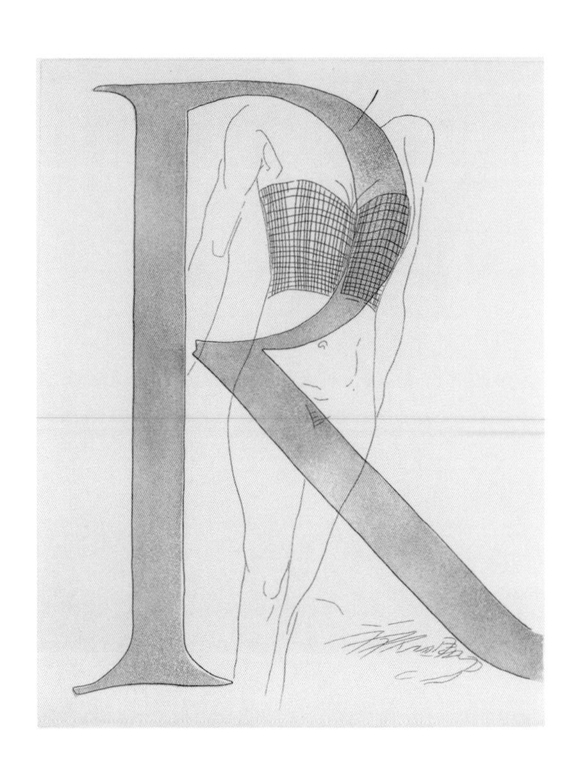

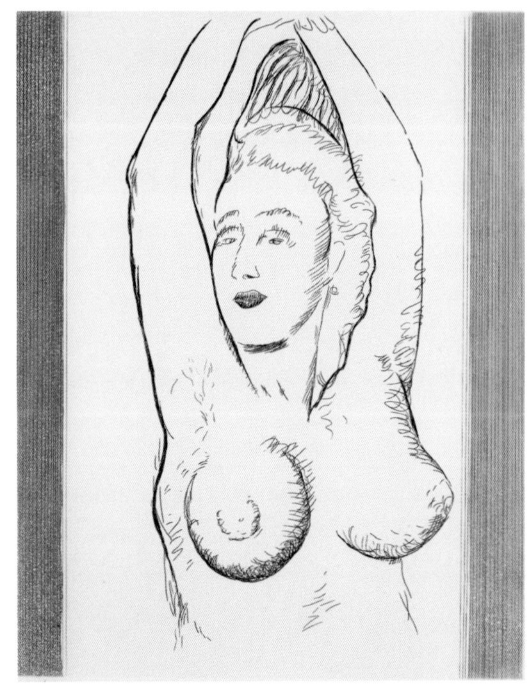

233
ソニア
Sonia

235-237

版画集
『時を超えた貴婦人たちのバラード』 より
from *La Ballade des Dames hors du Temps*

1971 H.C. XIV/XXV
エッチング、アクアティント (多色)、紙

237
ジュリー
Julie

235
ジェニア

236
トニー
Tony

238-241

版画集
『時を超えた貴婦人たちのバラード』より
from *La Ballade des Dames hors du Temps*

1971　H.C. XIV/XXV
エッチング、アクアティント（多色）、紙

238
ナターシャ
Natasha

240
マルグリット
Marguerite

239
シーラ
Sheila

ロンドンで会った
シュルレアリストの
シーラ・レッグとされる。

241
エリザベス
Elizabeth

242-245

版画集
『時を超えた貴婦人たちのバラード』より
from *La Ballade des Dames hors du Temps*

1971 H.C. XIV/XXV
エッチング、アクアティント（多色）、紙

242
ヴィヴィアン
Vivian

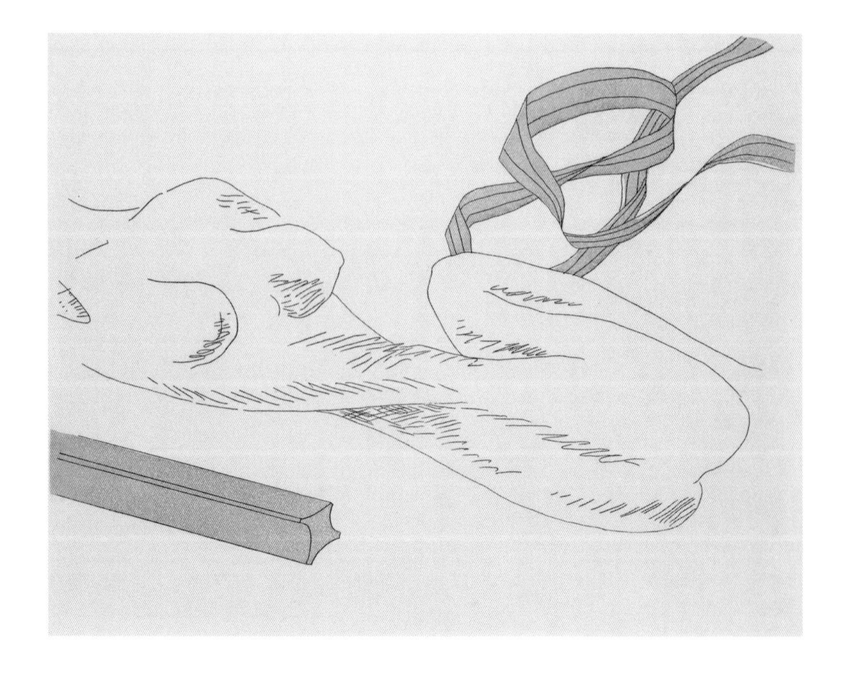

243
テレーズ
Thérèse

244
ドンナ
Donna

245
コンサート
Concert

246
イジドール・デュカスの謎
The Enigma of Isidore Ducasse
1920 / 1971　Ex. 4/10
布に包まれたオブジェ、フェルト、紐

247
フェルー通り ▶
Rue Férou
1952 / 1974　Ex. 27/37
リトグラフ（多色）、紙

フェルー通りをめぐる謎

パリに戻った翌年、マン・レイは油彩画《フェルー通り》（右）を描きました。フェルー通りにできた自分の住居に向って、荷車を引いてゆくうしろ姿の男は、マン・レイ自身です。荷車の上の包みは1920年のオブジェ作品《イジドール・デュカスの謎》（上／P. 37）です。

マン・レイは最晩年になってその油彩画をリトグラフ（右ページ）に再制作したとき、絵柄をすこし変えました。荷物を縛っていたはずの紐がなくなっているのです。

それで「謎」が解けたとも、新たな「謎」が加わったともいえそうです。どちらにしろマン・レイは最晩年になって、生涯をふりかえっていたのでしょう。「謎」もまた出発点（→P. 28）に戻るのです。

Fig.9　フェルー通り
油彩、キャンバス　1952

2 bis
MAN RAY
1952

248
『マン・レイの写真 1920–1934 パリ』
Photographs by Man Ray 1920–1934 Paris

1934年刊 Randam House, Hartford, Conneticut, New York. 2nd edition

251
『セルフポートレート』
Self Portrait

1963年刊 Atlantic Monthly / Little, Brown and Company, Boston. 1st edition

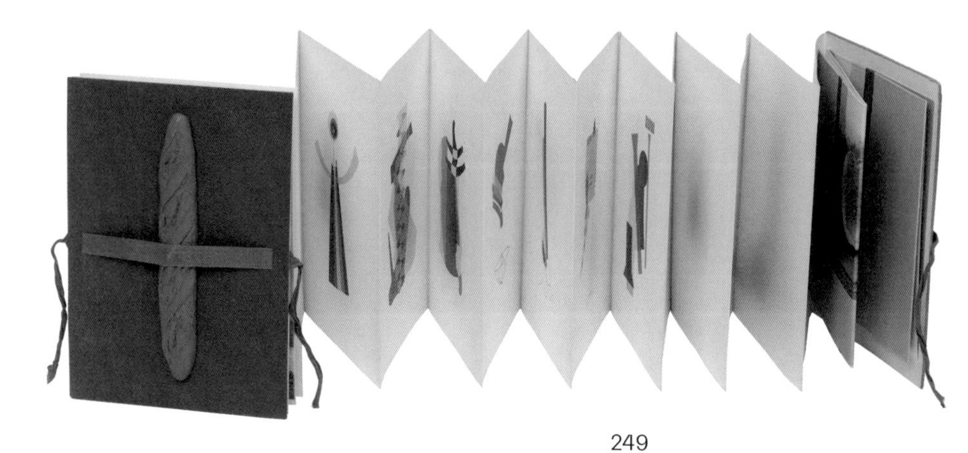

249
『パン・パン（彩色パン）』
Le pain peint

1952 / 1973年刊
Galerie Alexandre Iolas, Paris. Ex. 300

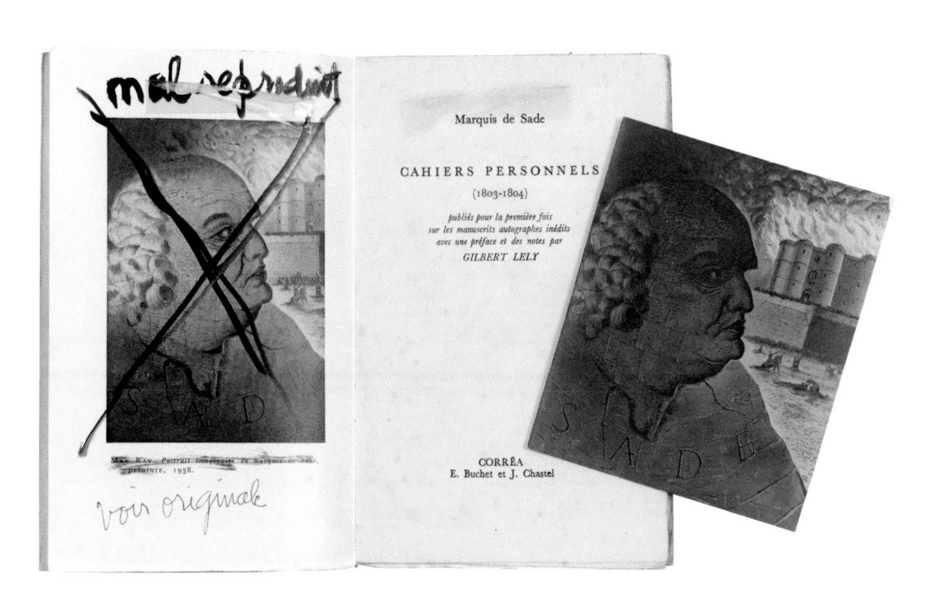

250
『サド侯爵の私的覚書（1803–1804）』
（ジルベール・ルリー序、マン・レイ口絵）
Marquis de Sade, Cahiers Personnels (1803-1804)

1953年刊
Edition Corrêa, Paris. Ex. 97/295

マン・レイの《サド侯爵の架空の肖像》（1938 / 1940）を口絵にしている本。これは校正本らしく、フランス語で上に「複製がまずい」下に「オリジナル参照せよ」と記されている。右は油彩による同じ絵を撮った写真。

252
『骰子の7の目』
Le Septième Face du Dé

1973年刊
Filipacchi, Paris. Ex. 92/150

限定版のセリグラフが付く。

253

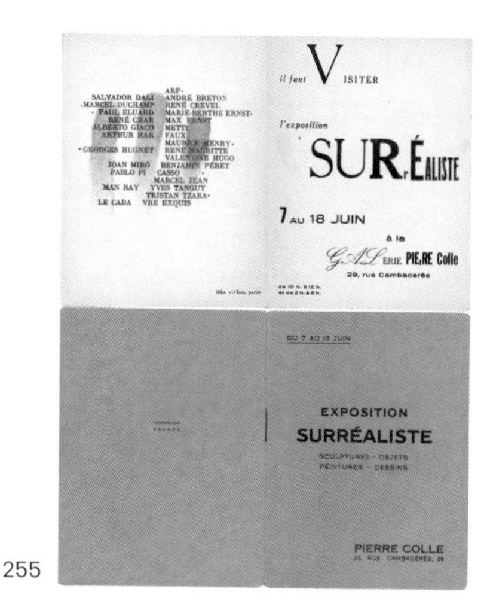

255

MAN RAY

chez

van leer

41, rue de seine, à paris (6e)

du 16 novembre au 30 novembre 1929

catalogue

1 les gens en colère d'un après-midi
2 personnage en deux morceaux
3 le marchand de couleurs
4 monsieur et madame
5 une nuit à saint-jean-de-luz
6 quatre ou cinq fois
7 atelier du photographe
8 la femme-trone
9 usine dans une forêt
10 tableau à ton goût
11 tableau à mon goût
12 telegramme
13 baigneuse
14 chemise
15 corrida
16 corrida
17 corrida
18 cadre
19 sculpture

254

256

253
「マン・レイ 天が下に新しきもの展」
（シュルレアリスム画廊、パリ）
Man Ray, Du nouveau sous le soleil,
Galerie Surréaliste, Paris
1928

254
「マン・レイ展」
（ヴァン・レール画廊、パリ）
Man Ray, Galerie Van Leer, Paris
1929

255
「シュルレアリスム展 彫刻・オブジェ・絵画・デッサン」
（ピエール・コル画廊、パリ）
Exposition Surréaliste, Sculptures-Objets-Peintures-Dessins,
Galerie Pierre Colle, Paris
1933

256
「マン・レイ 絵画とオブジェ展」
（カイエ・ダール画廊、パリ）
Man Ray, Exposition de Peintures et Objets, Cahiers d'Art, Paris
1935

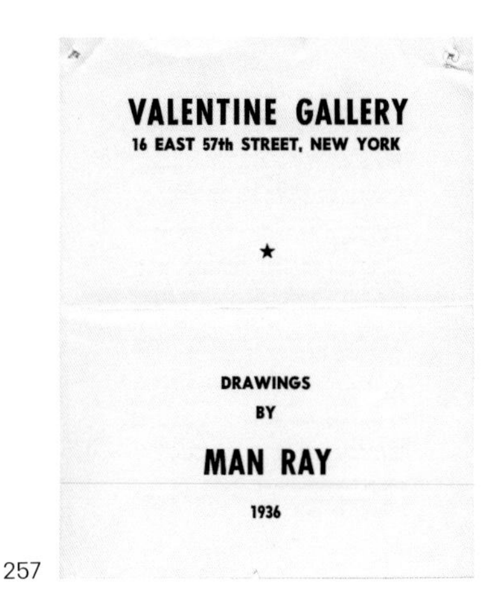

257

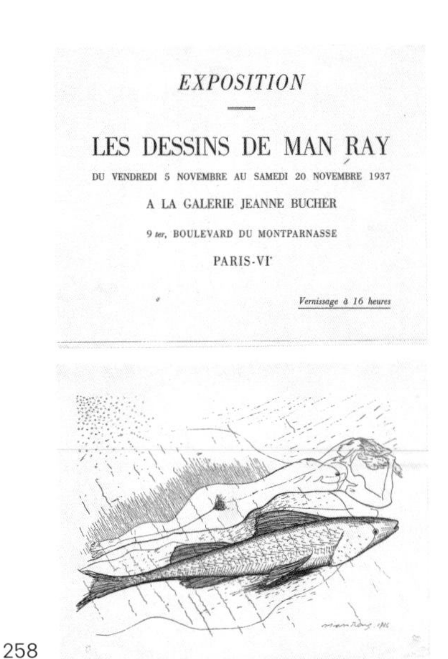

258

259

260

257
「マン・レイ デッサン展」
（ヴァレンタイン画廊、ニューヨーク）
Drawings by Man Ray,
Valentine Gallery, New York
1936　エリュアールによる序文

258
「マン・レイ デッサン展」
（ジャンヌ・ビュシェ画廊、パリ）
Les Dessins de Man Ray,
Galerie Jeanne Bucher, Paris
1937　エリュアールによる「マン・レイの素描に関する覚書」

259
「マン・レイ 非－抽象展」
（レトワール・セレ画廊、パリ）
Man Ray, Non - Abstractions,
L'Étoile Scellée, Paris
1956　ブルトンによる「マン・レイ 非－抽象」

260
「マン・レイ展」
（リーヴ・ドロワット画廊、パリ／アレクサンダー・イオラス画廊、ニューヨーク）
Man Ray,
Galerie Rive Droite, Paris / Alexander Iolas, New York
1959　デュシャンの言葉と《ランプシェード》の写真

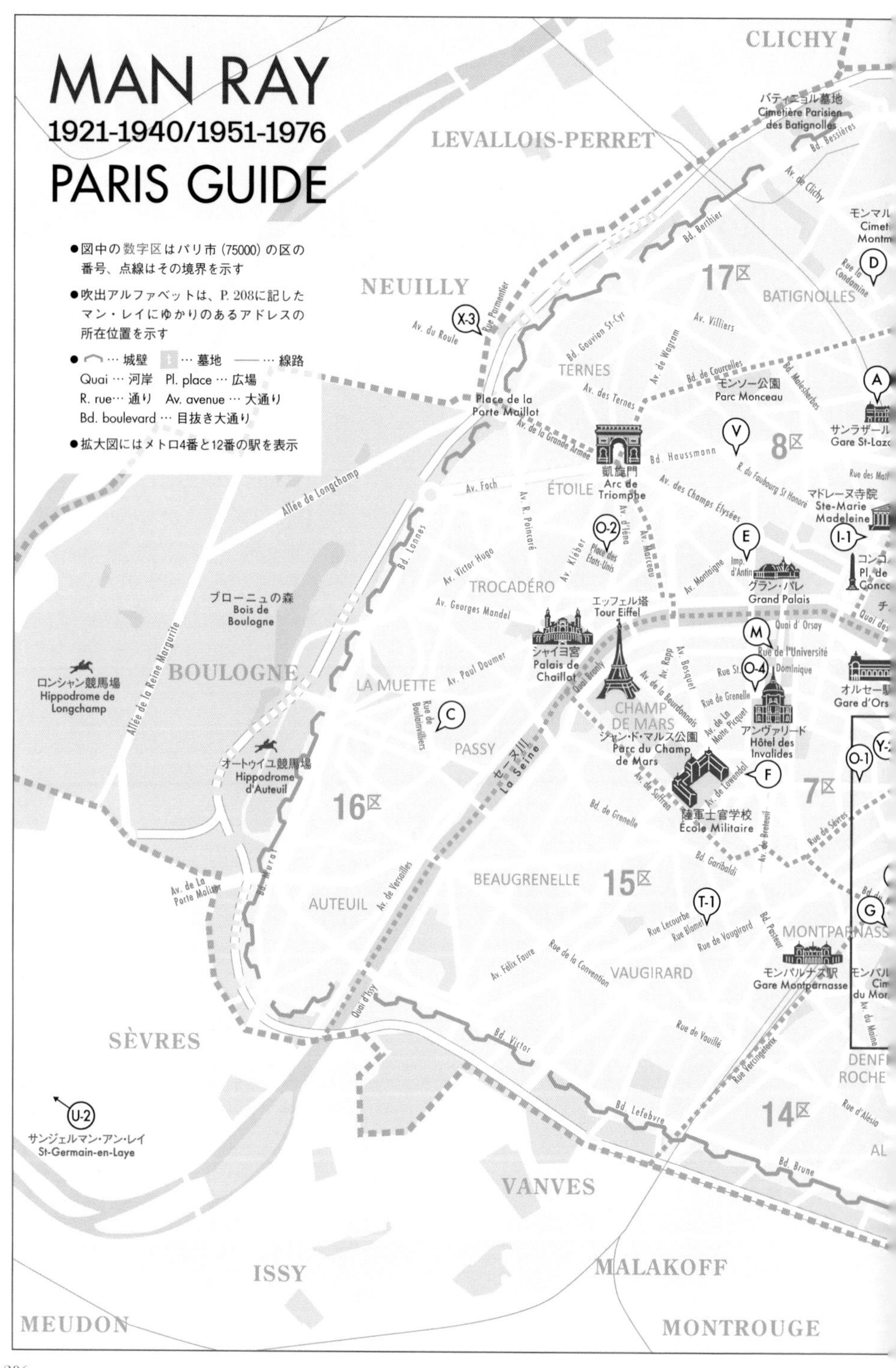

MAN RAY
1921-1940/1951-1976
PARIS GUIDE
●図中の数字区はパリ市（75000）の区の番号、点線はその境界を示す
●吹出アルファベットは、P. 208に記したマン・レイにゆかりのあるアドレスの所在位置を示す
●⌒…城壁 …墓地 ——…線路
Quai … 河岸 Pl. place … 広場
R. rue… 通り Av. avenue … 大通り
Bd. boulevard … 目抜き大通り
●拡大図にはメトロ4番と12番の駅を表示
CLICHY
LEVALLOIS-PERRET
バティニョル墓地
Cimetière Parisien des Batignolles
Bd. Bessières
Av. de Clichy
Bd. Berthier
17区
BATIGNOLLES
Rue la Condamine
D
NEUILLY
X-3
Av. du Roule
Rue Parmentier
Av. Villiers
Bd. Gouvion St-Cyr
Av. de Wagram
TERNES
Bd. de Courcelles
Bd. Malesherbes
モンソー公園
Parc Monceau
A
サンラザール
Gare St-Laz
Av. des Ternes
Place de la Porte Maillot
Av. de la Grande Armée
V
8区
Bd. Haussmann
R. du Faubourg St Honoré
Rue des Mat
凱旋門
Arc de Triomphe
Av. Foch
ÉTOILE
Av. des Champs Élysées
マドレーヌ寺院
Ste-Marie Madeleine
I-1
Allée de Longchamp
Av. R. Poincaré
Av. d'Iéna
Av. Marceau
O-2
Place des États-Unis
E
Imp. d'Antin
Bd. Lannes
Av. Victor Hugo
Av. Kléber
Av. Montaigne
グラン・パレ
Grand Palais
TROCADÉRO
ブローニュの森
Bois de Boulogne
Av. Georges Mandel
エッフェル塔
Tour Eiffel
Quai d' Orsay
Quai des
シャイヨ宮
Palais de Chaillot
M
Rue de l'Université
Allée de la Reine Marguerite
BOULOGNE
Av. Paul Doumer
Quai Branly
Av. Rapp
Av. Bosquet
Rue St. Dominique
O-4
ロンシャン競馬場
Hippodrome de Longchamp
LA MUETTE
Rue de Boulainvilliers
C
Av. de la Bourdonnais
Rue de Grenelle
オルセー駅
Gare d'Ors
CHAMP DE MARS
シャン・ド・マルス公園
Parc du Champ de Mars
Av. de La Motte Picquet
アンヴァリード
Hôtel des Invalides
PASSY
セーヌ川
La Seine
オートゥイユ競馬場
Hippodrome d'Auteuil
O-1
Av. de Lowendal
F
Av. de Suffren
7区
16区
Bd. de Grenelle
陸軍士官学校
École Militaire
Av. de Breteuil
Rue de Sèvres
Bd. Murat
Av. de Versailles
Bd. Garibaldi
Av. de La Porte Molitor
BEAUGRENELLE
15区
AUTEUIL
T-1
Rue Lecourbe
Rue Blomet
Rue de Vaugirard
Bd. Pasteur
MONTPARNASS
G
Av. Félix Faure
Rue de la Convention
VAUGIRARD
モンパルナス駅
Gare Montparnasse
Quai d'Issy
Rue de Vouillé
Av. du Maine
SÈVRES
Bd. Victor
Rue Vercingétorix
DENF
ROCHE
Bd. Lefebvre
14区
Rue d'Alésia
U-2
サンジェルマン・アン・レイ
St-Germain-en-Laye
Bd. Brune
VANVES
ISSY
MALAKOFF
MEUDON
MONTROUGE

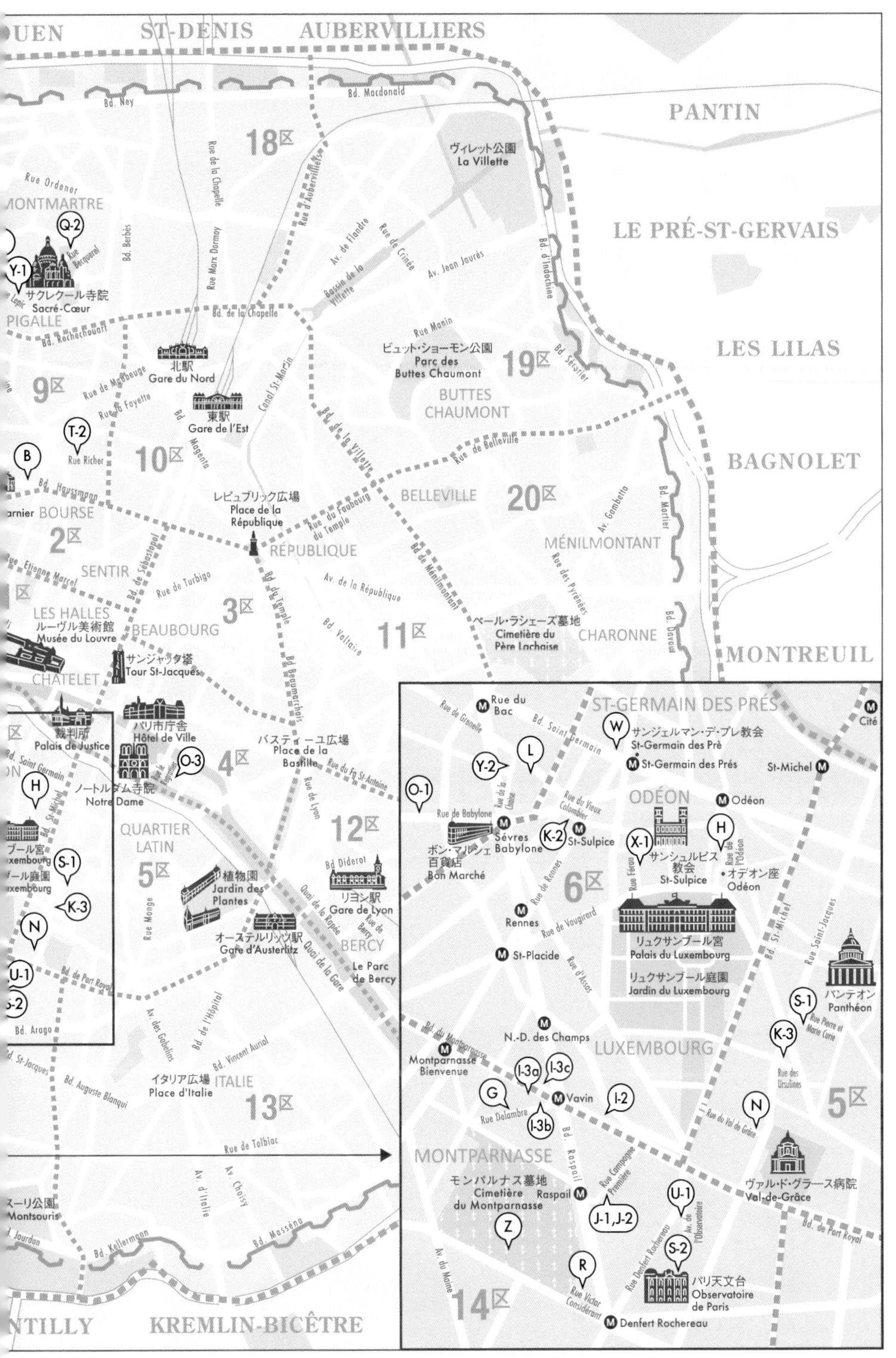

OUEN
ST-DENIS
AUBERVILLIERS
PANTIN
LE PRÉ-ST-GERVAIS
LES LILAS
BAGNOLET
MONTREUIL
NTILLY
KREMLIN-BICÊTRE
18区
19区
20区
9区
10区
2区
3区
4区
11区
12区
5区
13区
6区
14区
MONTMARTRE
PIGALLE
BOURSE
SENTIR
LES HALLES
BEAUBOURG
CHATELET
QUARTIER LATIN
RÉPUBLIQUE
BELLEVILLE
MÉNILMONTANT
CHARONNE
BUTTES CHAUMONT
BERCY
ITALIE
ヴィレット公園
La Villette
サクレクール寺院
Sacré-Cœur
北駅
Gare du Nord
東駅
Gare de l'Est
ビュット・ショーモン公園
Parc des Buttes Chaumont
レピュブリック広場
Place de la République
ペール・ラシェーズ墓地
Cimetière du Père Lachaise
ルーヴル美術館
Musée du Louvre
サンジャック塔
Tour St-Jacques
パリ市庁舎
Hôtel de Ville
裁判所
Palais de Justice
ノートルダム寺院
Notre Dame
バスティーユ広場
Place de la Bastille
植物園
Jardin des Plantes
リヨン駅
Gare de Lyon
オーステルリッツ駅
Gare d'Austerlitz
Le Parc de Bercy
イタリア広場
Place d'Italie
スーリ公園
Montsouris
Bd. Ney
Bd. Macdonald
Rue Ordener
Rue de la Chapelle
Rue d'Aubervilliers
Rue Marx Dormoy
Bd. Barbès
Av. de Flandre
Rue de Crimée
Av. Jean Jaurès
Bassin de la Villette
Bd. d'Indochine
Bd. de la Chapelle
Bd. Rochechouart
Rue Manin
Bd. Sérurier
Rue de Maubeuge
Rue la Fayette
Bd. Magenta
Canal St-Martin
Bd. de la Villette
Rue de Belleville
Rue Richer
Bd. Haussmann
Rue du Faubourg du Temple
Av. Gambetta
Bd. Mortier
Bd. de Sébastopol
Rue Etienne Marcel
Rue de Turbigo
Bd. du Temple
Av. de la République
Bd. de Ménilmontant
Rue des Pyrénées
Bd. Voltaire
Bd. Davout
Bd. Beaumarchais
Rue du Fg St-Antoine
Rue de Lyon
Bd. Diderot
Quai de la Rapée
Quai de la Gare
Rue Monge
Bd. St-Michel
Bd. Saint Germain
Bd. de Port Royal
Bd. Arago
Av. des Gobelins
Bd. de l'Hôpital
Bd. Vincent Auriol
Bd. St-Jacques
Bd. Auguste Blanqui
Rue de Tolbiac
Av. d'Italie
Av. Choisy
Bd. Kellermann
Bd. Masséna
Bd. Jourdan
Q-2
Y-1
T-2
B
O-3
H
S-1
K-3
N
U-1
S-2
ST-GERMAIN DES PRÉS
ODÉON
LUXEMBOURG
MONTPARNASSE
Rue du Bac
Cité
サンジェルマン・デ・プレ教会
St-Germain des Prè
St-Germain des Prés
St-Michel
Odéon
Rue de Babylone
Sèvres Babylone
ボン・マルシェ百貨店
Bon Marché
St-Sulpice
サンシュルピス教会
St-Sulpice
オデオン座
Odéon
Rennes
St-Placide
リュクサンブール宮
Palais du Luxembourg
リュクサンブール庭園
Jardin du Luxembourg
パンテオン
Panthéon
N.-D. des Champs
Montparnasse Bienvenue
Vavin
ヴァル・ド・グラース病院
Val-de-Grâce
モンパルナス墓地
Cimetière du Montparnasse
Raspail
パリ天文台
Observatoire de Paris
Denfert Rochereau
Rue de Grenelle
Bd. Saint Germain
Rue de la Chaise
Rue du Vieux Colombier
Rue de Rennes
Rue Férou
Rue de l'Odéon
Rue de Vaugirard
Rue d'Assas
Bd. St-Michel
Rue Saint-Jacques
Rue Pierre et Marie Curie
Bd. du Montparnasse
Rue des Ursulines
Rue du Val de Grâce
Rue Delambre
Bd. Raspail
Rue Campagne Première
Av. de l'Observatoire
Bd. de Port Royal
Av. du Maine
Rue Denfert Rochereau
Rue Victor Considérant
W
L
Y-2
O-1
K-2
X-1
H
S-1
K-3
I-3a
I-3c
G
I-2
I-3b
N
U-1
J-1,J-2
Z
S-2
R

MAN RAY PARIS GUIDE

A 1921年7月22日、サンラザール駅に到着
Gare Saint-Lazare 8区

B 到着後、カフェ「セルタ」で歓迎会
Café Certâ : La galerie du Baromètre（現存せず）9区

C まず投宿したホテル
Rue de Boulainvilliers 16区

D 当時のデュシャンの住居
22 Rue La Condamine 17区

E 1921年9月、ポワレの邸宅でモードの撮影を開始
Salon d' Antin : 26 Avenue d' Antin（現 Av. Franklin-D.-Roosevelt）8区

F 「リブレリー・シス」でパリ初個展
Librairie Six : 5 Avenue de Lowendal 7区

G 「グラン・トテル・デ・ゼコール」で写真スタジオをひらき、キキも同棲
Grand Hôtel des Écoles:
15 Rue Delambre 14区

H ビーチのひらいた書店「シェイクスピア商会」1921年当時
Shakespeare & Co.:
12 Rue de l' Odéon 8区

I-1 コクトーのキャバレ「屋根の上の牡牛」1922年開業
Bœuf sur le toit:
28 Rue Boissy d' Anglas 8区

I-2 キキが歌手デビューしたナイトクラブ「ジョッキー」1923年開店
Jockey: 127 Boulevard du Montparnasse 6区

I-3a 行きつけのカフェ「クーポール」1927年創業
La Coupole: 102 Boulevard du Montparnasse 14区

I-3b カフェ「ドーム」1898年創業
Le Dôme: 108 Boulevard du Montparnasse 14区

I-3c カフェ「ロトンド」1911年創業
La Rotonde: 105 Boulevard du Montparnasse 6区

J-1 1922年7月からカンパーニュ・プルミエール通りに住む
31 bis Rue Campagne-Première 14区

J-2 1923年12月、ホテル「イストリア」に別の一室を借りる
Hôtel Istoria:
29 Rue Campagne-Première 14区

K-1 最初の映画『理性への回帰』1923年に「ミシェル劇場」で初上映
Théâtre Michel:
38 Rue des Mathurins 8区

K-2 映画『エマク・バキア』1926年に「ヴィユ・コロンビエ座」で初上映
Théâtre du Vieux Colombier:
21 rue du Vieux Colombier 6区

K-3 映画『ひとで／海の星』1928年、『骰子城の秘密』1929年に「ステュディオ・デ・ジュルスリーヌ」で初上映
Studio des Ursulines:
10 rue des Ursulines 5区

L 「シュルレアリスム研究本部」1924年10月開設
Centrale du bureau de recherches surréalistes: 15 Rue de Grenelle 7区

M 1925年アール・デコ博覧会「エレガンス館」のオートクチュールを撮影
Pavillon de l' Élégance,
Esplanade des Invalides 7区

N ヴァル・ド・グラース通りの新アトリエにリー・ミラーと
8 Rue Val-de-Grâce 5区

O-1 1930年、ペッツィ・ブルント公爵邸「白の舞踏会」にリー・ミラーと
32 Rue de Babylone 7区

O-2 ノアイユ子爵邸
11 Place des États-Unis 16区

O-3 ナンシー・キュナードの住居
1 Rue Le Regrattier 4区

O-4 リーズ・ドゥアルムの住居
146 Rue de Grenelle 7区

P ブニュエルの映画『黄金時代』1930年に「ステュディオ28」で初上映
Studio 28:10 Rue Tholozé 18区

Q-1 アンドレ・ブルトンの住居
42 Rue Fontaine 9区

Q-2 ニュッシュとポール・エリュアールの住居
7 Rue Becquerel 18区

R リー・ミラーがタニヤ・ラムと住む
12 Rue Victor Considérant 14区

S-1 「ポワンカレ研究所」で「数学的オブジェ」発見
Institut Henri Poincaré:
11 Rue Pierre et Marie Curie 5区

S-2 《天文台の時刻に──恋人たち》に描いた「パリ天文台」
Observatoire de Paris:
61 Avenue de l' Observatoire 14区

T-1 1934年、「バル・ブロメ」でアディと出会う
Bal Blomet: 33 Rue Blomet 15区

T-2 ジョセフィン・ベイカーの歌い踊った「フォリー・ベルジェール劇場」
Théâtre des Folies Bergère:
32 Rue Richer 9区

U-1 1936年春、ダンフェールロシュロー通りのアトリエに移転
40 Rue Denfert-Rochereau 14区

U-2 1936年、西郊のサンジェルマン・アン・レイにも家を購入
Saint-Germain-en-Laye

V 1938年「ボザール画廊」でのシュルレアリスム国際展、マネキン人形たち
Galerie des Beaux-Arts : 140 Rue du Faubourg St-Honoré 8区

~~~~~~~~~~~~~~~~~~~~~~~~~~

W 1951年3月、パリ帰還。
戦後の芸術・文化の中心はカフェ「ドゥ・マゴ」のあるサンジェルマン・デ・プレ界隈へ
Café Les Deux Magots: 6 Place Saint-Germain-des-Prés 6区

X-1 1951年9月、フェルー通りにアトリエを借りてジュリエットと住む
2 bis, Rue Férou 6区

X-2 エルンストとドロテア・タニングの住居
19 Rue de Lille 7区

X-3 1968年10月1日、パリ西郊ヌイイのデュシャン夫妻宅へ。帰宅後ティーニーから訃報
5 Rue Parmentier, Neuilly-sur-Seine

Y-1 1961年に友人からモンマルトルに部屋を借り『セルフポートレート』を執筆
Rue Lepic 18区

Y-2 1974年、シェーズ通りに煖房のある部屋を借り、フェルー通りと行き来
Rue de la Chaise 7区

Z 1976年11月18日、マン・レイ86歳で没。モンパルナス墓地にはジュリエットとマン・レイの墓
Cimetière du Montparnasse 14区
~~~~~~~~~~~~~~~~~~~~~~~~~~

マン・レイの映画 Man Ray's Films

マン・レイは4本の短篇映画をのこしていますが、どれも独特の新しさと美しさをもつ大胆な作品で、映画史上の名作に数えられます。早くから映画には関心があり、ニューヨーク時代の1921年に、デュシャンと共同で『エルザ・フォン・フライターク・ローリングホーフェン男爵夫人が恥毛を剃る』という映画を撮ったことが知られていますが、作品は現存しません。デュシャンに協力した映画には1926年、パリで撮った『アネミック・シネマ（貧血症の映画）』もあります。

ピカビアとルネ・クレールによる1924年の『幕間』では出演者に加わり、デュシャンとパリ上空でチェスをしました。レジェによる1923年の映画『バレエ・メカニック』にはキキの写真[40]を提供しています。

今日にのこるマン・レイ最初の映画は、1923年に隣人のツァラから頼まれたもので、フィルムに塩胡椒をふったり釘や鋲をのせたりして感光させ、手持ちの写真やレイヨグラフを合成した短篇です。ブラインドの縞模様をまとうキキの裸体[37]も加わり、『理性への回帰』という逆説的な題名をもつ2分間の映像になりました。

「私はどの映画も即興でつくった。シナリオのないオートマティックな映画だ……人生の出来事を描く映画は嫌いなのだ」とマン・レイはいい、その後の映画でもオートマティックに自由な感覚空間を謳歌しています。

『エマク・バキア』[42]は1926年、アメリカ人の富豪アーサー・ウィラーから「前衛的」映画の注文をうけて撮りました。フランス西南端ビアリッツにあるウィラーの別荘の名「エマク・バキア」（古バスク語で「ほっといてくれ」の意）が題名です。上映時間20分。

パリの街路のモンタージュ、田舎道の羊の群れ、リゴーの鞄から出て空中を舞う襟カラー。最後にキキが登場して目を閉じると……「シネ・ポエム（映画詩）」と銘うつこの作品は実際詩のように響きあい、結びつきあうイメージによるシュルレアリスム映画でした。

次の『ひとで／海の星』は1928年、デスノスがカリブ海へ旅立つ前にマン・レイの家を訪れ、朗読してくれた同名の詩から生まれています。フランス語で「海の星」と同義になる「ひとで」がそこでは愛の化身でした。マン・レイは感動して映画化を申しでました。

キキと隣人の俳優の演じる女と男が出会い、愛撫しあい、別れます。最後にデスノスが登場してキキを連れさります。この映画は検閲を免れるようにゼラチンでレンズを覆って撮ったため、前代未聞のマダラ模様の映像でした。

同年に上映されてやはり好評を得ましたが、見て驚嘆したノアイユ子爵夫妻が翌1929年、南仏イエールの別荘での宴会を映画にしてほしい、と頼んできました。すべて自由に撮ってよいとのこと。たちまち25分の映画『骰子（さいころ）城の秘密』が生まれました。

冒頭でマン・レイと助手ボワファールが骰子を振って車に乗り、パリから徹夜でイエールまで走ります。キュビスム風の館・骰子城で、ストッキングを頭からかぶった男女のくりひろげる奇妙な遊びの数々。

同年に上映されたあと、さらに長篇を撮ってほしいと頼まれましたが、マン・レイはことわっています。すでにトーキーに移っていた映画界の状況は、彼にとってはこの芸術の死を意味したからです。

「映画はひとりでつくるものだ」と主張し、集団化・産業化を嫌っていた彼は、もう映画は撮らないと宣言しました。事実、その後は二、三の例外を除いて映画とかかわらず、映画を制作することもありませんでした。

MAN RAY WHO'S WHO

人名解説と索引

凡例

■この「人名解説と索引」は、本書と展覧会「マン・レイと女性たち」の主旨にしたがって、本書で言及した人物のみのほとんどすべて（マン・レイは除く）をとりあげ、マン・レイの生涯と女性たちとの関係やそれぞれの女性の生き方などに重点を置きながら、簡略な解説を加えているものです。

■項目を立てる人名は原則として姓の50音順とします。ただし通称や渾名のほうを本書で用いている場合は、そちらのほうを項目に立てて解説した上で、姓や本名からも項目に行けるようにしています。
例（→の先が項目）：ブラン、アリス→キキ・ド・モンパルナス（本名アリス・プラン）

■人名・地名などの固有名詞の表記は原則として当該国の発音にしたがいますが、日本で別の表記が通例である場合にはそれに合わせます。またフランス語のトレデュニオン（-）などのあるものについては、原則としてそれを省きます。
例：エルサ→エルザ、ドゥヌーヴ→ドヌーヴ、サン-ドゥニ→サンドゥニ、リブモン-デセーニュ→リブモンデセーニュ

■人物には国名と属性（かならずしも肩書きや職業ではない）を添えますが、複数の国や複数の属性のある場合には主要な国名・属性名のみを列挙します。
例（リー・ミラーの場合）：アメリカ/フランス/イギリスのモデル・写真家。
例（カザーティ侯爵夫人の場合）：イタリアの貴族・社交界人。

■本書のなかで人物に言及したページは各人名解説の末尾に数字で示しますが、とくにその人物が掲載作品に登場している場合、その作品の キャプションのあるページの数字に下線を引きます。
例（レスリー・キャロンの場合）：P. 154, 159

♣ アジェ、ウジェーヌ
Eugène Atget　1857-1927　みずがめ座

フランスの写真家。ボルドー近郊に生まれ、孤児になる。水夫をしてからパリへ出て、演劇学校に学んで役者となるが、30歳をすぎて写真をはじめる。パリの街路や建造物、職人・商人や労働者など、古いパリの光景を撮り、体系的に記録しつづけた。職業写真家として活動する30年間に、画家用の資料写真の撮影・販売もおこない、顧客にはユトリロ、ドラン、ブラマンク、藤田嗣治、そしてマン・レイもいた。

意図や先入観を排除し、カメラという外部の目でとらえるアジェのイメージは、マン・レイをはじめシュルレアリストたちから注目され、機関誌に掲載されたが、アジェ自身は写真の芸術性よりも記録性を重んじたので、作者名の記載を認めなかった。

マン・レイ以上にアジェに心酔したベレニス・アボットは、アジェの写真のプリントや乾板を蒐集したので、それらがのちにニューヨーク近代美術館に入った。パリの国立図書館にも数多くの作品と資料がのこっている。　P. 116

♥ アディ（本名アドリエンヌ・フィドラン）
Ady (Adrienne Fidelin)　1915-2004　うお座

フランスのダンサー・モデル。カリブ海の仏領グアドループ出身。1934年末、パリのキャバレ「バル・ブロメ」で踊っていて、マン・レイと出会う。「カフェ・オ・レ色」の肌をした若い美しい女性で、マン・レイを魅了した。リーと別れて以来、独り身だった彼は、娘ほど歳の違うこの陽気な女性を愛し、5年間ほど生活をともにする。

アディの肖像画や肖像写真も数多い。愛の巣になったパリのアトリエでも、保養先の南仏でも、マン・レイはアディをよく撮っているが、南仏で会ったピカソもアディを絵に描いた。どれも明るく素直でのびのびしたダンサーの個性をとらえたもので、戦争

の予感の漂う暗い世相と好対照をなしている。マン・レイ自身は不吉なイメージをともなう油彩の大作《上天気》[170]（1939年）を描いていた。

アディはキキやリーとは違い、野心をもたない控え目な娘だった。大戦が勃発し、1940年にマン・レイがフランス脱出を決意したとき、いちどは同行する予定だったが、彼女は結局、家族を守るべきだと考えてパリにとどまった。のちに他の男性と結婚したが、ハリウッドにいるマン・レイにはよく手紙を書き、彼ののこしていった作品を大切に守った。

マン・レイによるアディのファッション写真はモード誌にも載ったが、それは白人モデルしか用いなかった当時として珍しい例である。

P. 9, 16, 43, 127, 128, 136, 137, 138, 139, 140, 141, 187, 192, 208, 240

♥ アドン → **ラクロワ**、アドン（ドンナ／ドンナ・ラクール）

♥ アボット、ベレニス

Berenice Abbott　1898-1991　かに座

アメリカの写真家。オハイオ州出身で、1916年にニューヨークへ。ボヘミアン共同体でフライターク・ローリングホーフェン男爵夫人などを知り、デュシャンやマン・レイとも交友。マン・レイは1921年に彼女を撮った《ある彫刻家の肖像》で受賞した。

ヨーロッパへ渡ってパリとベルリンで彫刻を学び、パリでモデルのティリア・パルムッターと愛しあう。1923年から３年間、マン・レイの助手をしながら、恋人ティリアとともに写真モデルにもなった。

1927年に独立。肖像写真スタジオをひらいたころ、同じカンパーニュ・プルミエール通りの住人ウジェーヌ・アジェと出会い、感銘をうけてこの老写真家の肖像を撮影。アジェは自分を写されるのを嫌っていたため、これが貴重な写真となった。数カ月後にアジェは無名のまま没したが、その作品はアボット（とマン・レイ）のおかげで散逸をまぬかれた。

アジェの影響を受けつつ、1920年代パリのレズビアン、バイセクシュアル、ゲイの人々や、先進的な文学者・芸術家たちを撮っていたが、1930年代以後は傾向を変え、急速に変貌するニューヨークの町を撮影。彼女の先駆的活動にマン・レイの与えたものは大きかった。　P. 8, 28, 116, 117, 269

♣ アポリネール、ギヨーム

Guillaume Apollinaire　1880-1918　おとめ座

フランスの詩人・美術批評家。第一次大戦までの前衛文学・芸術を牽引し、キュビスムなどの新しい運動（ピカビアやデュシャンもふくむ）を評価した。戦場で頭部に弾丸を受け、パリに戻って活動を再開したが、スペイン風邪に感染して早逝。「シュルレアリスム」という新語をつくり、のちにブルトンらの運動の名に用いられた。マン・レイもアドンの手引で詩などを知り、敬意をいだいていた。P. 10, 19

♣ アラゴン、ルイ

Louis Aragon　1897-1982　てんびん座

フランスの詩人・作家。第一次大戦中にブルトンと出会い、雑誌『リテラチュール』を創刊。豊かな言語的才能を発揮して、パリ・ダダ、初期シュルレアリスムの代表的メンバーとして活躍し、美術論でも影響力をもった。

マン・レイをパリに迎えた1921年には、ナンシー・キュナードと恋仲になり、二人でスペインやイタリアをめぐってからノルマンディーに家を買い、そこで出版活動をした。1930年にはソヴィエト連邦へ赴き、共産党への忠誠を誓う結果となったため、シュルレアリスムを去ることになる。

当時のモンパルナスには、新国家ソヴィエト連邦を代表する詩人マヤコフスキー（1893-1930）もいた。その愛人リリ・ブリクの妹だったエルザ・トリオレと、アラゴンはカフェ「クーポール」で出会っている。1930年にマヤコフスキーが自殺。アラゴンはエルザとともにソ連へ行き、のちに結婚する。

共産党員として機関誌の編集長になり、ナチス・ドイツ占領下には地下出版をするなど、エルザとともにレジスタンス運動を展開。戦後の1969年には、詩集『部屋』の巻頭に、マン・レイの美しいエッチング作品を封入している。

P. 10, 42, 45, 52, 53, 90, 99

♣ アルプ、ハンス（ジャン）

Hans (Jean) Arp　1886-1966　おとめ座

フランスの彫刻家・詩人。ドイツ統治下のストラスブールに生まれ、のちにフランスに帰化。第一次大戦戦下にチューリヒへ逃れ、ダダ運動に加わる。ケルンのエルンストやパリのダダイストたちと交流し、一時はシュルレアリスムにも参加した。自然と抽象の融合によって20世紀を代表する彫刻家だが、詩人としても優れていた。マン・レイによる肖像写真もいくつかある。　P. 45, 238

♣アレンズバーグ、ウォルター

Walter Arensberg　1878-1954　おひつじ座

アメリカのコレクター。ピッツバーグの高炉メーカー主の家に生まれ、ハーヴァード大学に進む。在学中からパリへ遊学し、ニューヨークで新聞記事を書いていた。1907年に学生時代の友人の妹ルイーズと結婚。１歳年下の彼女はドレスデンに留学して音楽を学んだ女性だった。

夫妻はケンブリッジに家を買って詩作と美術品蒐集に没頭。1913年ニューヨークのアーモリー・ショーがきっかけとなり、セザンヌやゴーギャンから20世紀美術まで、厖大なコレクションを築いてゆく。

1915年、ニューヨークに来たデュシャンを誘い、リッジフィールドにマン・レイを訪ねたことから、三人の長い交友がはじまる。アレンズバーク夫妻はデュシャンの作品の最大のコレクターになった。

1927年にはハリウッドに移住。新天地でも蒐集活動に意欲的で、ビザンチンの美術から古代アステカの彫刻まで集め、美術品のならぶ自邸を開放した。1946年、マン・レイとエルンスト両夫妻の合同結婚式にも、自邸を会場に提供している。

数千点をこえるコレクションはフィラデルフィア美術館に一括寄贈されることになり、1954年に移管された。

P. 144, 152

♣ **アングル**、ジャン・オーギュスト・ドミニク

Jean-Auguste-Dominique Ingres　1780–1867　おとめ座

フランスの画家。モントーバン近郊に生まれ、装飾彫刻などの職人で音楽もよくする父に育てられた。幼少期から絵画の才を発揮したが、ヴァイオリン演奏も巧みだったとされる。パリに出て頭角をあらわし、ダヴィッドにつぐ新古典派の代表者とみなされたが、デッサンの技術、肖像画などに示す観察と描写は比類がなく、とくに裸体画に見せたデフォルメの表現など、時代に先駆する偉大な業績をのこした。

マン・レイは1913年のアーモリー・ショーで実作を見てから敬意をいだき、裸体の表現などに影響を受けてもいた。1924年には、写真によるオマージュ《アングルのヴァイオリン》を捧げている。

P. 14, 15, 16, 64, 67

♥ **エラスリス**、エウヘニア

Eugenia Errázuriz　1860–1951　おとめ座

チリの社交界人。バスクの家系の富豪で、ストラヴィンスキーやディアギレフを支援し、ピカソ、コクトー、シャネルらと交友。「ピカソのもうひとりの母」ともいわれ、この画家の最初の妻オルガとのハネムーンにビアリッツの私邸を使わせた。

晩年はフランシスコ会の修道女となり、シャネルにデザインさせた黒いドレスを身につけていた。チリの海の邸宅をル・コルビュジエに設計させたが、完成を見ずにサンティアゴで交通事故死。その邸宅「ヴィラ・エウヘニア」の計画案は、のちに日本で再採用され、現在の国立西洋美術館の建築モデルにもなった。

P. 80, 83

♣ **エリュアール**、ポール（本名ウジェーヌ・グランデル）

Paul Éluard (Eugène Grandel)　1895–1952　いて座

フランスの詩人。パリ北郊サンドゥニに生まれ、少年期に結核を患ってスイスのダヴォスで療養中、ガラと出会って結婚。1919年にブルトンと知りあって雑誌『リテラチュール』に加わり、翌年にはパリ・ダダに参加。1924年からシュルレアリスム運動の主力メンバーとなる。

透明・繊細な詩語で日常の神秘や愛をうたい、シュルレアリスムを代表する詩人とみなされたが、1938年に共産党に入党してブルトンと袂をわかち、抵抗運動に加わる。ヴェズレーに隠れ住み、レジスタンス文学の名作とされる詩篇群を書いた。

マン・レイはパリ到着後にカフェで出会ったとき、ボードレールに似ていると思ったといい、詩人としてもとくに敬愛していた。共作も多いが、詩画集『自由な手』[155]が代表的。

戦後もマン・レイはエリュアールとの友情を保っていたが、共産党員であることへの批判もあり、亡くなったときには葬儀に出なかった。

エリュアールの肖像写真は多い。第二の妻ニュッシュもマン・レイ最愛のモデルのひとりになった。ニュッシュ亡きあと、エリュアールの一時の恋人だったジャクリーヌ・デュエムもマン・レイの被写体になっている。

P. 11, 42, 43, 45, 52, 55, 58, 116, 124, 125, 128, 129, 136, 154, 205, 208, 235, 238, 240

♣ **エルンスト**、マックス

Max Ernst　1891–1976　おひつじ座

ドイツ／アメリカ／フランスの画家・彫刻家。ケルンでダダ運動をおこしたが、1922年にパリへ移り、やがてシュルレアリスムを代表する画家となる。コラージュやフロッタージュなど、多様な方法で絵画の可能性をひらき、変幻自在の画風が大きな影響力をもった。

マン・レイはパリ・ダダ末期に彼を知って以来、生涯にわたって交友し、数多くの肖像写真を撮っている。第二次大戦中にはともにアメリカへ逃れたが、

マン・レイはジュリエットと、エルンストはタニングと出会い、ハリウッドで合同結婚式を挙げた。マン・レイ夫妻もエルンスト夫妻の住むアリゾナ州のセドナを訪れている。

ともに大戦後はパリに戻り、夫婦同士でよく会っていた。パリへ同年に移住した同世代の外国人として、二人の友情は厚かった。

P. 7, 9, 11, 45, 52, 59, 60, 90, 106, 115, 144, 145, 146, 152, 153, 162, 163, 181, 208, 238, 239, 241, 269

♥ オッペンハイム、メレット

Meret Oppenheim　1913-1985　てんびん座

スイス／フランスの彫刻家・画家。ベルリン生まれ。父親はユングに傾倒するユダヤ人の医師、母はスイス人。16歳のとき、バーゼルでバウハウス展の影響を受け、インクによるデッサンをはじめる。18歳でパリに出て、翌年カフェ「ドーム」でジャコメッティと出会い、アルプ、エルンスト、マン・レイらと知りあう。ジャコメッティの勧めで1933年にシュルレアリスム展に出品。反逆精神と知的な美貌、大胆でエロティックな作品によって「完全な女性シュルレアリスト」と呼ばれた。

マン・レイは1933年に若いメレットの裸体を撮影している。ルイ・マルクーシのアトリエでエッチング用プレス機とメレットを対比し、版画インクで腕を汚したメレットの裸体を、目を見はるほど美しい連作写真に仕上げている。ブルトンの文章とともに『ミノトール』誌に掲載された1点はスキャンダルをまきおこした。

アーティストとしては、代表作《毛皮の朝食》(1936年) などの「オブジェ・シュルレアリスト」の好例を制作する一方で、身近な事物から着想する装身具・服飾などをスケッチブックに描きためていた。それらがのちに注目され、彼女の監修のもとで実際に製作・販売されるようになった。　P. 16, 43, 106, 116, 118, 119, 182, 183, 184, 185, 186, 239, 269

♥ オーランシュ、マリーベルト

Marie-Berthe Aurenche　1906-1960　誕生日不詳

フランスのモデル。南仏の生まれで、脚本家ジャン・オーランシュの妹。兄を介してエルンストと会い、1927年に結婚。芸術界・社交界に出入りし、コクトーに誘われてシャネルの衣裳モデルもした。ブニュエルの映画『黄金時代』にエルンストと出演もしたが、1936年に離婚。情緒不安定な性格で、ブルトンからファム・アンファン (子どもみたいな女性) と評された。

1940年にユダヤ人の画家カイム・スーティンと出会い、ナチスを逃れて二人で隠れ住む。1943年にスーティンが没すると、その作品の売買で墓を立てる資金を得た。1960年に自殺。モンパルナス墓地でスーティンの隣に眠っている。　P. 52, 60, 239

♥ オルガ (・コクロヴァ／・ピカソ)

Olga Picasso (Khokhlova)　1891-1955　ふたご座

ロシア／フランスのバレリーナ。帝政下の大佐の娘で、ウクライナ出身。1911年にディアギレフ率いるロシア・バレエ団 (バレ・リュス) の一員となる。1917年にコクトー作、サティ音楽、ピカソ舞台衣裳のバレエ『パラード』初演の舞台に立ち、そのとき出会ったピカソと翌年に結婚。南米に向う公演ツアーから離脱してバレエ団を去った。

パリの二人の新居を多くの絵で豪華に飾り、社交界・芸術界の人々のつどうサロンにした。ピカソもその生活を好み、オートクチュールの上着のポケットに金の時計を忍ばせていた。息子ポールが生まれ、休暇には家族で高級保養地に滞在した。

病気がちながら幸福な生活を4年つづけたが、ピカソが愛人マリーテレーズを保養先に呼んで妊娠が発覚したことから、ひとりで南仏に別居するようになった。　P. 80, 83

♥ カザーティ侯爵夫人、ルイーザ

La Marchesa Luisa Casati　1881-1957　みずがめ座

イタリアの貴族・社交界人。詩人ダヌンツィオの愛人で、1910〜30年代のヨーロッパ社交界に君臨した。人を驚かすために蛇を腕に巻いたり、人前にチータを放つなど、彼女の催す夜会は伝説的だった。ポワレやフォルテュニのドレスを着こなし、当時の画家や文学者たちを魅了した。

マン・レイはパリに移住してまもなく、彼女の注文でポートレートを撮ることになった。たまたまカメラがブレて目が4つになってしまったが、見せると夫人は悦んで「メドゥーサの目」だと称え、焼き増しさせて配ったという。　P. 80, 81

♣ ガスマン、ピエール

Pierre Gassmann　1913-2004　てんびん座

フランスの写真現像師。1970年から76年にマン・レイが亡くなるまで、また没後にも、専属のプリンター (写真現像師) として活動。原版ネガを用いて後刷プリントを制作した。かつては現像もプリントも自分でしていたマン・レイだが、晩年には彼の優秀な技術に助けられた。なお1951年から76年まで

は、セルジュ・ベギュイエが写真現像師としてマン・レイに仕えていた。 P. 256

♥ **ガードナー**、エヴァ

Ava Gardner 1922–1990 いて座

アメリカの映画女優。ノースカロライナ州の貧しい農家に生まれる。7人の子の末っ子で、ブリテン諸島からの移民の血と、アメリカ先住民の血を受けついでいた。南部なまりがあったので、はじめはやや低迷。ブロンド女優が主流のハリウッドでは、黒髪とエグゾティックな美貌のゆえに、ロマや混血女性、ファム・ファタルなどの役で人気を得ていた。

映画『パンドラ』(1951年)で女主人公を演じたとき、監督リューインの依頼で肖像写真を撮ることになったが、マン・レイは初対面のエヴァに魅了されたらしい。彼女の「真価」を伝えるべく撮影したポートレートは従来にない感覚のもので、それかあらぬか当時を境にエヴァ・ガードナーの人気は上昇した。 P. 144, 154, 158, 159, 242

♥ **ガラ**(・エリュアール/・ダリ/本名エレナ・イヴァノヴナ・ディアコノヴァ)

Gala Éluard/Dalí (Elena Ivanovna Diakonova) 1894–1982 おとめ座

ロシア出身のミューズ。はじめエリュアールの妻だったが、1929年からダリの伴侶になる。カザンに生まれ、女学校を出てから結核を疑われてスイスのサナトリウムで療養中、エリュアールと恋におちて1917年に結婚。シュルレアリスム前夜のパリで、ケルンから出てきたエルンストを魅了し、未来のシュルレアリストたちを描く1922年の油彩《友人たちの集うところ》にも、主要メンバーとして登場する。

7年後にガラがカダケスを訪れたとき、ダリは瞬時に恋におち、女神グラディーヴァだと称えた。1934年までにはガラ・ダリとなっていた。

ガラは画家ダリの成功に大きく寄与した。タロット・カードでダリの将来を占い、作品売買でもタフな交渉人をつとめていた。 P. 42, 62, 63, 136

♥ **カルミュス**、ドラ(マダム・ドラ)

Dora Kallmus (Mme. d'Ora) 1881–1963 うお座

オーストリア/フランスの写真家。ウィーンのユダヤ人の法律家の家に生まれ、1905年にグラフィック関係の職業訓練課程を女性ではじめて修了。オーストリア写真家協会のメンバーとなる。1907年に自身のスタジオ「アトリエ・ドラ/マダム・ドラ」をひらき、1925年にはパリで画廊も併設した。

マダム・ドラの写真のモデルには、ジョセフィン・ベイカーやココ・シャネル、タマラ・ド・レンピッカとなど、1920年代パリ「狂騒の時代」の有名人が多かった。 P. 87

♥ **カーン**、シモーヌ(・ブルトン/・コリネ)

Simone Kahn (Breton/Collinet) 1897–1980 おうし座

フランスの美術活動家・画廊主。アンドレ・ブルトンの最初の妻。ペルーで生まれ、1899年に一家でパリへ戻る。ソルボンヌ在学中に前衛美術に目ざめる。1920年夏にブルトンと出会い、翌年に結婚。「生きる百科事典」と呼ばれるほど博識で、シュルレアリスム創成期には自動記述の実験をタイプで記録するなど、運動に不可欠の存在だった。

やがてブルトンがシュザンヌ・ミュザールを愛し、シモーヌも他のシュルレアリストに傾いたことから、1929年には離婚し、のちに社会学者のミシェル・コリネと再婚した。

第二次大戦後にパリで画廊活動をし、1954年にはシュルレアリスム作品を扱うフュルステンベール画廊を新設、マン・レイの絵画展も開催した。他方、ラテン・アメリカ諸国にシュルレアリスムをひろめるなど、多彩な活動をした。 P. 52, 54, 55

♥ **キキ・ド・モンパルナス**(本名アリス・プラン)

Kiki de Montparnasse (Alice Prin) 1901–1953 てんびん座

フランスのモデル・歌手。ブルゴーニュの田舎町に私生児として生まれ、12歳でパリに出る。17歳のころからキスリング(「キキ」の命名者)、スーティン、藤田嗣治など、モンパルナスの芸術家たちのモデルをつとめ、人気者になった。マン・レイと1921年末にカフェで偶然に出会い、恋におち、以来7年間の同棲生活を送った。

キキはマン・レイのミューズとして、《アングルのヴァイオリン》57や《黒と白》61, 62をはじめ、この時期の名作のモデルになったばかりか、映画『エマク・バキア』や『ひとで/海の星』にも出演する。

マン・レイは「モンパルナスの女王」キキと暮すことで、モンパルナスの町になじむことができた。キキもマン・レイを愛し、写真に撮られることで名声を高めた。だが、どこへ行っても歌い踊り、男たちの気を引くキキの振舞に、マン・レイは苛立ちと嫉妬をおぼえはじめた。こうして二人は別れることになるが、その後も親友として交流をつづけた。

マン・レイのことも書いてあるキキの回想録『キキの想い出』65が1929年に出版され、翌年にはヘミングウェイの序文つきの英訳版も出て人気を呼んだ。

またキキの個展もひらかれ、身近なモティーフを描いた絵がよく売れた。そのときのカタログにはデスノスが序文を寄せている。

歌もレコードにもなってひろまり、キキの名は一時代のモンパルナスを象徴するものになったが、第二次大戦を経て、ハリウッドから帰ってきたマン・レイと最後に会ったときには、すでに病にやつれ、気力を失っていた。その翌年に訃報が届いた。

P. 9, 14, 15, 16, 41, 42, 43, 49, 64, 65, 66, 67, 68, 69, 70, 71, 72, 88, 89, 90, 106, 136, 191, 208, 209, 236, 269

♥ キャリントン、レオノーラ

Leonora Carrington　1917-2011　おひつじ座

イギリス／メキシコの画家・小説家。イングランドの裕福な家庭に生まれ、十代から絵を学ぶ。エルンストの作品に惹かれ、やがて本人と出会って恋をする。1937年夏に彼とコーンウォールに滞在し、ペンローズの借りた家でマン・レイとアディ、リー、エリュアール夫妻らと遊ぶ。翌年には二人で南仏アヴィニョン近郊に家を借り、３年ほど制作に没頭するが、第二次大戦で中断された。エルンストは収容所に送られ、レオノーラはスペインへ逃れる間に狂気にとらわれて精神病院に幽閉。そこを出てからリスボン、ニューヨークを経て、メキシコ市に到着した。

メキシコでは画家レメディオス・バロ、写真家カティ・オルナと知りあって「三人の魔女」を名のる。28歳で結婚して子をもうけ、さらに制作活動に集中。先住民の神話に自己の源を見いだして象徴的な動物・幻獣の棲む不思議の世界を描き、多くの絵や小説に自由と「家母長制」への渇望を表現する。晩年はアメリカに住んだ。

P. 52

♥ キャロン、レスリー

Leslie Caron　1931-　かに座

フランス／アメリカのバレエ・ダンサー・映画女優。パリ西郊に生まれる。父は科学者で薬剤師、母はブロードウェイで踊ったこともあるダンサー。８歳からクラシック・バレエをはじめ、17歳にしてシャンゼリゼ劇場でソロを踊る。２年半ほどロラン・プティにつき、ヨーロッパ各地を公演してまわるあいだに、それを見たアメリカ映画界の人気者ジーン・ケリーに惚れこまれ、共演を誘われた。

ミュージカル映画の黄金時代を築いていた名ダンサーからの懇願なので、英語もままならぬまま海を渡り、1950年にハリウッド入りした。1951年、ガーシュインの楽曲にもとづく名作『巴里のアメリカ人』が誕生する。

新天地でフランス人たちを訪ねて大映画作家ジャン・ルノワールとも会い、大写真家マン・レイにもポートレートを撮ってもらった。すばらしく魅力的なこの童顔のパリ娘と、マン・レイもフランス語で語りあったことだろう。その後も『リリー』(1953年)や『ジジ（邦題：恋の手ほどき)』(1958年) などに主演して踊り、レスリーは大スターへの道をかけのぼった。

P. 154, 159

♥ キュナード、ナンシー

Nancy Cunard　1896-1965　うお座

イギリス／フランスの出版人・コレクター・社会運動家。名門キュナード汽船会社の令嬢として生まれ育ち、アフリカ芸術の大コレクションと、先駆的な反黒人差別運動などによって知られる。

1920年代パリの社交界では、多くの作家や画家のミューズと称えられ、英米仏の文学者やダダ・シュルレアリストたちを知る。アラゴンを恋人にしてノルマンディーに住み、小出版社「アワーズ・プレス」を創設。自立して主筆・編集人となり、多くの出版物を刊行した。

1928年からはパリで黒人ジャズ・ミュージシャンと行動をともにし、黒人解放運動の先駆者となる。1930年代には多くの文学者に呼びかけてムッソリーニのエチオピア侵攻、スペイン内乱などに抗議。難民救済を唱えるジャーナリストになり、戦中はチリへ渡る。戦後はノルマンディーの邸宅を手ばなして旅を住家としたが、やがて疲れはてて精神を病んだ末に35キロの体でパリの路上に発見され、その２日後に69年の生涯を閉じた。

P. 80, 86, 208

♥ グッゲンハイム、ペギー

Peggy Guggenheim　1898-1979　おとめ座

アメリカのコレクター。富豪の一族に生まれ、ロンドン、パリ、ニューヨーク、ヴェネツィアを拠点に活動。20世紀のヨーロッパ・アメリカの先進的な美術界に出入りし、鋭い知性・感性と財力によって多くの美術家たちを支援・牽引した。

1920年代のパリでさまざまな芸術家・作家・文化人と交友し、恋愛・情事、結婚・離婚を重ねるあいだに、鑑識眼と先見の明を身につける。とくにデュシャンやブルトンの助言を得て、ロンドンとパリを往復し、コレクションを充実させてゆく。マン・レイとも交友し、やがてエルンストと結婚。

第二次大戦中にはアメリカ亡命を余儀なくされた芸術家たちを助け、多くの作品を破壊から救った。

亡命シュルレアリストたちだけでなく、ジャクソン・ポロックなど若いアーティストの才能を見いだし、作品の売買にも一役買っている。後年にヴェネツィアの古い邸宅を買って住み、現代美術館として公開するにいたった。 P. 52, 90, 96 152

♥ グレコ、ジュリエット
Juliette Gréco　1927-2020　みずがめ座

フランスの歌手・映画女優。南仏モンプリエに生まれ、幼時に両親の愛情を受けられぬまま、姉とともにボルドーの祖父母に育てられた。祖父母の没後、第二次大戦勃発時には母と行動をともにするが、母はレジスタンスの活動家として逮捕される。姉妹二人でパリへ逃げたが、ゲシュタポに捕えられて収容所に送られた。

大戦の終結した1945年、まだ若い彼女は解放されてひとりパリの町をさまよい、母の友人を頼ってサンシュルピス教会の近くに寄宿する。少年たちの古着やもらい物の靴を身につけてサンジェルマン・デ・プレ界隈で歌をうたい、哲学談義にふけるなどして青春時代を謳歌。1949年にはキャバレ「屋根の上の仔牛」にて歌手デビューした。

長い黒髪に黒ずくめの衣裳は戦後パリのボヘミアン・スタイルを代表した。「サンジェルマン・デ・プレのミューズ」「実存主義のミューズ」と呼ばれ、多くの作家・詩人・芸術家たちを魅了。彼らから名詩を贈られ、いくつかは世界的にヒットした。以後70年のあいだ、最高のシャンソン歌手のひとりと称えられ、20世紀フランス文化を体現する存在に数えられた。

マン・レイは若い彼女を撮っている。ともにサンシュルピス教会の近くにいたのだから、すでに会っていた可能性もある。彼女の知的な美しさを一瞬にとらえたポートレートである。 P. 162, 164, 173

♣ コクトー、ジャン
Jean Cocteau　1889-1963　かに座

フランスの詩人・小説家・映画作家。メゾンラフィットに生まれ、1898年に父がピストル自殺。リセ時代から文学に没頭、大学に進まず、パリを拠点にして文学、演劇、バレエから映画におよぶ幅広い芸術活動をくりひろげ、「芸術の百貨店」と呼ばれた。

早くから社交界に出入りし、ロシア・バレエ団の『パラード』(1917年)から映画『詩人の血』(1930年)まで、前衛の意匠をまとうその仕事ぶりはしばしば話題を呼んだ。戦後にも『オルフェ』『美女と野獣』などの幻想的な映画を発表し、大家としてアカデミー・フランセーズ会員に選ばれている。

マン・レイは1921年に、ピカビアの紹介でコクトーを知る。以来、求めに応じて多くの肖像写真を撮り、コクトーが経営に加わったキャバレ「屋根の上の牡牛」に《コクトー一味》という写真を展示したりした。シュルレアリストたちがコクトーの軽薄な立ちまわりを嫌ったのにくらべて、マン・レイはこの社交家とうまくつきあっていた。

コクトーは初期からマン・レイの作品を評価し、友人名士たちを肖像写真の客として紹介したほか、1925年の詩集『天使ウルトビーズ』にはレイヨグラフを挿入。マルセル・プルースト逝去の折にはマン・レイを呼び、死の床の撮影を依頼した。だがリー・ミラーが『詩人の血』に出演したことなどから、関係は薄れた。 P. 72, 80, 84, 208

♥ ゴダール、ジャクリーヌ
Jacqueline Goddard　1911-2003　さそり座

フランスのモデル。父はイタリア人の彫刻家で、幼時からパリの父のアトリエですごす。隣人に税官吏アンリ・ルソーがいた。17歳でモンパルナスのカフェ「クーポール」に通い、同じく常連のキキと交友。長身にくしゃくしゃの金髪をもつ自由奔放な美女で、ジャコメッティやピカソ、ドラン、マティス、藤田嗣治らのモデルとなる。

リーと別れたばかりのマン・レイからも「いままで撮ったなかでいちばん美しい」などと称賛され、写真モデルをつとめた。 P. 106, 111

♣ コプリー、ウィリアム
William Copley　1919-1996　みずがめ座

アメリカのコレクター。ニューヨーク生まれ。1948年にロサンジェルスで画廊をひらく。マン・レイの友人として多くの作品を売買し、支援をつづけた。代表作《天文台の時刻に —— 恋人たち》[76]などをふくむ重要なコレクションを形成。マン・レイのパリ帰還に同行し、パリにも拠点をつくって、結婚。近郊ロンポン・シュル・オルジュの邸宅にマン・レイ夫妻を招待したりした。

なお、ほかに晩年のマン・レイを支えた画廊主やコレクター・研究者には、再制作を販売したアルトゥーロ・シュヴァルツ、マルセル・ゼルビブ、ルチアーノ・アンセルミーノなどもいた。写真170点以上のコレクションをつくった写真家アーノルド・クレインも知られている。 P. 145

♣ **サティ**、エリック
Érik Satie　1866–1925　おうし座

フランスの作曲家。ノルマンディー出身で、第一次大戦末期の前衛バレエ『パラード』などで名声を得、戦後にはパリ・ダダと接触した。ユーモアとファンタジーのまじる独特の人物で、1921年末、パリでのマン・レイ初個展の開幕日にやってきて意気投合。二人で町を歩き、サティの通訳でマン・レイはアイロン、鋲、膠を買い、画廊でオブジェ《贈り物》[34]を制作した。画廊主のフィリップ・スーポーに贈る予定でいたところ、紛失したので再制作。のちに多数の複製をつくることになる。　P. 44, 146

♣ **サド侯爵**、ドナシアン・アルフォンス・フランソワ・ド・
Le Marquis Donatien Alphonse-François de Sade
1740–1814　ふたご座

フランスの作家。大貴族の子としてパリに生まれ、反道徳的事件や大革命に関与したため、生涯の三分の一以上を牢獄ですごす。厖大な著作をのこしたが最後は精神病院で死んだ。『ジュリエット』『ジュスティーヌ』『ソドム百二十日』のような長篇小説群は、欲望と性本能の徹底した観察と、人間と自由と悪の問題の過激な追究によって、古今の文学中に孤絶する。

マン・レイはニューヨーク時代からサドに魅かれていたが、パリではシュルレアリストたちのサド熱を共有し、またカンパーニュ・プルミエール通りのアトリエの隣にサド研究家モーリス・エーヌがいたこともあって、この「呪われた作家」への関心をつのらせた。愛読しただけでなく作者の人となりにもある種の共感をいだき、南仏にのこるサド家の城などを幾度か訪ねている。サドは彼にとってイジドール・デュカスとならぶ「謎」だったのだろう。

この作家の肖像が一点ものこされていないことをエーヌから聞いたマン・レイは、《サド侯爵の架空の肖像》[250]を描こうと思いたつ。『自由な手』[155]以後、1938年と40年にその原形を発表。38年のものでは石づくりの巨大なサドの顔が、炎上するバスティーユ牢獄を背景にして描かれ、40年のものではその再建の模様が描かれている。マン・レイはこの肖像をさまざまな媒体に再制作した。P. 11, 128, 154, 203

♥ シモーヌ → **カーン**、シモーヌ（・ブルトン／・コリネ）

♥ **ジャクリーヌ**（・ロック／・ピカソ）
Jacqueline Picasso (Roque)　1927–1986　うお座

フランスのミューズ・モデル。パリ14区に生まれ、母子家庭に育つ。母の早逝した翌年にエンジニアと結婚。娘の誕生とともに北アフリカへ移ったが別れ、娘をつれて南仏の村ヴァロリスに落ちつく。陶器工房で働いていたとき、ピカソに見そめられ、熱烈なラブコールを送られる。72歳のピカソは26歳のジャクリーヌをデートに誘うため、彼女の家にチョークで鳩の絵を描き、半年間、毎日１本のバラの花を持参した。ジャクリーヌがようやく二番目の妻になることを受けいれたのは、ピカソ80歳のころだった。

ジャクリーヌをモデルにしたピカソの絵は400点にものぼる。黒い瞳に眉、高い頬骨をもつその横顔はピカソの目に完璧な美と映っていたようだ。マン・レイはカンヌのピカソのアトリエを訪れたとき、その横顔を写真に撮った。　P. 162, 164, 174

♣ **ジャコメッティ**、アルベルト
Alberto Giacometti　1901–1966　てんびん座

スイス／フランスの彫刻家・画家。スイスのイタリア語圏の村で育つ。印象派の画家だった父にならい、まずジュネーヴで絵画を学んでから彫刻に転じる。ヴェネツィア、ローマを経て1922年にパリに出、ブールデルに学んだが、写実的表現に飽きたりず、前衛を擁護するサロンに出入りしてピカソやミロを知り、キュビスムや原始彫刻について語りあう。シュルレアリスムの集会にも出入りし、マン・レイやエルンストとも交友。1931年からは本格的にシュルレアリスムに参加し、エロティックなオブジェを制作。メレット・オッペンハイムをグループに引き入れた。1934年にはブルトンとジャクリーヌ、エリュアールとニュッシュの合同結婚式の介添人となり、マン・レイは記念写真を撮った。1935年に運動を離脱したのち、戦後には人体彫刻にもどり、細長い形体に人間の実存を凝縮させた。　P. 116

♥ **シャネル**、ココ（本名ガブリエル・）
Coco (Gabrielle) Chanel　1883–1971　しし座

フランスの服飾デザイナー。第一次大戦後、ポワレにかわってパリのモード界に君臨した。オーヴェルニュ地方の救済院に生まれ、修道院孤児院で育ったが、20歳のときお針子奉公に出て、1910年に将校バルサンの援助下でパリに帽子屋をひらいて成功するや、本格的なデザイナー活動をはじめた。

自立して働く女性たちの増えた大戦後の都市社会を見通し、簡素で機能的で自由のきく服装を考案・

開発。独自の様式を確立して女性のファッションそのものを変革した。他方、ピカソやコクトーとも知りあい、ロシア・バレエの舞台衣裳を手がけるなど、芸術界にも進出。富裕になってからは芸術家たちの擁護者として無償で支援をするようになった。

マン・レイはシャネルの衣裳を撮影して雑誌に発表することで、そのデザインが一般に流布することに貢献したが、一方ではすばらしいポートレートも幾度か撮っている。モード界をリードする理知的なデザイナーの表情をとらえるだけでなく、物憂げにたたずむひとりの女性としてのシャネルの姿も表現した。 P. 43, 90, 97, 101, 102, 103

♥ ジュリエット（・ブラウナー／・マン・レイ）
Juliet Browner/Man Ray　1911-1991　おひつじ座

アメリカ／フランスのモデル。マン・レイの最後の妻。ニューヨークのブルックリンでルーマニア系の薬剤師の家に生まれた。7人の子の長女で、母親が病気がちだったために弟妹の世話をしていたが、その後モデルになり、マーサ・グラハムにモダン・ダンスを学んだり、芸術家のグループに加わり画家ウィレム・デ・クーニングとつきあったりもした。1939年にひとりで西海岸のロサンジェルスに移り、ハリウッドで子守などをして暮していた。

翌1940年10月にマン・レイは車で大陸を横断し、ハリウッドに到着。その日のうちに、モデルにするよう人から頼まれていたジュリエットと会い、魅かれあう。「山羊のような顔だちで、目尻のあがったどことなく異国的な」この魅力的な女性と、まもなく「シャトー・デ・フルール（花咲く城）」というフランス語名のホテルに住むことになる。

翌年はじめ、アトリエのあるヴァイン通りの家に移り、マン・レイは「再制作」を開始。車を買って二人でドライヴしたり、町を歩いて映画を見たりして土地になじみ新しい友人もできた。マン・レイはアドンとの離婚が成立していたので、1946年10月、当地に来たエルンストとドロテア・タニングのカップルとともに、合同で結婚式を挙げる。

ジュリエットはハリウッドを離れたくなかったが、結局1951年3月に夫とパリへ移住。フェルー通りのアトリエの寒さにも耐え、しだいにパリの生活に慣れた。モデルとして素質のあった彼女は、ハリウッド時代と同様、しばしば夫のカメラの被写体になっている。パリでは友人に恵まれ、カフェなどでも敬意を示されることが嬉しかった。1960年ごろには白内障手術をし、しばらく体調を崩している。

1976年11月18日、マン・レイが自宅で亡くなってから、ジュリエットはフェルー通りのアトリエを守りながらも、近くのアサス通りに別の一部屋を借りて住んだ。マン・レイの自伝『セルフポートレート』はジュリエットに捧げられている。1981年に日本で訳書が出たとき、その序文で彼女は「いちばんわくわくする男・マン」を「天才」と称えた。

P. 9, 16, 52, 143, 144, 145, 146, 147, 148, 149, 150, 151, 152, 153, 154, 161, 162, 163, 164, 166, 167, 179, 187, 188, 192, 194, 208, 241, 242, 243, 244, 269

♥ スキャパレッリ、エルザ
Elsa Schaparelli　1890-1973　おとめ座

イタリア／フランスの服装デザイナー。ローマの学者の家に生まれ、第一次大戦後にパリへ移住。1928年にスポーツ服の店プール・ル・スポールをひらき、新しいアイディアを駆使するゴルフやテニスのウェア、水着などで『ヴォーグ』誌を賑わせる。1930年代にはシャネルを追う活躍をして、モード界のライヴァルとなった。

1935年にはメゾン・スキャパレッリを開店。当時の新たな「ギャルソンヌ・ルック」に対抗して20年代モードへの回帰を計画し、あえて肩パッドで強調してウェストを自然な位置にするラインを提唱した。この時期にダリやジャコメッティ、コクトーらと交友し、アートとモードとの融合もはかる。マン・レイによるポートレートはこの時期に撮られた。

彼女の大胆なデザインはシュルレアリスムの影響を強く受け、とくにダリのアイディアによる《オマール海老とパセリのイヴニングドレス》《靴帽子》は有名だが、『ハーパーズ・バザー』誌などに載ったマン・レイ撮影のファッション写真にも、独特の幻想的なものが多い。 P. 43, 90, 97, 104, 105

♥ スタイン、ガートルード
Gertrude Stein　1874-1946　みずがめ座

アメリカの作家・批評家・コレクター。ペンシルヴァニアの名家の娘で、はじめ心理学・医学を志したが、1902年にパリに出て、翌年から弟のレオ（のちに美術批評家）とともに住み、フルーリュス通りのそのサロンは英米の文学者や批評家、芸術家たちの溜り場となる。早くからピカソやブラック、マティスなどの作品を集め、前衛芸術を擁護した。

マン・レイのことは写真家として評価し、自分と愛犬の肖像写真を撮る独占権を与えた。1921年にはじめて会い、スタイン宅で撮影をしたが、あとでマン・レイが撮影料を要求したところ、スタインは「撮影を許可したのは自分の善意だ」云々と応じたため、両者の関係はこじれた。だがマン・レイによるポートレートは、世に容れられぬ大作家を自認していた彼女のプライドと、奇異なほど厳格で神経質な性格をみごとにとらえている。翌年に撮影したアイルランドの大作家ジェームズ・ジョイス（1882-1941）像などとならび、マン・レイの初期ポートレートの名作だろう。　P. 80, 81, 269

♣ **スティーグリッツ**、アルフレッド
Alfred Stieglitz　1864-1946　やぎ座
アメリカの写真家。1890年にドイツから帰国して活動開始。1905年にニューヨーク５番街291に画廊「291」を開設し、ヨーロッパの新芸術の紹介につとめた。マン・レイは1911年から同画廊に出入りして交友、影響を受ける。スティーグリッツ自身はダダを自称しなかったが、マン・レイとデュシャンの活動に協力した。　P. 8, 10, 18, 20

♣ **スーポー**、フィリップ
Philippe Soupault　1897-1990　しし座
フランスの詩人・作家。パリ生まれ。1919年にブルトンと「自動記述」の実験をし、ダダと初期シュルレアリスムを通じて活躍していたが、1929年にはジャーナリズムの仕事に傾いて離脱した。
マン・レイがパリに来た1921年、カフェ「セルタ」で迎えたメンバーのうちで、もっともダダ的にふるまったといわれ、同年末には自分の開設した画廊を兼ねる書店「リブレリー・シス」で、マン・レイのパリ初個展を実現させた。　P. 42, 44, 45, 55, 208, 235

♥ **ゼルヴォス**、イヴォンヌ
Yvonne Zervos　1905-1970　おとめ座
フランスの画廊主。パリに生まれる。1928年夏、ノルマンディーに向う途上で、クリスティアン・ゼルヴォス（1899-1970）に声をかけられた。『カイエ・ダール』誌の主筆で美術批評家の彼はディナールにいるピカソを訪ねる途中だったが、そのまま恋仲になり、1932年に結婚した。
キューピッド役のピカソとはその後も長くつきあった。イヴォンヌはパリのドラゴン通りに画廊をつくり、夫のコレクションを紹介するなどした。
マン・レイとは1935年の『カイエ・ダール』誌に文章と絵《天文台の時刻に ── 恋人たち》[76]などを紹介した縁で交友し、同年冬に「マン・レイ　絵画とオブジェ展」をひらくなどした。年末にはともにエリュアール夫妻を誘ってヴェズレーを訪ねている。
第二次大戦中はパリを離れてヴェズレーの持ち家「ラ・グロット（洞窟）」に住み、レジスタンス活動の拠点とした。そこにはピカソとドラ・マール、エリュアール夫妻、ヴァランティーヌ・ユゴーらも滞在している。　P. 122, 239

♣ セルジュ・ベギュイエ → **ガスマン**、ピエール

♣ **ゼルビブ**、マルセル
Marcel Zerbib　1924-1980　うお座
フランスの出版人・画廊主。アルジェリアで生まれ、第二次大戦下のパリに出て自由フランスのために闘った。パリで出版に従事していたが、1954年に独立し、サンジェルマン大通りに開設した画廊でシュルレアリスム関連の展示と出版をつづけ、特装本などを数多く出した。1962年からの７年間にマン・レイと限定版のレプリカをつくり、そのレディメイド・オブジェのシリーズを「私好みのオブジェたち」と題した。
1968年にマン・レイから懇意の美術史家マリオン・メイエを紹介され、５年後に結婚。1975年には一人娘のエヴァも誕生。家族はそれぞれパリに画廊をもち、マン・レイの作品の光芒をいまに伝えている。　P. 187, 243, 269

♥ **タニング**、ドロテア
Dorothea Tanning　1910-2012　おとめ座
アメリカ／フランスの画家。父はスウェーデンからの移民。ゲイルズバーグに生まれ、幼時から絵の才能を発揮したが、シカゴの美術アカデミーに進んで美術教育に失望し、独学で画家をめざす。商業デザインやモデルをして生活するうち、1936年にニューヨーク近代美術館の「幻想美術、ダダ、シュルレアリスム展」を見て感動、シュルレアリスムに共鳴した。1938年にニューヨークに移り、デュシャン、ブルトンなどの亡命シュルレアリストたちを知る。第二次大戦直前にパリとストックホルムに滞在。
1942年にはジュリアン・レヴィ画廊でエルンストとめぐりあう。愛しあった二人は翌年、アリゾナ州のセドナですごす。1944年に同画廊でひらかれた初個展の折、エルンストの贈った序文はこう書きだされていた。「私はドロテア・タニングの絵を愛する。なぜなら不思議の領域が彼女の生まれ故郷だから」。
ドロテアはニューヨークでシュルレアリスムの画家として遇され、自身も戦後アメリカの女性画家のパイオニアを自覚していた。1944年にエルンストとセドナに戻り、二人で家を建て、絵を描き、荘厳な風景のなかで暮す。1946年にはハリウッドでジュリ

エットとマン・レイに会い、合同結婚式を挙げた。以後もしばらくセドナの家を拠点にし、マン・レイ夫妻の訪問も受けている。

1953年にパリへ。翌年のパリ初個展はシモーヌ・コリネのフュルスタンベール画廊だった。1955年にはロワールのユイームに二人で家を建て、パリと行き来する生活になる。エルンストの晩年にはパリに住み、近くのマン・レイ夫妻とはよく会っていた。1976年、エルンスト没。失意のあと、やがてニューヨークに戻って制作と文筆の日々を送った。

P. 52, 144, 146, 152, 153, 162, 163, 180, 181, 269

♣ダリ、サルバドール

Salvador Dalí　1904–1989　おうし座

スペインの画家。カタルーニャのフィゲレスに生まれ、パリに出て1928年ごろシュルレアリスム運動に加わる。独自の「偏執狂的－批判的方法」を展開したが、1934年ごろからファシズムへの共感や金銭欲のゆえに遠ざけられた。ダリ自身はその後もシュルレアリストを自称し、とくにアメリカで人気を得ることになる。

マン・レイは1927年にダリがパリに移住したころから交友し、肖像写真も撮影した。ダリが1933年の『ミノトール』誌に発表したバルセロナのアール・ヌーヴォーをめぐる記事に、ガウディなどの建築の写真を寄せたり、新たにダリの妻となったガラの肖像写真も撮ったりしている。

第二次大戦中の1940年、マン・レイはたまたまダリ夫妻と同じ船でニューヨークへ逃れたが、到着時に通訳を求められても応じなかった。

P. 52, 62, 63, 90, 106, 115, 136, 238

♣タンギー、イヴ

Yves Tanguy　1900–1955　やぎ座

フランスの画家。パリ生まれだがブルターニュ人の家系で、幼時から休暇をロクロナンですごす。1918年にパリへ出て船員となり、世界各地をめぐったが、1923年に偶然デ・キリコの絵を見て衝撃をうけ、独学で画家となる。1925年にシュルレアリスム運動に加わり、驚くべき絵画世界をくりひろげる。第二次大戦中にアメリカに亡命し、画家のケイ・セージ（1898–1963）と結婚。フランスには戻らずに早逝した。マン・レイとも交友し、たびたび写真に撮られている。

P. 106, 152, 238

♣ツァラ、トリスタン
（本名サムエル・ローゼンストック）

Tristan Tzara (Samuel Rosenstock)
1896–1963　おひつじ座

ルーマニア／スイス／フランスの詩人。第一次大戦中スイスのチューリヒに亡命し、1916年には「キャバレ・ヴォルテール」を拠点にダダと名づけた過激な芸術運動をおこす。それをニューヨークなどに飛び火させ、1920年にはパリに出て活動。ピカビアやブルトンと対立してダダは終息したが、のちにシュルレアリスムにも参加、さらに共産党に転じて地下運動をした。

1921年にマン・レイと会って以来、レイヨグラフの実験に注目したのも、映画『理性への回帰』[37]を制作させたのもツァラである。ともに故郷と本名を捨てたユダヤ人で、小柄な体躯や機知にとんだ敏捷な精神などの共通点もあったためか仲がよく、大戦前にツァラが共産党員になるまで交友した。

P. 19, 28, 42, 44, 45, 52, 53, 146, 209, 235, 238

♥ティーニー（・デュシャン／本名アレクシーナ）

Teeny (Alexina) Duchamp　1906–1995　やぎ座

アメリカのコレクター。マルセル・デュシャンの妻。オハイオの高名な外科医の娘で、未熟児で生まれたため「ティーニー」と渾名されたという。1921年から美術を学びにパリへ来て、2年後にデュシャンと初対面しているが、1929年には画家マティスの下の息子の画廊主ピエールと結婚し、3人の子をもうけた。ピエールの不義が因で離婚し、多くの絵画作品を手に入れたので、一時はブランクーシやミロの作品売買の仲介もしていた。

1951年、ドロテア・タニングに誘われて週末の小旅行にでかけてデュシャンと再会し、二人でチェスをした。3年後に67歳のデュシャンと結婚して、彼の最後のレディメイド作品《貞潔の楔》を贈られ、パリ西郊ヌイイで生活する。

1968年10月1日、マン・レイ夫妻はデュシャン夫妻を訪ね、老アーティスト同士で歓談した。マン・レイが夜中に帰宅したあと、ティーニーは電話をかけ、デュシャンがいま亡くなったことを伝えた。

P. 163, 208

♣デスノス、ロベール

Robert Desnos　1900–1945　かに座

フランスの詩人。パリに生まれる。ダダ末期の1922年、催眠術による自動口述・記述実験を通じて不思議な能力を発揮し、初期シュルレアリスムの理論探究の支えとなる。しばらくこの運動の主力メンバーのひとりだったが、1929年に訣別してジャーナリズム界で活動。1944年にはドイツ軍に捕えられ、チェコのテレジーン収容所へ送られて病死した。

マン・レイは上記の実験の際、ブルトンに頼まれてデスノスの催眠実験中の写真を撮った。やがて親交を深め、1923年の記事でデスノスはマン・レイを「暗室の詩人」と呼んでいる。1928年、マン・レイはデスノスの詩に感動して映画化をはかり、『ひとで／海の星』を完成した。 P. 42, 55, 209, 237

♥ デュエム、ジャクリーヌ
Jacqueline Duhême 1927- さそり座

フランスの挿絵画家・絵本作家。ヴェルサイユに生まれる。パリの高級時計製作所で働いていた20歳のころ、道でエリュアールと出くわして一時の恋を知る。ちょうどマン・レイがジュリエットとパリに短期滞在していたところへ、エリュアールは彼女をつれて訪れ、肖像写真を撮らせた。それを機に、アンリ・マティス（1869-1954）に手紙を出し、南仏ヴァンスで彼の助手をつとめることになる。

エリュアールとの偶然の出会いをきっかけに、マン・レイをはじめ、マティス、ついでピカソやアラゴンやジャック・プレヴェール（1900-1977）など、優れた画家や詩人と知りあえたことから、彼女はやがて詩を書き、絵を描き、絵本をつくる仕事をはじめた。児童文学賞の受賞も数多く、その絵本は全世界で読まれている。 P. 154, 160

♣ デュカス、イジドール（筆名ロートレアモン伯爵）
Isidore Ducasse (Le Comte de Lautréamont)
1846-1870 おひつじ座

フランスの詩人。ウルグアイ移民の子で、モンテビデオに生まれ、幼時に南仏へ渡る。1867年にパリに出て長篇散文詩『マルドロールの歌』を書き、1869年にロートレアモン伯爵の名を用いてベルギーで出版。これは変幻自在の「悪の天使」マルドロールの行状を錯乱と接する言語で綴った作品で、象徴派文学の域を超えていた。翌年に本名で詩論『ポエジー』を発表し、24歳で謎の死をとげる。当時は2作品とも無視され、長く忘れられていたが、第一次大戦中にブルトンらによって「発見」され、のちのシュルレアリスム運動に大きな影響を与えた。

マン・レイは1914年ごろにアドン・ラクロワを通じて『マルドロールの歌』を知ったと記しているので、彼女はベルギーでそれを入手していたのだろう。とすればマン・レイはこの書物と、シュルレアリストたちよりも早く出会っていたことになる。

1920年に制作したオブジェ作品《イジドール・デュカスの謎》はマン・レイ自身の「謎」とかかわるもので、のちの代表作のひとつ《フェルー通り》[247]の画面にも登場した。
P. 9, 10, 11, 12, 13, 15, 19, 28, 29, 37, 44, 187, 200

♥ デュシャン、ティーニー → **ティーニー**（・デュシャン／本名アレクシーナ）

♣ デュシャン、マルセル
Marcel Duchamp 1887-1968 しし座

フランスの画家。ノルマンディーに生まれ、1911年の油彩《階段を降りる裸体 No.2》[28]で物議をかもしたのち、第一次大戦勃発後にアメリカに移る。1915年にマン・レイと出会って親友となり、ともにニューヨーク・ダダの運動を推進。1917年の《泉》などのレディメイド（既製品）作品で衝撃を与え、架空の女性「ローズ・セラヴィ Rrose Sélavy（フランス語で「薔薇・それは人生」）」[29, 30]に扮してマン・レイの写真に収まるなど、ダダ的な活動をした。

ガラスの大作《花嫁は彼女の独身者たちによって裸にされて、さえも》（1923年）の制作を中断してからは作品をほとんど発表せず、チェス競技に専心したりしていたが、じつはひそかに「遺作」を制作しており、没後に《(1) 落ちる水 (2) 照明用ガスが与えられたとせよ》がフィラデルフィア美術館に登場。そうした作品と彼の存在自体が現代芸術に決定的な影響を与えた。

レディメイド・オブジェや複製の思想など、マン・レイが彼から得たものは大きい。デュシャンはパリとニューヨークを行き来しながら、マン・レイとは滞在先でよく会っている。1955年にアメリカ市民権を得ていたが、亡くなったのはパリで、マン・レイと親しく会食をした直後のことだった。
P. 7, 9, 14, 16, 18, 19, 20, 28, 29, 38, 39, 40, 42, 106, 114, 145, 152,154, 162, 163, 205, 208, 209, 236, 242, 244, 269

♥ ドゥアルム、リーズ
Lise Deharme 1898-1980 おうし座

フランスの作家・社交界人。パリの物理学者の娘で、若いころから芸術家たちとつきあう。ブルトンの著書『ナジャ』に語られる「手袋の婦人」はリーズその人のこと。ある日シュルレアリスム研究本部を訪れたとき、真っ青な手袋でブルトンたちを魅了し、のちに青いブロンズの驚くべき手袋を届けてきたという。1927年にラジオ・プロデューサーのポール・ドゥアルムと結婚し、翌年から小説を発表している。

社交界人でもあり、シュルレアリストたちのためにサロンを主催。ロココ家具や奇妙なオブジェで埋めつくされた空間に彼らを招き入れていたが、マン・レイもそのひとりだった。

1933年に雑誌『ヌイイの灯台』を発行し、マン・レイの写真を表紙に用いた。3号で終った雑誌だが、リーやドラ・マールなども協力している。1937年にはレズビアンの写真家クロード・カオンとの共著『スペードのハート』に、子どもに向けた32篇の詩を発表。シュルレアリストたちから「スペードの女王」と渾名され、マン・レイはそのものずばりのポートレートを撮った。 P. 116, 120, 208

♥ トゥマノワ、タマラ

Tamara Toumanova 1919-1996 うお座

フランス／アメリカのバレリーナ・女優。母はグルジア（ジョージア）人で、夫がロシア革命中に行方不明になったあと、ロシアを離れる列車のなかでタマラを生んだ。上海へ逃れ、カイロを経由し、難民キャンプで暮しながら、ロシア人の男性を家族にし、母子はパリにたどりついた。

タマラはバレエを学び、9歳にしてオペラ座デビュー。それがバランシーンの目にとまり、1933年にはモンテカルロのロシア・バレエ団に「ベビー・バレリーナ」として入団。美しい黒髪と濃茶の瞳は「ロシア・バレエの黒い真珠」と呼ばれるにふさわしく、レオニード・マシーンも彼女のために多くの演目を手がけている。

アメリカでも名声を博し、1943年にロサンジェルスで市民権を取得。ハリウッド映画にも出演したが、6本のすべてがバレエ・ダンサーの役だった。

マン・レイによるタマラの肖像は映画に初出演したときのもので、蒐集家アレンズバーグの家の古代アステカ彫刻の前で撮影されている。 P. 154, 160

♥ ドヌーヴ、カトリーヌ

Catherine Deneuve 1943- てんびん座

フランスの女優。パリ17区に生まれ、16区で育つ。両親ともに俳優で、四人姉妹の三女だった。1963年『シェルブールの雨傘』で世界的に評価されて以来、今日まで、フランス女性の美と知性を代表する女優に数えられている。

その後も多くの映画作家に求められて重要な作品に主演しているが、とくにルイス・ブニュエルの映画『昼顔』（1967年）と『哀しみのトリスターナ』（1970年）の彼女はすばらしく、映画史にのこる美しさと演技力と存在感を示した。前者はパリを舞台とする作品なので、マン・レイの旧友ブニュエルも撮影に来ていて、彼女を紹介したというようなことがあったかもしれない。

1968年のマン・レイによるカトリーヌの肖像写真は、フェルー通りの家で撮られ、アトリエの様子を伝えているところが興味ぶかい。背景にマン・レイの作品が写り、右にはニューヨーク時代からの《ランプシェード》[207]が見えている。そしてカトリーヌ自身、そのオブジェ作品の「再制作」ともいえる大きなイヤリング[208]をつけている。

カトリーヌは映画でも（『昼顔』では全篇オートクチュール）日常でも、サンローランのモードを身につけることが多かったが、この肖像写真では少なくとも上半身が裸で、サンローランのデザインはなく、マン・レイ世界の住人になっている。特異な美しいポートレートである。 P. 162, 164, 176, 177

♣ ドミンゲス、オスカル

Óscar Domínguez 1906-1957 やぎ座

スペイン／フランスの画家。テネリフェ島サンクリストバル・デ・ラ・ラグーナに生まれる。幼時から顔の骨に病気があり、絵を描くことで乗りこえた。21歳のころ父とパリ旅行をしてキャバレや画廊、美術学校を歩き、タンギーやピカソの絵に震撼する。1933年にはブルトンとエリュアールを知り、シュルレアリスム国際展に参加。1936年に発案したデカルコマニーの技法などで高く評価されたが、1938年に友人の画家ヴィクトル・ブローネル（1903-1966）の片目をつぶす事件をおこして精神を病む。1952年からマリーロール・ド・ノアイユの愛寵を得たが、5年後の年末にバスタブで静脈を切って自殺した。

P. 94, 95

♥ ドライヤー、キャサリン

Katherine Dreyer 1877-1952 おとめ座

アメリカのコレクター。ブルックリンの鉄鋼業者の娘で、美術を学んでヨーロッパへ。パリでガートルード・スタインの家を訪れて現代美術の洗礼を受けた。帰国後の1916年にデュシャンやマン・レイと出会い、1920年には三人で前衛芸術後援団体「ソシエテ・アノニム」（マン・レイの命名）を発足。二人がパリへ発ったあとも現代美術の普及をはかり、展覧会と収集活動をつづける。そのコレクションはのちにイェール大学に寄贈された。 P. 28

♥ ドラ・マール → マール、ドラ

♥ **トリオレ**、エルザ（本名エラ・カガン）

Elsa Triolet (Ella Kagan)　1896-1970　おとめ座

フランスの作家。モスクワに生まれる。大作家ゴーゴリの指導をうけ、また詩人ウラジーミル・マヤコフスキーの作品をフランス語に翻訳。1919年、フランス人の将校アンドレ・トリオレとパリで結婚した際、名前を「エルザ」と改名し、離婚後はロンドンやベルリンを転々としてから、1924年にパリのモンパルナスはカンパーニュ・プルミエール通りに住む。マン・レイとキキの隣人になってカフェ「クーポール」に通い、姉リリ・ブリクと足しげく通ううちに、アラゴンを知った。1930年に姉の愛人だったマヤコフスキーが自殺。アラゴンとともにソ連へ赴き、その後も通訳を兼ねて何度かともに仏ソを往復してから、1939年に結婚することになる。

エルザは手仕事が好きで、35歳ごろからファッション・アクセサリーをつくっていた。専門店で材料を集めて入念に制作したネックレスやブローチを、いずれ高級メゾンに出すことを夢みて、マン・レイに撮影を依頼した。

第二次大戦中はアラゴンと抵抗運動をつづける間、1944年に小説『最初のほころびは二百フランかかる』によって女性初のゴンクール賞受賞作家となり、アクセサリー制作はやめて大作家への道を歩んだ。

P. 90, 98, 99, 100, 256

♣ **トレイヤール**、リュシアン

Lucien Treillard　1936-2003　いて座

フランスの美術研究者。1960年からマン・レイの最後の助手をつとめ、若い友人とみなされた。写真だけでなくオブジェや作品集の再制作、著作と原稿の再編集を主導して、芸術家マン・レイの名と作品を世界にひろめることに貢献する。マン・レイの死の床にも寄りそった。

1962年にはフランス国立図書館で「マン・レイ：写真作品展」を企画し、マン・レイ没後も同様の仕事をつづけた。

P. 187

♥ ドンナ → **ラクロワ**、アドン（ドンナ／ドンナ・ラクール）

♥ **ナイマン**、マーガレット

Margaret Neiman　1912-1993　誕生日不詳

アメリカのアーティスト。ハリウッド時代の隣人で、夫のギルバートとともにヴァイン通りの家へよく遊びに来た。彼女はテキスタイルと水彩画をよくし、マン・レイ制作のチェス・セットでジュリエットとゲームもした。

詩人で翻訳家のギルバートが1942年、マン・レイのパリ時代の知己だった作家ヘンリー・ミラー（1891-1980）を招んだので、５人で美術談義をしたり写真を撮ったりもした。顔にペイントしたマーガレットはジュリエットとの写真だけでなく、ヘンリーとの写真も撮影された。

P. 144, 146, 149

♥ **ナオミ**（・シーグラー／・サヴェージ）

Naomi Savage (Siegler)　1927-2005　かに座

アメリカの写真家。マン・レイの妹エルシーが会計士シーグラーと結婚してもうけた娘で、ジョージアシティで育った。マン・レイはいわゆる家族思いではなく、独立してからは両親と疎遠になっていったが、弟のサム、妹のドーラやエルシーとは文通もしており、彼らも兄に尊敬の念をいだいていた。とくに最愛の妹エルシーとは接触する機会が多く、1940年にニューヨークへ戻ったときにも、1947年にジュリエットとニューヨークからパリ旅行に出るときにも、シーグラー家に滞在している。

まだ若いナオミはそのエルシーとそっくりの風貌で、しかも伯父と同じ道に進むことを夢みていたこともあり、マン・レイは写真の手ほどきをした。またナオミはハリウッドのマン・レイ夫妻の家に滞在したこともあった。

1950年、ナオミは建築家・画家のデイヴィッド・サヴェージと結婚してパリへ行き、翌年に伯父夫妻と再会。デイヴィッドもマン・レイの崇拝者で、のちの回顧展にも協力している。1968年にはニュージャージー州立美術館で、「写真の二世代 マン・レイとナオミ・サヴェージ展」が開催された。マン・レイがハリウッド時代に撮ったナオミのポートレートも魅力的である。

P. 13, 144, 146

♥ **ニジンスカ**、ブロニスラヴァ

Bronislava Nijinska　1891-1972　やぎ座

ロシアのバレリーナ・振付師。ポーランドの舞踏一家に生まれ、兄のヴァーツラフ・ニジンスキーと同様、1909年にパリでロシア・バレエ団の発足メンバーとなる。兄とともに代表的な踊り手だった。

バレエ『ル・トラン・ブルー』（1924年、コクトー作、シャネル衣裳、ピカソ舞台装飾）では、同団はじめての女性振付師になり、幾何学的な動きを追求。みずからも南仏でテニスに興じる役を踊った。

1930年代には自身のカンパニーを持って多くの舞台を構成。1938年にロサンジェルスへ移住して学校をひらき、1960年代まで活動した。

P. 80, 82

♥ **ニュッシュ**（・エリュアール／マリア・ベンツ）
Nusch Éluard (Maria Benz)　1906-1946　ふたご座
フランスのモデル。アルザスのミュルーズに生まれ、ドイツで女優や絵葉書のモデルをしていたが、1929年に列車のなかでエリュアールと出会い、愛しあう。1934年にガラと別れたエリュアールと結婚して以来、詩人のミューズとして生きたが、1946年に路上で急死し、夫を悲嘆にくれさせた。
マン・レイは夏のヴァカンスをともにしたピカソ同様、彼女に抗しがたい魅力を感じて写真のモデルにした。美しい容姿だけでなく仕草の優美さと演技力、存在感があった。エリュアールの詩に飾られた写真集『容易』[147]（1935年）はニュッシュの姿体を称えたもので、マン・レイの裸体写真中の白眉といえる。その早すぎる死を悼むエリュアールの詩集『時が溢れる』（1947年）には、マン・レイも友人ドラ・マールとともにニュッシュの写真を寄せた。P. 16, 43, 52, 58, 106, 116, 124, 125, 126, 127, 136, 208, 240

♥ **ノアイユ子爵夫人**、マリーロール・ド
La Vicomtesse Marie-Laure de Noailles
1902-1970　さそり座
フランスの貴族・芸術擁護者・画家。パリ財界名士の父と、サド侯爵の血を引く母とのあいだに生まれる。父が結核で早逝したため、幼少期に莫大な遺産を相続。コクトーとは幼なじみだった。
1923年にシャルル・ド・ノアイユ子爵（1891-1981）と結婚し、パリ11区アメリカ広場の邸に住む。内部をアール・デコに改装して夜ごと盛大な晩餐会を催し、パリのみならず世界中の社交界人・芸術家たちを招待。マン・レイもコクトー、ブニュエル、ジャコメッティらとともに常連のひとりだった。
マン・レイの映画『骰子城の秘密』（1929年）は子爵夫妻の注文で、南仏イエールに完成したばかりのキュビスム風の別荘で撮影された。ほかにもコクトーの『詩人の血』やブニュエルの『黄金時代』（ともに1930年）など、子爵夫妻が出資（ときには出演）した映画はいくつかある。
マリーロール自身も絵を描いており、友人オスカル・ドミンゲスのデカルコマニーを想起させるような魅力的な作品をのこしている。P. 80, 85, 208, 209

♣ **バルベット**（本名ヴァンダー・クライド・ブロードウェイ）
Barbette (Vander Clyde Broadway)　1898-1973　いて座
アメリカの女装芸人。テキサス生まれ。母に連れられて見たサーカスに魅了され、14歳で綱渡りや空中ブランコの芸人になる。フランス風の芸名「バルベット」を名のり、女装アクロバットを演じてアメリカ中に知られた。1923年にロンドンへ、ついでパリへ進出し、劇場やキャバレに登場。カジノ・ド・パリでその演技を見たコクトーが絶賛し、バルベットの女装する過程を撮影するよう依頼したので、マン・レイによるバルベットの写真連作が生まれた。
その後もヨーロッパ各地で公演をつづけたが、コクトーの映画『詩人の血』のために呼びもどされ、シャネルのガウンを着て出演。パリの社交界を沸かし、ドラッグ・クィーンの先駆になった。P. 80, 84

♥ **パルムッター**、ティリア
Tylia Perlmutter　1904-1927頃　誕生日不詳
フランスのモデル。ポーランド系のオランダ人。1922年、妹のブローニャとともにアムステルダムからパリへ出て、モンパルナスに住み、二人でモデルになる。キスリングやローランサン、藤田やパスキンと交友。ベレニス・アボットの恋人として、アボットとマン・レイに肖像写真を撮られている。
ティリア自身は若くして亡くなり、誕生日も没年も不詳。だが妹のブローニャは1925年に映画作家ルネ・クレールと結婚し、1950年代には姉の名を借りたティリア・カレンの筆名で『アンネ・フランクの日記』の翻訳者となる。アンネの父オットー・フランクに依頼された仕事だった。P. 117

♥ ピカソ、オルガ → **オルガ**（・コクロヴァ／・ピカソ）

♥ ピカソ、ジャクリーヌ → **ジャクリーヌ**（・ロック／・ピカソ）

♣ **ピカソ**、パブロ
Pablo Picasso　1881-1973　さそり座
スペインの画家。マラガに生まれ、バルセロナを経て1904年にパリへ出る。1907年に記念碑的な油彩大作《アヴィニョンの娘たち》を発表し、その後も作風を劇的に変化させながら第一線で活躍した。
マン・レイは1922年にピカソの近作の撮影を頼まれ、あわせて肖像写真も撮った。ピカソの初期キュビスム時代の油彩画を集めた写真集も手がけている。一方でピカソによるマン・レイの肖像デッサンが1934年の『マン・レイの写真 1920-1934 パリ』[248]の巻頭を飾っている。
1936年から3年間、二人はアディとドラ・マール、エリュアール夫妻などとともに南仏ムージャンで夏

をすごした。その日常をカラー映画に撮ったものがのこっている。マン・レイがアンティーブに購入したアトリエはその後ピカソに譲られた。

第二次大戦後はピカソが共産党員として活動したためもあり、やや遠ざかっている。 P. 7, 8, 9, 14, 18, 52, 62, 80, 81, 83, 116, 122, 131, 136, 162, 164

♣ **ピカビア**、フランシス

Francis Picabia 1879-1953 みずがめ座

フランスの画家・詩人。キューバ公使の子としてパリに生まれ、のちに国際ダダ運動の立役者のひとりになる。マン・レイとはニューヨークで出会い、1920年からは肖像写真のほか、自分の作品の撮影も依頼していた。 P. 18, 28, 42, 90, 269

♥ **ビーチ**、シルヴィア

Sylvia Beach 1887-1962 うお座

フランスの書店主・翻訳家・編集者。アメリカの長老派教会の牧師の子で、父について国内を転々としたのち、1901年にパリに出て４年間すごす。フランス文学研究をめざしてパリを再訪したが第一次大戦となり、救護活動に志願して従事。セルビアのアメリカ赤十字社にも勤務した。

渡仏前からの夢を実現するべく、1919年にサンジェルマン・デ・プレに書店「シェイクスピア商会」をひらいた。２年後にはオデオン通りに移転し、英米文学を扱いながら画廊やサロンの役割もはたす。ガートルード・スタインのいわゆる「ロスト・ジェネレーション」のアメリカ作家たちや、フランスの作家・芸術家たちの交流の輪をひろげた。

マン・レイも常連のひとりで、1922年、発禁になったジェームズ・ジョイスの小説『ユリシーズ』をビーチがパリで刊行すると決めたとき、頼まれてジョイスの肖像写真を撮っている。 P. 208

♥ フィドラン、アディ → **アディ**（アドリエンヌ・フィドラン）

♥ **フィニ**、レオノール

Leonor Fini 1907-1996 おとめ座

フランスの画家・小説家。アルゼンチン人の父とイタリア人の母のもとブエノスアイレスに生まれる。幼くして両親が離婚してから、イタリア（当時オーストリア・ハンガリー帝国領）の港町トリエステで、国際色ゆたかな教育を受けて育つ。1925年に画家になることを決意し、ミラノへ。1931年にはパリへ出て、シュルレアリスムに傾倒した。

1937年、グループには参加したが、自我に発する幻想の方向がシュルレアリスム絵画と相いれないと感じ、距離を置く。スフィンクスやキメラの司る聖なる儀式を、女性原理の支配するレズビアンの感覚で描き、男性優位社会に対抗する幻想美術を展開した。

同じころ、スキャパレッリのためにアクセサリーや服のデザインもしている。《ショッキング》の香水瓶は人気を得た。第二次大戦後も独自の思想をつらぬきつつ、さらに優美で妖艶な幻想へ進み、多くの支持者を得た。 P. 116, 121

♣ **藤田嗣治**（洗礼名レオナール・）

Tsugouharu (Léonard) Foujita 1886-1968 いて座

日本／フランスの画家。東京に生まれ、のちに陸軍軍医総監となる父のもとで育つ。父の前任者・森鷗外の薦めで東京美術学校に通うが日本画壇に飽きたりず、結婚後すぐ妻をのこして1913年にパリへ。モンパルナスに住み、モディリアーニやパスキン、スーティンのほか、日本人とも交友。パリ社交界で「東洋の貴公子」といわれる富豪・薩摩治郎八から経済的支援を受けた。第一次大戦中は生活に困窮したが、1917年、フランス人の絵画モデルと再婚したころから絵が売れはじめ、戦後景気もあって成功を収めた。

1922年、裸でベッドに横たわるキキを描いた《トワル・ド・ジュイに横たわる裸婦》が大好評を博し、破格の値で買いとられた。マン・レイとはアトリエも近くキキの縁もあるので交友し、時代の寵児だったころに肖像写真を撮られている。

フジタは以来、モンパルナスの「狂騒の時代」を謳歌する。珍奇ないでたちでモデルと遊ぶ姿は有名になり、幾度か妻を変えている。1931年から北・南米へ行き、36年に日本に戻る。翌々年に従軍画家として中国へ。パリにいちど戻ったが第二次大戦勃発後に帰国し、陸軍美術協会理事長に就任して戦争画を描く。敗戦後には「戦争協力者」と批判され、1949年にフランスへ。国籍を得て1959年にはカトリックに入信し、洗礼名レオナールを名のることになった。 P. 64, 88, 89

♣ **ブニュエル**、ルイス

Luis Buñuel 1900-1983 うお座

スペインの映画作家。アラゴンのカランダに生まれ、マドリードの美術学校でダリを知る。1925年にパリに出てシュルレアリストたちと交流し、1928年にダリと映画『アンダルシアの犬』を撮って衝撃をまきおこす。1930年、ノアイユ子爵夫妻から資金を得た『黄金時代』では、映画館ロビーにシュルレアリストたち（マン・レイもふくむ）の絵画を展示していたところ、右翼団体の破壊行為に見舞われ、当局から上映中止を命じられた。ブニュエルを「シュルレアリスムを代表する映画作家」と認めるシュルレアリストたちの抗議行動はひとつの事件となった。

その後メキシコ、フランス、スペインでシュルレアリスム的な映画を撮る。1967年の『昼顔』撮影のあと、主演のカトリーヌ・ドヌーブがマン・レイに肖像を撮影されている。 P. 52, 61, 164, 208

♥ **フライターク・ローリングホーフェン男爵夫人**、エルザ・フォン

Baroness Elsa von Freytag-Loringhoven

1874-1927　かに座

ドイツ出身のアーティスト。18歳で家を出てベルリンで合唱団員になり、演劇や美術を学ぶ。二度の離婚を経て、1913年にはニューヨークでレオポルド男爵と出会うが、翌年に離別。困窮してグリニッチ・ヴィレッジをうろつき、奇行をくりかえしてダダに注目される。マン・レイはデュシャンと映画『エルザ・フォン・フライターク・ローリングホーフェン男爵夫人が恥毛を剃る』を撮ったとされるが、これは現存していない。1923年にベルリンに戻ってなお困窮し、友人ベレニス・アボットやペギー・グッゲンハイムに助けられた。 P. 209

♥ ブラウナー、ジュリエット → **ジュリエット**（・ブラウナー／・マン・レイ）

♥ **ブラウナー**、セルマ

Selma Browner　1925-1975　誕生日不詳

アメリカの女性、ジュリエットの妹。ブラウナー家の７人の子のうち妹は彼女だけで、年はひとまわり離れていたが仲がよかった。1945年にセルマはハリウッドに姉を訪ね、ヴァイン通りの家や浜辺で、姉妹でふざけあう姿をマン・レイに撮られている。 P. 146, 151

♥ プラン、アリス → **キキ・ド・モンパルナス**

♣ **ブラント**、ビル（本名ヘルマン・ヴィルヘルム・ブラント）

Bill Brandt (Hermann Wilhelm Brandt)

1904-1983　おうし座

イギリスの写真家。ハンブルクの生まれで、父はイギリス人、母はドイツ人。第一次大戦後に結核を患い、スイスのダヴォスで療養して以来、ヨーロッパを転々とする。エズラ・パウンドを撮影した縁でマン・レイに紹介され、1930年まで助手をつとめた。1933年にはロンドンへ移って活動の拠点にし、イギリス20世紀を代表する写真家となる。 P. 8

♣ **ブルトン**、アンドレ

André Breton　1896-1966　みずがめ座

フランスの詩人。ノルマンディーのタンシュブレーの生まれ。幼時をブルターニュですごし、パリで育った。精神科医学生として第一次大戦に従軍、1919年にはスーポーを誘って自動記述（書くことを予定せずに筆を走らせる行為）の実験をおこない、理性に支配されない思考・言語の可能性を提示。パリ・ダダの中心人物のひとりとなったが、まもなくピカビアやツァラと対立し、1924年には新たにシュルレアリスム運動をおこした。

マン・レイのパリ到着後に会って以来、ダダとシュルレアリスムの時代を通じて交友し、協力しあう仲になった。運動の機関誌だけでなく著書『ナジャ』（1928/63年）や『狂気の愛』（1937年）にもマン・レイの写真を用い、またマン・レイの作品集の序文など、多くのオマージュを書いている。第二次大戦中にはニューヨークで再会。戦後にパリに戻ってからも、画廊「封印された星（レトワール・セレ）」[259]での個展やシュルレアリスム展などで、いつもマン・レイを重んじていた。

マン・レイの撮ったブルトンの肖像写真も数多い。モンパルナスとは離れたモンマルトル界隈の住民で、指導的人物ながら６歳年下ということもあり、マン・レイとの関係は密接というほどではなかったが、影響力があり、交友の果実は豊かだった。

P. 7, 10, 11, 15, 42, 52, 55, 56, 116, 146, 152, 162, 187, 192, 205, 208, 236, 238

♥ ブルトン、シモーヌ → **カーン**、シモーヌ（・ブルトン／・コリネ）

♥ブルトン、ジャクリーヌ →**ランバ**、ジャクリーヌ（・ブルトン）

♥ **ベイカー**、ジョセフィン

Josephine Baker　1906-1975　ふたご座

アメリカ／フランスのダンサー・歌手。セントルイスの路上芸人夫婦の子で、貧困のゆえに若くして結婚、まもなく離婚してダンサーになり、ブロードウェイの舞台でおどけ役を演じる。1925年にパリへ

渡り、シャンゼリゼ劇場の黒人ショー「ルヴュ・ネーグル」[88]に出演した。チャールストンやバナナ・ダンスなどで黒人文化の魅力をふりまき、フォリー・ベルジェール劇場の看板スターになる。その後、映画『裸の女王』(1934年)やオペレッタ『ラ・クレオール』(1934年)に出演し、ヒット曲「ふたつの愛」も生まれた。「ルヴュ・ネーグル」ではマン・レイもその舞台を見ていただろう。

「狂騒の時代」のパリで多少とも人種差別をまぬかれ、ジョゼフィーヌ・バケール(フランス語読み)は一世を風靡した。フランス国籍を取得し、第二次大戦中にはレジスタンスの諜報員となる。戦後は5度目の結婚をして世界各地の孤児を「虹の部族」と呼んで養子にし、公演旅行のかたわら、人種差別撤廃運動と公民権運動にも尽力した。 P. 80, 87, 208

♣ ペンローズ、ローランド

Roland Penrose 1900-1984 てんびん座

イギリスの美術批評家・コレクター・画家。ロンドンのクエーカー教徒の家に生まれる。父は画家、母は銀行家の家系だった。第一次大戦中にイタリア前線に送られ、復員してケンブリッジ大学を卒業。1922年からパリへ出て絵画を学び、エルンストを介してシュルレアリストたちと交友する。1925年にヴァランティーヌ(1898-1978、シュルレアリスム運動開始時の女性メンバー4人中のひとりで、1936年夏には南仏ムージャンでマン・レイと交遊)と結婚し、エジプトやインドやスペインをめぐる。

1935年に帰国し、イギリスにシュルレアリスムをひろめるべく、翌年のロンドンでのシュルレアリスム国際展のために尽力した。ロンドン画廊も開設。

1937年初夏、パリでの仮装パーティーで、エジプトから一時もどっていたリー・ミラーと出会い、恋におちる。エルンスト展の準備のために借りたコーンウォールの家にリーを誘い、エルンストとレオノーラ・キャリントン、エリュアール夫妻、マン・レイとアディのカップルとともにすごす。さらに南仏ムージャンにも同行し、翌年にはリーとバルカン半島をめぐり、1939年にヨーロッパへつれもどす。その間にエリュアールから、絵画や原始美術のコレクションを購入している。

第二次大戦でも動員されたが、戦後の1947年、パリでのシュルレアリスム国際展にイギリス代表として参加。リーと正式に結婚し、1950年代は執筆活動に励んだ。 P. 72, 136, 240

♥ ホモルカ、フローレンス(・メイエ)

Florence Homolka (Meyer) 1911-1962 みずがめ座

アメリカの写真家・社交界人。ニューヨーク生まれで、母はジャーナリスト、父はワシントン・ポスト紙の発行人。パリとベルリンでダンスや演劇を学んだあと、多くの有名人の肖像写真を撮るようになった。写真家のエドワード・スタイケンやウォーカー・エヴァンス、ブラッサイらとも交友。夫は俳優のオスカー・ホモルカである。

友人マン・レイの合同結婚式のときにはアレンズバーグ邸に駆けつけ、エルンストとマン・レイ両夫妻の写真をのこした。 P. 152, 241

♣ ボーモン伯爵、エティエンヌ・ド

Le Comte Étienne de Beaumont 1883-1956 うお座

フランスの貴族・文芸庇護者。みずからも室内装飾やオペラの衣裳・台本を手がけた。相続した古典美術を切り売りして、ピカソをはじめ現代芸術家たちの作品を購入し、展覧会やオペラ、バレエ、サティのフェスティヴァルのほか、映画の製作にも資金を提供した。伯爵主催の夜会や仮装パーティーには、マン・レイも招待されている。1925年にボーモン伯爵のポートレートを撮影。伯爵自身、1929年の映画『骰子城の秘密』に出演している。 P. 80, 83

♣ ボワファール、ジャックアンドレ

Jacques-André Boiffard 1902-1961 しし座

フランスの写真家。ヴァンデの出身で医学生だったが、1924年にシュルレアリスム運動に加わり、マン・レイの助手となる。映画『エマク・バキア』[42]などの撮影に協力、『骰子城の秘密』では出演もした。写真の代表作としてブルトンの書『ナジャ』に挿入されたパリの町の写真、ジョルジュ・バタイユの『ドキュマン』誌に載った《女の足指》などがある。1929年にグループから去り、医学界に戻って放射線技師となった。 P. 8, 52, 55, 209

♥ ポワレ、ドゥニーズ

Denise Poiret 1886-1982 うお座

フランスの社交界人。ノルマンディーのエルブフの生まれで、ラシャ布製造と趣味の猟犬改良などで財を築いた父をもつ。1905年にジャック・ドゥーセやワースのアトリエで働き、独立したばかりの若いポール・ポワレと結婚、5人の子をもうけている。

自由で屈託がなく、飾らないエレガンスをそなえていたので、ポワレは1913年、彼女こそ「創作のミューズであり、ポワレのあらゆる理想を表現する女

性だ」と称えた。いわゆる「ギャルソンヌ（少年のような、自立する自由な）」の典型でもあった。

ポワレはパリのもっとも高級な地区フォブール・サントノレ通りにあった18世紀の総督の館を入手し、そこで贅をつくした夜会をひらいた。ドゥニーズはいつもポワレの衣裳を身につけてあらわれ、パリのもっともエレガントな女性のひとりとも、夜会のヒロイン、優しい母君とも称された。 P. 90, 96

♣ **ポワレ**、ポール
Paul Poiret 1879-1944 おうし座

フランスの服飾デザイナー。1898年からパリの高級婦人服デザイナーでコレクター・パトロンでもあったジャック・ドゥーセ（1853-1929）のもとで働き、1903年に独立。翌年に女性の装飾デッサン学校アトリエ・マルティーヌを創設。妻ドゥニーズとの娘たちの名を冠した香水瓶を売るなどして人気を博した。さらに裾の狭いホブルスカートで女性たちをコルセットから解放し、画家たちと提携して芸術性の高いファッションを実現、イスラームやロシアの意匠をとりいれてオリエンタリズムを流行させるなど、ファッション界に君臨する存在となり、第一次大戦後まで人気を持続していたが、1925年のアール・デコ展を境に威光を失い、やがて没落した。

マン・レイはパリに来て間もない1921年9月、ピカビアの妻ガブリエル・ビュッフェの紹介でポワレの邸宅を訪ね、モデルを使った衣裳の撮影の仕事をまかされた。それによってモード界にデビューし、ファッション雑誌に斬新な写真を発表しはじめる。マン・レイはそれで収入源を確保することができたが、自分の本領とは認めず、1930年代後半には足を洗うことになる。 P. 43, 90, 97, 208

♥ マダム・ドラ → **カルミュス**、ドラ

♥ マリーロール → **ノアイユ子爵夫人**、マリーロール・ド

♣ **マルクーシ**、ルイ（本名ルドヴィク・マルクス）
Louis Marcoussis (Ludwik Markus)
1878-1941 さそり座

ポーランド／フランスの画家。ワルシャワに生まれ、クラクフで美術を学ぶ。25歳でパリに出て諷刺画などを描く。ボヘミアンのグループに近づき、アルフレッド・ジャリらと交遊。アポリネールにフランス風の姓名をつけてもらった。一時は前衛に列してピカソ、ブラックらとキュビスムを追求。第一次大戦ではフランス兵としてポーランドへ出征、戦後にフランス国籍を得る。1930年代には版画技法に熟達し、教えてもいる。アポリネールやツァラの詩集の挿絵を描き、マン・レイとも接触した。 P. 116

♥ **マール**、ドラ
（本名アンリエット・テオドラ・マルコヴィッチ）
Dora Maar (Henriette Theodora Markovitch)
1907-1997 さそり座

フランスの写真家。トゥールに生まれたが、ユーゴスラヴィア人の彫刻家だった父について幼少期をアルゼンチンですごす。パリに戻って装飾美術学校へ通い、ジャクリーヌ・ランバを知る。アカデミー・ジュリアンと市の写真学校にも通った。劇的な光の効果をもつ肖像写真や、謎めいた光景のフォトモンタージュを試み、1934年からシュルレアリスム運動に参加。国際展にも何度か出品している。

ドラはカンパーニュ・プルミエール通りの住人で、1936年にはマン・レイの前でポーズをとった。ピカソと出会ってその愛人になり、ブラッサイにかわってピカソの絵画作品を撮影。《泣く女》や《ゲルニカ》のモデルにもなった。

夏は南仏ムージャンに同行し、マン・レイとアディ、ポールとニュッシュのエリュアール夫妻、ペンローズやリー・ミラーなどとも交遊したが、1944年にはピカソと別れて絵を描きはじめた。1947年に出たエリュアールの詩集『時があふれる』には、マン・レイとともに写真を寄せている。晩年は南仏メネルブで暮した。 P. 87, 116, 123, 127, 269

♥ **ミスタンゲット**
（ジャンヌ・フロランティーヌ・ブルジョワ）
Mistinguett (Jeanne Florentine Bourgeois)
1875-1956 おひつじ座

フランスの歌手・女優。パリ郊外アンジャンレバン生まれ。少女時代から歌のうまい花売り娘として知られ、演劇と音楽を学ぶうちにカジノ・ド・パリの舞台監督と知りあって「ミスタンゲット」という芸名をもらい、1895年にデビュー。1920年代にはパリのフォリー・ベルジェールやムーラン・ルージュで聴衆を沸かし、みごとな脚線美と「モノム／マイ・マン」などのヒット曲で人気を博した。コクトーなども熱烈なファンだったので、マン・レイも彼女のショーを見ていただろう。 P. 80

♥ **宮脇愛子**
Aiko Miyawaki 1929-2014 おとめ座

日本の彫刻家。熱海の旧家に生まれ、病弱な少女時代をすごしたが、敗戦後に日本女子大に進み、卒業後に文化学院美術科へ。阿部展也や斎藤義重に師事し、アメリカ短期留学ののち、1959年には東京で初個展をひらく。瀧口修造の助言でミラノに学び、1961年に当地で初個展。パリ、ニューヨークを経て1966年に帰国した。真鍮パイプを使った彫刻を制作し、ワイヤーで流れるような曲線をつくる《うつろひ》連作へと展開した。

マン・レイとはリヒターの紹介で1959年に会い、フェルー通りのアトリエをたびたび訪れるうちに、1962年のある日、ポーズをとるように求められた。マン・レイは旧式のカメラを構え、手の組み方をあれこれ指示をしながら撮影。肖像写真ができてみると、なんとレオナルド・ダ・ヴィンチの《モナ・リザ》のポーズそのものになっていた。これはのちに《マッチ箱》に複製されてもいる。

宮脇愛子はマン・レイから作品を贈られ、夫の磯崎新とともにシェーズ通りの晩年の家にも招ばれた。フェルー通りのアトリエや、町を歩くマン・レイとジュリエットを写真に撮り、日本のシュルレアリスト瀧口修造に送っていたので、戦前からマン・レイのよき理解者だったこの老詩人は、会ったことのない老芸術家を長年の友のように感じたという。宮脇愛子はマン・レイの没後もジュリエットと交友をつづけた。 P. 162, 164, 175

♥ ミラー、リー → **リー**(・ミラー/本名エリザベス・ミラー)

♣**ミロ**、ジョアン

Joan Miró　1893-1983　おうし座

スペインの画家・彫刻家。バルセロナに生まれ、パリに出て1924年からシュルレアリスムに参加。故郷のカタルーニャやマジョルカとパリを往復し、オートマティックなイメージを展開。やがて運動を離れ、風土的・民俗的・考古学的な起源を自覚する独自のアートに到達した。マン・レイは自伝のなかで、ミロの自在な線描と控え目な人柄に言及している。無口ゆえにからかわれ、首に綱をまかれて自殺を促されたという逸話から、その場面を再現する肖像写真を撮っている。 P. 106

♥ メイエ、マリオン → **ゼルビブ**、マルセル

♥ **ユゴー**、ヴァランティーヌ

Valentine Hugo　1887-1968　うお座

フランスの画家・作家。ピアニストの家に生まれ、1907年からパリの美術学校に通う。画家たちのサロンに出入りする一方、ダンスと音楽にもかかわり、踊子のデッサンを描いてシャンゼリゼ劇場に展示。木版による優美な挿絵を得意とした。

1919年、作家ヴィクトル・ユゴーの曾孫で画家のジャンと結婚。ノアイユ子爵やボーモン伯爵の夜会のために仮装の衣裳や仮面をつくり、舞台衣裳や大道具などのデザインでも活躍した。

シュルレアリスムへの参加は1931年、ブルトンにみずから接近してからで、オブジェ制作などを試みてシュルレアリスム展に出品した。ブルトンをはじめとするシュルレアリスム詩人たちの肖像画、幻想文学の挿絵などを版画で描いた。

1963年にはマン・レイと同様にヴェズレーのイヴォンヌ・ゼルヴォス家に滞在し、その作品が「ラ・グロット」コレクションに加えられた。 P. 116, 121

♥ **ラオン**、アリス

Alice Rahon　1904-1987　ふたご座

フランスの詩人/メキシコの画家。ジュラ山脈ルー川の谷間に生まれる。3歳からギプスをつける身で、ぎこちない歩行と痛みに耐える生活だったが、パリでオーストリア出身の画家ヴォルフガング・パーレン(1905-1959)と出会い、1934年に結婚。ともにシュルレアリスム運動に加わり、1936年にアリス・パーレンの名で初詩集『大地から直に』を出版。夫と旅をはじめてアルタミラ洞窟壁画を見たり、ペンローズ夫妻とインドをめぐったりした。

ブルトン夫妻のメキシコからの手紙に誘われ、アラスカ経由で北米先住民族の芸術を見てから、1939年にメキシコに到着。フリーダ・カーロ(1907-1954)とその夫ディエゴ・リベラ(1886-1957)を知る。第二次大戦勃発後もパーレン夫妻はそのままメキシコにのこった。

1940年、メキシコのシュルレアリスム国際展に参加。最後の詩集となる『黒い動物』(1941年)を発表し、自分で絵を描きはじめる。1946年にメキシコ国籍を取得して翌年パーレンと離婚、以後アリス・ラオンの名で絵画制作をつづけた。 P. 122

♥ **ラクロワ**、アドン(ドンナ、ドンナ・ラクール)

Adon Lacroix (Donna, Donna Lacoeur)

1887-1975　かに座

ベルギー/アメリカの詩人、マン・レイの最初の妻。1913年夏に前夫とリッジフィールドを訪れてマン・レイと出会い、その日のうちに恋仲になる。3歳

年上で子持ちだったが翌年に結婚。彼女へのマン・レイの想いは、当時の油彩《ドンナの肖像》などにあらわれている。

ドンナはマン・レイにフランス語でボードレール、ランボー、ロートレアモン伯爵（イジドール・デュカス）、マラルメ、アポリネールなどの詩を読みきかせたので、彼はフランス文学に開眼し、パリへの憧れをつのらせた。

1915年にニューヨークに戻ってから関係が悪化。アドンは浮気で外泊が多くなり、マン・レイは《自殺》と題する絵まで描き、1919年には破局にいたる。

短い結婚生活（正式離婚は1937年）だったが、アドンから得たものは大きい。マン・レイは晩年の版画集『時を超えた貴婦人たちへのバラード』にもドンナを登場させている。 P. 9, 10, 11, 12, 18, 19, 20, 31, 144, 187, 192, 199, 233

♥ ラム、タニヤ

Tanja Ramm　1906-1997　誕生日不詳

フランスのモデル・デザイナー。ノルウェー出身。ニューヨークのアート・ステューデント・リーグで学び、リー・ミラーと出会う。1930年、パリでモデルとデザイナー見習の仕事につき、リーが独立をめざして借りた新しい部屋に同居して、女性二人の活動拠点とした。その後もリーと生涯つきあった仲である。 P. 72, 76

♥ ランバ、ジャクリーヌ（・ブルトン）

Jacqueline Lamba (-Breton)　1910-1993　さそり座

フランスのダンサー・画家。ブルトンの二番目の妻。パリ郊外に生まれ、早くに父を失う。装飾美術学校に入ってから母も亡くなったため、修道女の営むパリの「若い女性たちの家」に仮寓し、百貨店のウィンドー装飾係や、水中バレエ・ダンサーなどをして自活。ブルトンの著書『ナジャ』に感動して、同級生のドラ・マールを介してブルトン行きつけのカフェに通い、1934年初夏に出会う。ブルトンは彼女を「スキャンダラスなほど美しい」と書いている。

まもなく結婚。ニュッシュとポール・エリュアールとの合同結婚式で、ジャコメッティが介添人、マン・レイが写真係をつとめた。

以来1947年まで、シュルレアリストの一員としてみずから「プリズム絵画」などを描き、プラハやテネリフェ島でのシュルレアリスム国際展、ペギー・グッゲンハイムの企画による女性画家展に出品。ブルトンと訪れたメキシコ市ではフリーダ・カーロと会って交友した。

1943年に離婚。ひとり娘のオーブ（・エレウエ）も、のちにシュルレアリスム活動に加わっている。

ジャクリーヌはとくにブルトンの1937年の著書『狂気の愛』を通じて、シュルレアリスムのミューズのひとりに数えられ、マン・レイもたびたび肖像写真を撮っている。 P. 52, 57

♥ リー（・ミラー／本名エリザベス・ミラー）

Lee (Elizabeth) Miller　1907-1977　おうし座

アメリカ／フランス／イギリスのモデル・写真家。ニューヨーク近郊に生まれ、母はカナダ人、父はアメリカ人。少女時代から美貌を称えられ、20歳前にモデルとして『ヴォーグ』誌の表紙を飾った。だが独立心が強く、ひとりでイタリア旅行をするうちに写真家になろうと決め、最高の写真家の教えをうけたいと考えてパリへ出てきた。

1929年7月、マン・レイはモンパルナスのバー「バトー・イーヴル（酔いどれ船）」で、自分を待つリーと出会った。あなたの弟子になりたいという。キキと別れて孤独だったマン・レイは、彼女を弟子ではなく助手にして受けいれ、以来3年間をともにすごすことになる。

リーは受付や暗室係をするうちに、肖像写真・ファッション写真も撮れるようになった。天分も野心もあり、自分で将来を切りひらこうと思いはじめる。1930年には近くに別の部屋を借りてタニア・ラムと住みアトリエに通うことにした。

マン・レイはリーを熱愛し、リーもマン・レイを愛してはいたが、求婚には応じなかった。彼女の冷淡さと独立心と男を惹きつける美貌とがマン・レイを苦しめる。リーがコクトーの映画『詩人の血』に出演したことなどが別れるきっかけになった。

リーは1932年にエジプト人資産家アジス・エルイ・ベイと出会い、マン・レイを捨てて結婚。1937年にはパリで、シュルレアリスムの支持者であるローランド・ペンローズを知り、愛され、やがて再婚してマン・レイとも和解した。第二次大戦中は従軍ジャーナリストとして活動し、連作写真集『無慈悲な栄光』（1941年）で評価されている。

マン・レイはリーと別れてから《破壊するべきオブジェ》をつくり、《天文台の時刻に —— 恋人たち》[76]を描いた。

P. 8, 9, 16, 42, 43, 47, 72, 73, 74, 75, 76, 77, 78, 80, 136, 146, 191, 192, 208, 231, 239, 240, 244, 269

♣ リゴー、ジャック

Jacques Rigaut　1898-1929　やぎ座

フランスの詩人。パリ生まれのダンディー。1921年7月、マン・レイのパリ到着の日にカフェ「セルタ」で会ったメンバーで、グループ随一の伊達男に見えたといわれる。作品はほとんど書かずに自殺を「天職」と称し、幾度かの未遂ののちに30歳で自殺。英語ができることもあってマン・レイとは親しく、映画『エマク・バキア』[42]に出演した。

P. 42, 209, 235

♣ **リヒター**、ハンス
(本名ヨハンネス・ジークフリート・リヒター)
Hans Richter (Johannes Siegfried Richter)
1888-1976　おひつじ座

ドイツ／スイス／アメリカの画家・映画作家。ベルリンの裕福なユダヤ人の家に生まれ、画家を志望したが父の勧めで大工の見習をし、ヴァイマルとパリで建築と美術を学ぶ。1913年から表現派のサークルに参加。第一次大戦で負傷し、スイスへ療養を兼ねた新婚旅行に出た際、ダダイストたちと出会う。1917年から2年間、ダダに協力しイヴェントや出版にかかわったのち、実験的な映画を制作。1940年にアメリカに亡命し、その後ニューヨーク市立大学映画研究所長に就任する。シュルレアリストたちを動員した映画『金で買える夢』(1946年)を制作する際、マン・レイにも参加を依頼したが辞退され、マン・レイの小説をシナリオとして使用する許可だけを得た。1962年にスイスへ戻り、晩年のマン・レイともパリで交友。彼に宮脇愛子を紹介したのもリヒターである。　P. 145, 164

♣ **リブモンデセーニュ**、ジョルジュ
Georges Ribemont-Dessaignes 1884-1974　ふたご座

フランスの画家・詩人・作家。モンプリエ生まれ。ピカビアと親しく、パリ・ダダで破天荒の活躍をした。1924年に『新しい画家たち マン・レイ』をガリマール書店から刊行しており、これが世界初の本格的なマン・レイ論だとされている。　P. 45, 235

♣ **リューイン**、アルバート
Albert Lewin　1894-1968　てんびん座

アメリカの映画作家。ニューヨークのブルックリン生まれ。ハリウッドで活躍した映画監督で、美術を好み、『ドリアン・グレイの肖像』や『ベラミ』などに画家を登場させたり、美術的趣向も凝らしたりした。ハリウッドにいるマン・レイに注目し、1951年の意欲作『パンドラ』では彼の絵や写真やチェス・セットを小道具に使う。主演は美人女優エヴァ・ガードナーだったが、リューインはマン・レイに彼女のポートレートの撮影も依頼したので、一連の美しい肖像写真が生まれた。　P. 144, 154

♣ **ルロン**、リュシアン
Lucien Lelong　1889-1958　てんびん座

フランスのデザイナー。パリで生まれ、家業のテキスタイル店を継いだあと、自分の店をひらく。早くから『ヴォーグ』誌に登場。1940年代にはデザイナーとしてディオール、バルマン、ジヴァンシーらが店で働き、ルロン・スタイルを保つ。香水なども人気があり、コレットやグレタ・ガルボも顧客だった。第二次大戦中、ドイツ占領下のパリで労働組合を維持し、服飾産業を守った功績がある。

P. 94, 95, 100, 102

♣ **レジェ**、フェルナン
Fernand Léger　1881-1955　みずがめ座

フランスの画家。パリで建築製図工として働きながら装飾美術学校などに通う。1907年のセザンヌ回顧展で衝撃をうけ、キュビスムを探究。モンパルナスの共同住宅兼アトリエ「ラ・リュッシュ(蜂の巣)」に住んで前衛グループに加わり、独自の様式を確立した。第二次大戦後に壁画をはじめる一方、1923年には実験的な映画『バレエ・メカニック』[40]を撮り、マン・レイからキキ・ド・モンパルナスの写真を借りている。　P. 49, 209

♣ ローズ・セラヴィ → **デュシャン**、マルセル

♣ ロートレアモン伯爵 → **デュカス**、イジドール

CHRONOLOGY
年譜

A・スミス撮影　マン・レイと妹ドーラのいる家族写真　1896年

1896

1890 | 0歳
8月27日（おとめ座）…エマニュエル・ラドニツキーの名で、合衆国ペンシルヴァニア州フィラデルフィアに生まれる。両親は移民で、父のメラック（マックス）はウクライナ出身、母のマーニャ（ミニー）はベラルーシ出身。エマニュエルは長男で、家族と周囲からはマニーの愛称で呼ばれるようになる。

1893 | 2-3歳
弟サミュエル（サムと呼ばれる）誕生。

1895 | 4-5歳
妹デヴォラ（ドーラ、ドロシー、ドゥと呼ばれる）誕生。

1897 | 6-7歳
ラドニツキー一家、ニューヨークのブルックリンに移住。父は仕立屋で生計を立てる。妹エルカ（エルシーと呼ばれる）誕生。

1898 | 7-8歳
2月…合衆国軍艦メーン号沈没の報道写真をもとに初めて美術作品を制作。

1904 | 13-14歳
ブルックリンのボーイズ・ハイスクールに入学。製図、建築、デッサンなどの授業をうける。

1908 | 17-18歳
ハイスクールを卒業。ニューヨーク大学から建築を学ぶための奨学金受給資格を得るが、辞退して絵画に専念することを決意。しばらくマンハッタンで製版の見習いとして働き、ついで広告会社でグラフィックデザインの仕事につく。近所にあった291画廊で前衛芸術に触れ、アルフレッド・スティーグリッツを知る。

1910 | 19-20歳
ニューヨークの国立デザイン・アカデミー（10月28日～）、アート・スチューデント・リーグ（10月2日～1912年5月25日）に通い、美術解剖学やイラスト、構図、肖像画の講義に出席。肖像画家になることを目指す。

1911 | 20-21歳
マンハッタンに引越し、布地サンプルをパッチワークしてキャンバスに貼りつけた最初の抽象作品《タペストリー》を制作。

1912 | 21-22歳
春…ラドニツキー一家は姓を「レイ」とする。エマニュエル（マニー）は「マン」を名のり、以後サインがＥＲからMan Rayにかわる。
秋…フェレール・センターのロバート・ヘンライ、ジョージ・ベローズの教室に通い、画家サミュエル・ハルパートやアナーキストの彫刻家アドルフ・ヴォルフと知りあう。
～1913…ヴォルフと西35番通りのスタジオを共有する。
～1919…マグロー・ブック・カンパニーに就職し、地図デザインを担当。
フェレール・スクールの画家たちによるグループ展（12月28日～1913年1月13日）に初めて習作《裸体》（**12**）を発表する。

1913 | 22-23歳
油彩でスティーグリッツの肖像をキュビスム風に描く。
アーモリー・ショー（国際現代美術展：2月17日～3月15日）を訪れる。
春…ニュージャージー州のリッジフィールドに移住し、グラントウッドの芸術家コロニーに参加。詩人アルフレッド・クレイムボルク、サミュエル・ハルパートと共同でコテージを借りる。
フェレール・スクールのグループ展「モダン・スクールの油彩と水彩画」（4月23日～5月7日）に出品（**13**）。
8月27日…ベルギー人の詩人ドンナ・ラクール（アドン・ラクロワとして知られる）と出会い暮しはじめる。一週間のうち３日をマンハッタンで働き、残りの時間をリッジフィールドでドンナとすごす。ランボー、マラルメ、ボードレール、ロートレアモン、アポリネールといったフランス詩人の作品を知る。
9月…ハリマン・ステイト公園に３日間のキャンプ旅行をし「自然を直接描かない」と決意する。
秋…初の詩作「労働」がフェレール・センター発行の『モダン・スクール』に掲載される。

リッジフィールドでクレイムボルグの発行する詩の雑誌『グリーブ』に参加し、表紙のロゴデザインを担当。『バム』をはじめ手刷りの限定冊子を出版する。
最初の画商となるシャルル・ダニエルに出会う。

1914｜23-24歳
5月3日…アドン・ラクロワと結婚。新妻にささげる詩集『アドニズム』を自費出版。
デッサンが社会主義雑誌『インターナショナル』の表紙デザインに使用される。
フェレール・センター発行の『マザー・アース』８月号・９月号の表紙デザインを担当。
キュビスム風の記念碑的絵画《戦争 A.D. MCMXIV》を完成させ、291画廊で展示。
第一次世界大戦（7月～1918年11月）勃発。

1915｜24-25歳
1月…二次元（平面）性を強調した新様式で制作を開始。
スティーグリッツと291画廊にささげたテキスト「291の印象」が『カメラ・ワーク』誌に掲載される。
ロチェスターのメモリアル・アートギャラリーの「アメリカ美術の現代的動向を代表する絵画展」（2月16日～3月7日）に油彩を出品。
3月14日…クレイムボルグが『モーニング・テレグラフ』紙に「マン・レイとアドン・ラクロワ、倹約家たち」と題し、マン・レイと彼のリッジフィールドの生活状況について長い記事を書く。
ニューヨークのモントロス画廊「絵画・デッサン・彫刻展」（3月23日～4月24日）に出品。
3月31日…手書きとデッサンによる冊子『リッジフィールド・ガズーク』を刊行（１号のみ）。
4月…アドンの詩をマン・レイがレタリング文字で書き、挿絵を添えた『さまざまな書き方の本』（P. 31）を出版。
6月15日…マルセル・デュシャンがニューヨークに到着。
初秋…ウォルター・アレンズバーグがデュシャンを連れ、リッジフィールドにやってくる。デュシャンとの初対面はアドンが通訳をつとめ、二人は即興のテニス・ゲームを楽しんだ。
11月…ジョン・ワイクセルが『イースト・アンド・ウェスト』誌に「新芸術とマン・レイ」を掲載し、同じころ、ニューヨークのダニエル画廊で初個展（11月9日頃～11月23日）を開く。カメラは目録に載せる作品を撮影するために購入。個展がはじまってしばらくしてシカゴの弁護士で蒐集家のアーサー・J・エディがフォーヴィスム風の油彩６点を2,000ドルで購入し、また美術批評家のウィラード・ハンティントン・ライトからも評価を得る。その収入でアドンとマンハッタンのレキシントン街42のスタジオに引っ越す。
12月…詩作「三次元」を『アザーズ』誌に掲載する。

1916｜25-26歳
新たな機械的様式を発展させた油彩《女綱渡り芸人は彼女の影をともなう》（**15**）を制作し、作品の記録写真を撮る。このときニューヨークのボヘミアン・サークルにいたベレニス・アボットやジュナ・バーンズを知る。
アンダーソン画廊の「現代アメリカ画家のフォーラム展」（3月13日～26日）に油彩とデッサンを出品。
夏…『二次元における新しいアートの手引き』を出版。
秋…西26丁目にアドンとアパートを借りる。
コラージュを実験的に用いた連作《回転扉》の制作に着手。
デュシャン、アレンズバーグと独立芸術家協会（アンデパンダン）の設立に参加。
ダニエル画廊で２度目の個展（12月～1917年1月16日）。作品がまったく売れず、画商から契約の打ちきりの提案をされる。リッジフィールドで描いた風景画をいくつか焼却し、西８丁目の小さなスタジオにアドンと移る。

1917｜26-27歳
1月…アドン・ラクロワの詩集『視覚言語、目に見える音、感じられる思考、思考される感情』を手刷りで出版。
ニューヨークのブルジョワ画廊（2月10日～3月10日）に出品。
「第１回 独立芸術家協会（アンデパンダン）展」（4月10日～5月6日）に《女綱渡り芸人は彼女の影をともなう》（カタログでは題名《魂の劇場》）を出品し、デュシャンも《泉》を出品したが、拒否されたので、アレンズバーグとともに理事役を辞退し、抗議して出品をとりやめた。
《板張りの遊歩道》（**16**）などアサンブラージュの制作のほか、キャンバスにエアブラシで描くアエログラフ、カメラを用いず印画紙に画像を描出させるクリシェヴェール技法を試みた。
7月31日…弁護士で蒐集家のジョン・クィンあてに作品購

1914

撮影者不詳　マン・レイとアドン・ラクロワ、リッジフィールドで迎えた結婚式の日に　1914年

入をもちかける。
マーシャル・チェスクラブに入会。

1918 | 27-28歳
作品の記録写真を撮る機会が増えはじめる。
《女綱渡り芸人は彼女の影をともなう》をアエログラフで制作。
ペンギン・クラブでの「現代美術展」(3月初旬〜16日)に風景画を出品。

1919 | 28-29歳
3月…『TNT(高性能爆薬トリニトロトルエンの略記)』を出版。
これまで職業と画業とを両立していたが、経済的な理由でアドン・ラクロワとの間に不和が生じ、ひとりになって画業と写真に専念することを決意。
ダニエル画廊での《回転扉》を中心にした、アメリカでは3度目にして最後の個展(11月17日〜12月1日)だったが作品は売れず、画商との契約も切れた。

1920 | 29-30歳
ロサンジェルスの歴史・科学・芸術博物館の「アメリカン・モダニストの絵画展」(2月1日〜29日)に出品。
4月29日…マルセル・デュシャン、キャサリン・ドライヤーとともに「ソシエテ・アノニム」を設立し、マン・レイは副館長兼宣伝係として報道と目録用の写真を撮影する。
デュシャンとは、マーシャル・チェスクラブの会員同士の親交を深め、共同のプロジェクトに着手するようになる。
エルザ・フォン・フライターク・ローリングホーフェン男爵夫人を知り、また「ローズ・セラヴィ」に扮したマルセル・デュシャン(**29, 30**)を撮影。2台のカメラを用いて3D効果のある映画制作も試み、チェス・セットもデザインした。
「第1回 ソシエテ・アノニム展」(4月30日〜6月15日)に《ランプシェード》(**207**)を出品。以後、ソシエテ・アノニムのグループ展に数回参加した。
前年にパリに拠点を移していたトリスタン・ツァラと文通を開始する。
ダダの多国籍雑誌『391』を編集するフランシス・ピカビアに『ダダ・グローブ』誌の資料を送る(12月1日付)。

1921 | 30-31歳
フィラデルフィアにある百貨店の写真コンクール「写真の50年」(3月7日〜26日)で、ベレニス・アボットをモデルにした《ある彫刻家の肖像》が選外佳作賞。10ドルの報賞をうける。
4月1日…ソシエテ・アノニムで開かれたシンポジウム「ダダとは何か」に参加。
4月…デュシャンとともに、雑誌『ニューヨーク・ダダ』を編集・刊行(1号のみ、表紙はリゴー社の香水瓶ラベル、**32**)。
共同して映画『エルザ・フォン・フライターク・ローリングホーフェン男爵夫人の恥毛を剃る』を制作(現存せず)。
フィラデルフィアのペンシルヴァニア美術アカデミーの「近代における絵画の動向展」(4月16日〜5月15日)に《戦争A.D. MCMXIV》を出品、ウースター美術館で「ソシエテ・アノニム会員による絵画展」(11月3日〜12月5日)に《女綱渡り芸人は彼女の影をともなう》を出品。
ツァラの主催するパリのモンテーニュ画廊の「サロン・ダダ国際展」(6月6日〜30日)に、写真作品《男》と《女》の2点と小文「心配事」を寄せる。ツァラあての手紙には「親愛なるトリスタン・ダダ氏は、ニューヨークには住めません。ニューヨーク自身がダダなので、ライヴァルの到来をゆるさず、ダダに目を向けまいとするでしょう」と書いて送る(6月8日付)。
6月21日…デュシャンがパリへ発つ。
石炭業者で蒐集家のフェルディナンド・ハウォルドがパリ行きの資金として500ドルを提供し、家族からも援助を受ける。
7月14日…パリを目指し、S・S・サヴォワ号に乗船。マン・レイは長らくフランス革命記念日にパリに到着したと記憶ちがいをしていたが、それは出発日だった。
7月22日…ル・アーヴル港に到着。
デュシャンがパリのサンラザール駅で出迎え、オペラ座に近いカフェ「セルタ」で、当時のダダイストたち(ルイ・アラゴン、アンドレ・ブルトン、ポールとガラのエリュアール夫妻、テオドール・フランケル、ジャック・リゴー、フィリップ・スーポー)にマン・レイを紹介する。
ツァラの滞在するブーランヴィリエのホテルに投宿。
8月18日頃〜11月…デュシャンとイヴォンヌ・シャステルの共有するコンダミーヌ通り22のアパルトマンの最上階を

ニューヨークの仕事場
1919年頃

セルフポートレート
1920年頃

1922

ダダのグループ。前列左より マン・レイ（コラージュ）、ポール・エリュアール、ジャック・リゴー、ミック・スーポー、ジョルジュ・リブモンデセーニュ　後列左より ポール・シャドゥルヌ、トリスタン・ツァラ、フィリップ・スーポー、セルジュ・シャルシューヌ　1922年

仮住居にし、そこで個展の計画を練る。

9月…ピカビアのサロンに出向き、壁にかかった絵画《カコジル酸塩の眼》に、みずからを「マン・レイ、悪い映画の監督」と署名する。

ピカビアの妻ガブリエルの紹介でポール・ポワレの邸宅を訪ね、オートクチュール・ドレスのコレクションを記録写真に撮るよう雇われる。

スーポーの書店兼画廊リブレリー・シスで、パリで初めての個展を開催（12月3日～31日）。パンフレット「ダダ　マン・レイ」（**33**）には、ツァラ、エルンスト、スーポー、アラゴン、エリュアール、アルプ、リブモンデセーニュ、マン・レイがそれぞれコメントを寄せた。

オープニングの席でジャン・コクトー、エリック・サティとも知りあい、オブジェ《贈り物》（**34**）を制作展示したが、作品は1点も売れなかった。

12月…モンパルナスのドランブル通りにあるグラン・トテル・デ・ゼコールに部屋（#37）を借り、小さな写真スタジオを兼ねた住居とする。

モデルのキキ・ド・モンパルナス（本名アリス・プラン）と出会い、ともに暮しはじめる。

年末～22年初頭…写真の焼付作業中、マン・レイはカメラを用いずに画像を生みだす技法を偶然に発見し、「レイヨグラフ」と名づけて熱中する。

1922｜31-32歳

シェイクスピア商会（パリの英語本出版社）を営むシルヴィア・ビーチの勧めで、『ユリシーズ』を書いたジェームズ・ジョイスが著者近影を撮ってほしいと訪ねてくる。

以来ガートルード・スタインのほか、ピカソやコクトーやヘミングウェイのような芸術家・文学者たちの肖像写真を撮るようになり、なかでもカザーティ侯爵夫人の肖像写真（**78**）は評判を呼び、上流階級・社交界に多くの顧客を得た。

1月…ツァラがマン・レイとおなじグラン・トテル・デ・ゼコールに移り住む。

1月10日…キャバレ「屋根の上の牡牛」がオープンし、《コクトー一味》の写真が展示される。

サロン・デ・ザンデパンダン（1月28日～2月28日）に《板張りの遊歩道》（**16**）を含む3点を出品したが、酷評される。

1月28日…デュシャンがパリを離れる。

2月17日…ブルトンのひらいたパリ会議に対し、ツァラが提出した不信任の声明「髭のはえた心臓」に署名する。

4月～5月…『レ・フイユ・リーブル』誌の4・5月号に、コクトーの文「アメリカの写真家マン・レイへの公開状」とレイヨグラフが掲載され、雑誌『メカノ』『リトル・レヴュー』『マ』『アヴァンチュラ』にも写真がとりあげられた。

ブルトンが服飾デザイナーでコレクターのジャック・ドゥーセをつれてスタジオを訪ねる。

6月…『ヴァニティ・フェア』誌に「画家・作家マン・レイ」として肖像写真つきで紹介される。

7月11日…写真家として収入が得られるようになり、グラン・トテル・デ・ゼコールを離れてカンパーニュ・プルミエール通り31bisに住居兼仕事場を設けた。ウジェーヌ・アジェもこの通りの住人だった。

7月～8月…デュシャンがパリに戻る。

10月…デュシャンの作品を撮影した《埃の培養》が『リテラチュール』誌5号に掲載される。

11月18日…マルセル・プルースト死去。コクトーの依頼で、死の床のプルーストを撮影する。

12月…ツァラの序文つきでレイヨグラフ集『甘美な野原』を出版。

1923｜32-33歳

～3月…パリにとどまることを決意。家族に「ニューヨークに戻ってもパリにスタジオを持ちつづける」と書く。

春〜…ベレニス・アボットが助手になる（1926年まで）。
7月…ニューヨーク、ベルリンの『ブルーム』誌にレイヨグラフを発表。
7月6日…ミシェル劇場で映画『理性への回帰』(37) が上映される。ツァラの主催する「ダダの夕べ・髭のはえた心臓」に合わせ、前日に即興でつくったマン・レイ最初の短篇映画であったが、反ツァラ派のシュルレアリストたち（デスノス、エリュアール、ペレ、ブルトンら）の妨害で台無しになる。
その後、ダドリー・マーフィーに映画製作の話をもちかけられたが、マン・レイはことわり、マーフィーはレジェに交渉して翌年に『バレエ・メカニック』を製作。マン・レイは写真 (40) 数点を提供した。
7月14日〜8月末…キキとノルマンディーにあるペギー・グッゲンハイムの家を訪ねる。
秋…映画出演の夢を懸け、キキがマン・レイをパリにのこしたままニューヨークへ旅立つが、英語を話せなかったため失意のうちに帰国する。
秋〜冬…ジョルジュ・リブモンデセーニュが『リトル・レヴュー』誌にマン・レイをふくむダダイストに関する論文を発表。
10月15日…ブルトンがマン・レイに捧げる詩を『リテラチュール』誌に掲載。
11月…モンパルナスにナイトクラブ「ジョッキー」が開店し、キキが歌手デビューする。
12月…カンパーニュ・プルミエール通り29にあるオテル・イストリアの一室を借り、同じ通りにある仕事場とは別の住居とする。隣室にデュシャンが住み、マン・レイはそこでデュシャンとキキの肖像画を油彩で描いた。
12月14日…ロベール・デスノスが「現代画家　マン・レイ」を『パリ・ジュルナル』紙に発表し、マン・レイを「暗室の詩人」と称えた。

1924 | 33-34歳
写真家として成功をおさめ、このころまでにオリジナルの便箋と電話をもつようになる。
春〜夏…ピカビアと南仏旅行に出かける。
クルト・シュヴィッタースの出版する『メルツ』誌の第8・9号にレイヨグラフが掲載される。
5月…ルネ・クレールの映画『幕間』に、シャンゼリゼ劇場の屋上でデュシャンとチェス・ゲームを楽しむ姿で出演する。
6月…『リテラチュール』誌に《アングルのヴァイオリン》(57) が掲載される。
7月…英仏米版『ヴォーグ』誌にマン・レイのファッション写真が載るようになる。
10月11日…シュルレアリスム研究本部の開設。
10月15日…アンドレ・ブルトンが『シュルレアリスム宣言』を起草。マン・レイもシュルレアリストの列に加えられる。
12月1日…『シュルレアリスム革命』誌の創刊号に参加。
12月14日…リブモンデセーニュが最初の本格的なマン・レイ論『新しい画家たち　マン・レイ』をパリのガリマール書店から出版。
マン・レイの暮すオテル・イストリア周辺には、シュルレアリスム運動の活潑な気運があった。ピカビアが愛人ジェルメーヌと住んだほか、キキやデュシャン、エルザ・トリオレやマヤコフスキーら、多くの芸術家たちが住むか訪れるかしていた。

セルフポートレート　1924年

1925 | 34-35歳
4月…「現代産業装飾芸術国際博覧会（通称アール・デコ博）」（4月28日〜11月8日）が開かれ、マン・レイはセーヌ川の左岸に建てられたエレガンス館のオートクチュール部門（イヴォンヌ・ダヴィドソンとランヴァン）の撮影を引きうける。撮影した写真は『シュルレアリスム革命』誌の7月号のほか、『ヴォーグ』誌の英仏版8月号と米版9月号

キキ・ド・モンパルナスとマン・レイ　1922年頃

撮影者不詳　シャンゼリゼ劇場の屋根の上でチェスを愉しむマルセル・デュシャンとマン・レイ（ルネ・クレールの映画『幕間』のワンシーンより）　1924年

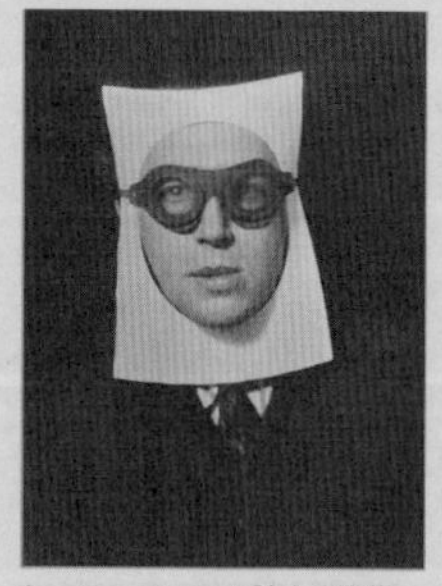
シュルレアリスム詩人の肖像（アンドレ・ブルトン）　1924年

にも多数掲載される。
マン・レイのレイヨグラフを添えたコクトーの詩集『天使ウルトビーズ』が出版。
『レ・フイユ・リーブル』誌の5・6月号にリブモンデセーニュによる記事「マン・レイ」が載る。
ピエール画廊でシュルレアリストたちによる初の「シュルレアリスム絵画展」(11月14日〜25日)があり(このときもマン・レイはまだ「シュルレアリスム宣言」に署名していない)、マン・レイのほか、ジョルジョ・デ・キリコ、マックス・エルンスト、パウル・クレー、ジョアン・ミロ、パブロ・ピカソ、ジャン・アルプ、アンドレ・マッソンらが出品して、序文をブルトンとデスノスが書いた。
このころから一度の注文ポートレート撮影につき、1,000フランを得るようになる。

1926 | 35-36歳
コラージュによる『回転扉』から10点を版画にしてシュルレアリスム出版より刊行。
パリのシュルレアリスム画廊でアンドレ・ブルトンの監修による「マン・レイのタブローと島々のオブジェ展」(3月26日〜4月10日)。渡仏後にまだ展示されていなかったマン・レイの作品と、60点のオセアニア諸島の民芸品を並べて見せる。
5月…仏版『ヴォーグ』誌にキキをモデルにした《黒と白》(**61, 62**)が掲載される。
夏…ビアリッツのアーサー・ウィラー邸で映画『エマク・バキア』(**42**)の撮影にとりくむ。11月23日にはヴィユ・コロンビエ座で初上映。
ニューヨークのブルックリン美術館の「ソシエテ・アノニム展」(11月19日〜1927年1月1日)に参加し、オブジェ《エマク・バキア》(**41**)を出品、映画も上映した(翌年にはロンドンとブリュッセルでも上映)。
マルク・アレグレ、デュシャンとともに映画『アネミック・シネマ』を完成させる。
アメリカにも銀行口座をつくり、妹のエルシーに作品を保管・管理させた。

1927 | 36-37歳
2月…ニューヨークのダニエル画廊での「マン・レイによる絵画と写真の近作展」(〜4月)のためにキキをつれ、1921年来初の帰郷をはたす。
6月8日…デュシャン結婚(しばらくして離婚)。マン・レイは結婚式を撮影し、アシスタントをキキがつとめる。
9月…『シュルレアリスム革命』誌に掲載された「チャプリンの離婚を擁護する共同宣言」に署名。
12月20日…モンパルナスのカフェ「クーポール」のオープニングに出席。

1928 | 37-38歳
『ヴォーグ』誌でのファッション写真とは別に、『ヴュ』紙にも定期的に作品がとりあげられるようになる。
アンドレ・ブルトンが『シュルレアリスムと絵画』のなかでマン・レイの多才ぶりを称賛。ブルトンの代表作『ナジャ』にも、マン・レイは多くの写真を提供した。
キキとの関係がこじれだす。
サクレ・デュ・プランタン画廊の「シュルレアリスム展」(4月2日〜15日)、シュルレアリスム画廊の「マン・レイ 天が下に新しきもの展」(**253**、4月27日〜)、「シャンゼリゼ劇場のサロン・ド・レスカリエの「第1回 独立写真家美術展」(5月24日〜6月7日)に出品。
映画『ひとで/海の星』を撮影し、5月13日にパリの「ステュディオ・デ・ジュルスリーヌ」で初上映、12月末まで。

1929 | 38-39歳
1月…映画『ひとで/海の星』を評価したノアイユ夫妻がマン・レイに次回作を撮ってほしいと依頼し、前年に完成したばかりの南仏イエールにある夫妻の別荘(マレステヴァンスの近代建築)を舞台にした、映画『骰子城の秘密』の撮影を開始する。
シカゴのアーツ・クラブの「フォトグラフィック・コンポジション展」(2月5日〜9日)に参加。
2月…『トランジシオン』誌15号の表紙デザインを担当し、デスノスによる文章「マン・レイの作品」とレイヨグラフ、肖像写真が掲載される。
ルイ・アラゴンとバンジャマン・ペレの詩集『1929』にポルノグラフィックな写真4点(春・夏・秋・冬)を寄せたが、この本は検閲にかかって没収された。
シュトゥットガルト州立美術館の「映画と写真:国際ドイツ工作連盟展」(5月18日〜7月7日)で注目を集める。
キキと別れる。

パリのカンパーニュ・プルミエール通り31bisのアトリエ室内　1926年

マン・レイと彼の車　1926年

マン・レイとロベール・デスノス　1928年

1930

シュルレアリスムのグループ。前列左より トリスタン・ツァラ、サルバドール・ダリ、ポール・エリュアール、マックス・エルンスト、ルネ・クルヴェル　後列左より マン・レイ、ジャン・アルプ、イヴ・タンギー、アンドレ・ブルトン　1930年

キキは回想録『キキの想い出』を出版し、翌30年に英語版（**65**）が出版される。
7月…リー・ミラーと出会い、二人でビアリッツに赴く。その後、1931年までリーが助手をつとめる。
8月25日…リーがソラリゼーション技法を発見。秋にはヴァル・ド・グラース通り8のアトリエを手に入れ、そこでソラリゼーション効果をもつ写真を数多く撮影した。
10月…パリのステュディオ・デ・ジュルスリーヌで『骰子城の秘密』が、ブニュエルとダリの映画『アンダルシアの犬』とともに上映される。
キャトル・シュマン画廊で個展「絵画と近作レイヨグラフ」（11月2日〜14日）。
セーヌ通りのヴァン・レール画廊で個展（**254**、11月6日〜30日）。

1930｜39-40歳
3月…ルイ・アラゴンの著書『絵画への挑戦』をタイトルにして、パリのゲマン画廊のコラージュ作品によるグループ展（アルプ、ブラック、ダリ、デュシャン、エルンスト、フアン・グリス、マグリット、ピカビア、ピカソ、タンギーが出品）に参加。
6月…ペッツィ・ブルント公爵夫人邸で催された「白の舞踏会」に招待され、白い衣裳を着たゲストたちに向けてジョルジュ・メリエスの着色カラー映画を映写。マン・レイと同様に、テニス・プレーヤーに扮した助手のリーは、はじめてパリの社交界を知る。その後、マン・レイの反対を押し切り、ノアイユ子爵夫妻の出資するコクトーの映画『詩人の血』に彫像役で出演。やがて冬には、絵画制作に集中したいマン・レイと離れ、ヴィクトル・コンシデラン通り12に部屋をもつ。
7月…『革命に奉仕するシュルレアリスム』誌の創刊号に協力（1933年刊の５号には写真《サド侯爵への記念碑》を掲載）。
10月28日…パリの「ステュディオ28」でルイス・ブニュエル（**52**）の２作目の映画『黄金時代』が上映される。
12月4日…この映画に怒った右翼団体がナイフでロビーに展示していたシュルレアリストたちの絵画作品（マン・レイのも含む）を傷つける事件がおきる。上映中止を命じる当局に対し、マン・レイもシュルレアリストたちの抗議文書に署名した。

1931｜40-41歳
パリ電力供給会社からグラビア写真による写真集の製作を依頼され、リーとの共同作業で、レイヨグラフを10点収録した『エレクトリシテ（電気）』（**74**）を刊行。
カンヌのアレクサンドル３世画廊での「マン・レイの写真展」（4月13日〜19日）にピカビアが序文を寄せる。
10月…『芸術と医学』誌にパリのイメージを掲載。
このころリーは、エジプト人の資産家で世界五大美女に数えられるニメットを妻にもつアジス・エルイ・ベイに心がわりし、マン・レイを絶望させた。ニメットもまたその数カ月後に自殺をはかり、混乱のなか、リーはマン・レイのもとを去る。

1932｜41-42歳
ニューヨークのジュリアン・レヴィ画廊の「シュルレアリスト展」（1月9日〜29日）に参加し、春には同画廊で「マン・レイの写真展」（4月9日〜30日）。
フレンチ・カンカンのダンサーだったリディアの化粧を見て、写真作品《ガラスの涙》（**129**）を着想する。
メトロノームの振り子の針先に恋人リーの目をつけて、《破壊されるべきオブジェ》をつくりなおす。
11月…リー・ミラーとの破局（リーはパリから引きあげ、ニューヨークで写真家として自立）ののち、失意のマン・レイは、しばらくモデルのジャクリーヌ・ゴダール（**128**）に癒される。

1933｜42-43歳
油彩《天文台の時刻に―― 恋人たち》（**76**）の制作がつづく（〜34年）。
ジャコメッティにメレット・オッペンハイムを紹介される。
パリのピエール・コル画廊の「シュルレアリスム展　彫刻・

1931

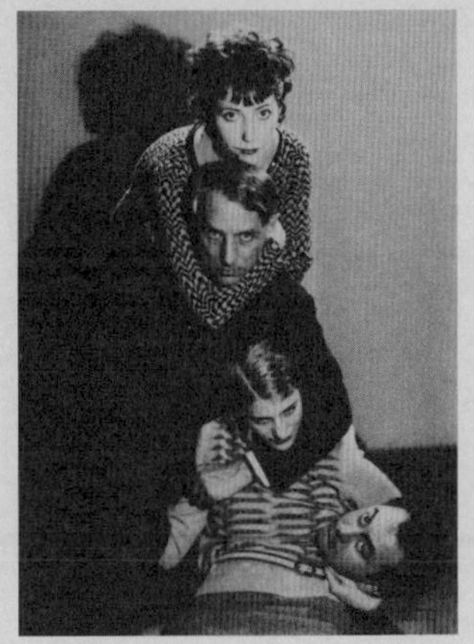

マリーベルト・オーランシュとマックス・エルンスト、リー・ミラーとマン・レイ　1931年

オブジェ・絵画・デッサン」(**255**、6月7日〜18日)に出品。
夏…スペイン旅行。バルセロナでガウディ建築などを撮影し、ヴァカンスをデュシャン、メアリー・レイノルズとすごす。カタルーニャのカダケスでは、サルバドール・ダリとガラを訪ねる。
パリのポルト・ド・ヴェルサイユ見本市で催される「第6回 サロン・デ・シュルアンデパンダン展」(10月27日〜11月26日)に出品。
12月…シュルレアリスム系の雑誌『ミノトール』創刊。同誌にメレットを撮影した写真(**139**)を提供し、3-4号では表紙を担当して小文「光の時代」を寄せた。

1934｜43-44歳
ジェームズ・スロール・ソビーが『マン・レイの写真 1920-1934 パリ』(**248**)を出版し、マン・レイが序文「光の時代」を寄せたほか、ブルトン、エリュアール、ツァラ、ローズ・セラヴィ(デュシャン)の小文も収録される。
ブリュッセルのパレ・デ・ボザールでの「ミノトール展」(5月12日〜6月3日)に参加。
パリのポワンカレ研究所でエルンストと「数学的オブジェ」を間近に見て撮影する。ブルトンがこの発見を論文「オブジェの危機」(『シュルレアリスムと絵画』1965年刊に収録)に書き、それが2年後のシャルル・ラットン画廊での「シュルレアリスムのオブジェ展」の序文となる。
7月2日…ソヴィエト連邦のスターリン体制に反撥して、ブルトンの書いた「シュルレアリストたちが正しかったとき」に、タンギー、ミロ、エルンストらとともに署名する。
ヴィニョン画廊の「タールマンおよび反ファシスト逮捕者解放運動委員会主催の即売展」に作品を提供。
7月…リーからアジス・エルイ・ベイとの結婚を知らせる電報が入り、ついてはニューヨークの彼女のスタジオを引きついでほしいと依頼されるが、マン・レイはことわる。
12月…フランス領グアドループ島出身のダンサー、アディ(本名アドリエンヌ・フィドラン)とパリのダンスホール「バル・ブロメ」で出会う。

1935｜44-45歳
2月…『商業芸術と産業』誌に小文「写真論」を寄せる。
『ハーパーズ・バザー』誌に掲載するため、特設の照明機材をしこんだスタジオで、シャネルやスキャパレッリらのファッション写真を撮影する。
夏にはそこへニューヨーク近代美術館館長が表敬訪問した。
カナリア諸島のサンタ・クルス・デ・テネリフェにあるアテネオ画廊の「シュルレアリスム展」(5月11日〜21日)に出品。
エリュアールの詩と、妻ニュッシュの美しい裸体写真からなる写真集『容易』(**146, 147**)を出版し、小文「写真のリアリズムに関して」を寄せる。
パリのカイエ・ダール画廊で「マン・レイ 絵画とオブジェ展」(**256**、11月15日〜30日)。
クリスマス〜年始…カイエ・ダール画廊のオーナー夫妻、クリスティアンとイヴォンヌ・ゼルヴォスに誘われ、同行のエリュアール夫妻と(マン・レイは単身で)ブルゴーニュ地方のヴェズレーを訪ねる。

1936｜45-46歳
ニューヨーク近代美術館の「キュビスムと抽象芸術展」(3月2日〜4月19日)に参加。
ダンフェールロシュロー通り40に仕事場を移す。サンジェ

自殺　1932年

メレット・オッペンハイム、銅版プレス機のうしろで　1933年

「マン・レイ 絵画とオブジェ展」カイエ・ダール画廊の展示風景　1935年(下)
セルフポートレート(ファッション写真)　1936年(右)

ルマン・アン・レイにも小さな家を購入し、恋人アディをとともに近隣の森を散策した。
パリのシャルル・ラットン画廊の「シュルレアリスムのオブジェ展」(5月22日〜29日)に参加。
ロンドンのニュー・バーリントン画廊の「シュルレアリスム国際展」(6月11日〜7月4日)に参加。
夏…アディとともに、以後3度の夏を南仏ですごす。ムージャンにはピカソのアトリエがあり、ポールとニュッシュのエリュアール夫妻、ピカソの恋人ドラ・マール、ローランド・ペンローズ夫妻やゼルヴォス夫妻らがヴァカンスの常連だった。そこでマン・レイはピカソにクリシェヴェール技法を教え、エリュアールはマン・レイのデッサンに捧げる詩を書いた。
ニューヨークのヴァレンタイン画廊で「マン・レイ　デッサン展」(**257**)を開催。エリュアールが序文を寄せる。
ニューヨーク近代美術館の「幻想美術、ダダ、シュルレアリスム展」(12月7日〜1937年1月17日)に数学的オブジェの写真連作、レイヨグラフ、絵画を出品。油彩《天文台の時刻に—— 恋人たち》(**76**)が要所に飾られた。
年末…アドン・ラクロワとの離婚手続きをする。

1937 | 46-47歳
1月…12点の写真を挿入する冊子『写真は芸術ではない』を出版。アンドレ・ブルトンが序文「痙攣派」を寄せる。出版はニューヨーク近代美術館での「幻想美術、ダダ、シュルレアリスム展」と時を同じくした。
5月…パリのシャルル・ラットン画廊で、アフリカのコンゴで発掘された古代の装身具を展示する「コンゴ式ファッション展」が開かれ、そこに展示品で着飾ったアディの写真連作(**166**)を出品する。同年の『ハーパーズ・バザー』誌9月号にも掲載され、白人ではないモデルがおそらくはじめて登場したことになる。
初夏…富豪マルセル・ロシャの娘二人の催す仮装パーティーで、エジプトから一時もどったリー・ミラーと5年ぶりの再会。そこでリーはペンローズと恋仲になり、後日ペンローズがコーンウォールに借りた家へ、リーはマン・レイ、アディとともに行く。すでにエルンストとレオノーラ・キャリントン、エリュアール夫妻らがそこにいて、仲間たちとシュルレアリスムについて語りあう日々をすごす。
夏…数週間後、エルンストのカップルを除く一行はそのま

1937

リー・ミラー撮影　ピクニック(ニュッシュとポール・エリュアール、ローランド・ペンローズ、マン・レイとアディ・フィドラン)、カンヌ、サント・マルグリット島　1937年

ま南仏ムージャンを訪ねる。ピカソが恋人ドラ・マールを連れて、ホテル「ヴァスト・オリゾン」に逗留していた。マン・レイは同行者たちをプライヴェートフィルム(カラー映画)におさめる。アンティーブの海岸や、カンヌの島にも遠足。マン・レイは絵画制作に没頭できるようアンティーブにフラット式の部屋を借りた。
パリのジャンヌ・ビュシェ画廊で「マン・レイ　デッサン展」(**258**、11月5日〜20日)。65点のデッサンにエリュアールが詩をつけたものを、同画廊が詩画集『自由な手』(**155**)として刊行。
ブリュッセルのパレ・デ・ボザールで「三人のシュルレアリスト：ルネ・マグリット、マン・レイ、イヴ・タンギー」展(12月11日〜22日)に絵画を出品。

1938 | 47-48歳
パリのボザール画廊で「シュルレアリスム国際展」(1月17日〜2月24日)が開かれ、マン・レイは「光の支配者」となって展示されたマネキン人形をすべてカメラに記録。ブルトンとエリュアールの編集した『シュルレアリスム簡約事典』には「彼は愛されるために描く」と紹介された。
油彩大作《サド侯爵の架空の肖像》を描く(1940年にも)。
10月…エリュアールが共産党に入党したことで、ブルトンとのあいだに確執がおこる。

1939 | 48-49歳
第二次大戦勃発(9月〜1945年5月)

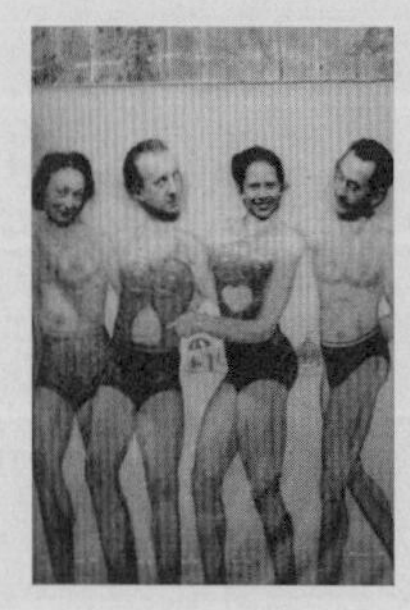

撮影者不詳　ニュッシュとポール・エリュアール、アディ・フィドランとマン・レイ、縁日で　1936年頃

ニュッシュ・エリュアール　1936年頃

セルフポートレート、アンティーブのアトリエで　1938年

9月…対ドイツ宣戦布告（～1940年6月）のなされた３日後に、アンティーブにあった作品をすべてサンジェルマン・アン・レイの家に移管。アメリカにいる家族には、パリから頻繁に手紙を書いた。

1940｜49-50歳

5月～6月…アディと車でパリを離れたが、ドイツ軍に足どめされる。

6月末～7月初…パリにもどり、パリにとどまる決意をしたアディをのこして出発。スペインを経てリスボンから船でニューヨークへ。同じ船にはダリ夫妻やルネ・クレールがいた。

8月…ニューヨークにはデュシャン、ブルトン、エルンスト、タンギー、マッソンなどの友人たちもがいたが、マン・レイはジョージアシティの妹エルシー夫妻の家に滞在したのち、秋に西海岸へと車で発つ。デトロイト、シカゴ、セントルイス、ニューオーリーンズ、ダラスを経由し、10月にはハリウッドに着いた。そこでジュリエット・ブラウナーと出会う。

1941｜50-51歳

ジュリエットとともに長期滞在用ホテルのシャトー・デ・フルール（花咲く城）からヴァイン通り1245の大きな家に引っ越し、そこで初期油彩画の再制作をはじめる。

ハリウッドのフランク・パールズ画廊で「マン・レイの油彩、水彩、デッサン、写真の構図展」（3月1日～26日）。

1942｜51-52歳

ペギー・グッゲンハイムがニューヨークに「今世紀の芸術」画廊を開き（10月）、マン・レイの作品も所蔵・展示される。

1943｜52-53歳

『ヴュー』誌に「写真は芸術ではない」を寄稿。

1944｜53-54歳

『ハーパーズ・バザー』誌とはパリを離れる直前の1940年3月から再契約し、ハリウッドで出会った映画人や女優たちを写真に撮って提供していたが、マン・レイの写真の掲載はこの年で最後となる。

カリフォルニア州のパサデナ美術研究所で回顧展「絵画、デッサン、水彩、写真：1913-1944」（9月19日～10月29日）が開かれ小文「覚書」を寄せる。

ニューヨークのジュリアン・レヴィ画廊の「チェスのイメージ」展（12月）に出品。

1945｜54-55歳

同じくジュリアン・レヴィ画廊で個展「私好みのオブジェ」（4月10日～30日）。マン・レイは小文「私のオブジェは私の夢を記録したことがない」を寄稿し、デュシャンとともにカタログの表紙をデザインした。

ニューヨークでドイツ軍の降伏を知り、ブルトン、デュシャンとともに祝う。

母ミニーがニューヨークで死去したが、マン・レイは葬儀に参列していない。

1946｜55-56歳

ニューヨークのホイットニー美術館の「アメリカ現代美術のパイオニア展」（4月9日～5月19日）に出品。シュルレアリスムに関する講演会で、マン・レイは「この講演にあたってただひとつ準備したのは、シュルレアリスム的な行為の証拠になるようなオブジェをつくること」だと述べて、最後に抽選をおこない、当選者にオブジェを贈呈した。

10月24日…ハリウッドに近いビヴァリーヒルズで、マン・レイとジュリエット・ブラウナー、エルンストとドロテア・タニングの合同結婚式（**179, 180**）。

リー・ミラーとローランド・ペンローズのカップルも、新婚の面々を訪ねて祝福した。

ハンス・リヒターのオムニバス映画『金で買える夢』の製作に誘われる（デュシャン、エルンスト、フェルナン・レ

1946

フローレンス・ホモルカ撮影　（時計まわり）
マン・レイ、ジュリエット、マックス・エルンスト、ドロテア・タニング　1946年

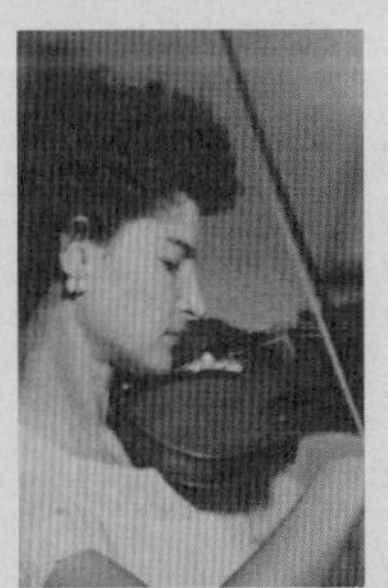

バッハを弾くジュリエット
1940年

セルフポートレート、ヴァイン通りのアトリエ室内　1944年

ジェとアレクサンダー・コールダーが参加）が、マン・レイは辞退し、1944年に『ヴュー』誌に発表した短篇小説「ルース、ローゼズ、リヴォルヴァーズ」をシナリオにすることだけを許した。
11月28日…ニュッシュ・エリュアールが死去（享年40）。

1947｜56-57歳
シカゴ・アート・インスティチュートの「第58回 絵画彫刻展 アメリカの抽象芸術とシュルレアリスム芸術」展（11月6日～1947年1月11日）に出品。
ブルトンとデュシャンの企画した戦後初となるパリのマーグ画廊の「シュルレアリスム国際展」（7～8月）に参加。
8月…ジュリエットとともにパリにしばらく滞在。作品を保管してあったサンジェルマン・アン・レイの家を処分し、作品はハリウッドへ送る。
帰路に立ち寄ったニューヨークでは、姪のナオミに写真の手ほどきをした。

1948｜57-58歳
ビヴァリーヒルズ現代美術研究所の「20世紀美術のエコール展」（4月22日～5月30日）に出品。カタログに小文「ダダイズム」を寄せる。
イェール大学アートギャラリーの「ソシエテ・アノニム主催 1920-1948年の絵画と彫刻展」（9月）に出品。
パリから持ちかえった1930年代の写真連作《数学的オブジェ》をもとに、油彩シリーズ《シェイクスピア方程式》を制作。
ビヴァリーヒルズのコプリー画廊での個展「目立たずに続けるべきこと」（12月14日～1949年1月9日）。序文と「シェイクスピア方程式についての覚書」を寄せる。
同画廊から素描集『大人のためのアルファベット』を刊行。

1950｜59-60歳
10月11日…デュシャンとキャサリン・ドライヤーが1920年代のマン・レイ作品を含む「ソシエテ・アノニム」の所蔵品をイェール大学に寄贈。
女優エヴァ・ガードナー（**188**）を撮影する。

1951｜60-61歳
ニューヨーク近代美術館の「アメリカにおける抽象絵画・彫刻展」（1月23日～3月25日）に出品。
3月12日…ジュリエットとともにパリへ発つ。出発時にデュシャンから小彫刻《雌のイチジクの葉》を贈られる。
9月…ホテルからフェルー通り2bisのアトリエに移り、ここを終の住処とする。
夏～冬…絵画制作を再開し、カラー写真も試みる。

1952｜61-62歳
11月18日…ポール・エリュアール死去（享年57）。

1953｜62-63歳
1月…ポール・ヴェッシャーが『芸術雑誌』に「画家としてのマン・レイ」を寄稿。
2月…ブルトンの監修するレトワール・セレ（封印された星）画廊のグループ展（マン・レイ、エルンスト、ジャコメッティ、シモン・ハンタイ、ヴィフレド・ラム、オッペンハイム、ヴォルフガング・パーレン、タンギー、トワイヤンが出品）に参加。
3月23日…キキ・ド・モンパルナス死去（享年52）。
11月30日…フランシス・ピカビア死去（享年74）。

1954｜63-64歳
シモーヌ・コリネの開いたパリのフュルスタンベール画廊で「マン・レイ絵画展」（6月1日～15日）。

1956｜65-66歳
3月…父マックスが死去。
パリのレトワール・セレ画廊で絵画とオブジェによる「マン・レイ 非－抽象」展（**259**、4月24日～5月16日）。ブルトンが序文を寄せる。
トゥール美術館で「マン・レイ、マックス・エルンスト、ドロテア・タニング：三人のアメリカ人画家」展（11月10日～12月16日）。

ハリウッドのヴァイン通りのアトリエ 1948年

1948

撮影者不詳 マン・レイとマルセル・デュシャン、ロサンジェルスのヴィエイユ・ランテルヌ（古いランプ）通りで 1949年

撮影者不詳 映画『パンドラ』の主演女優エヴァ・ガードナーの肖像画を描くマン・レイ 1950年

1951

ジュリエット、フランスへ向かうド・グラース号の船上で 1951年

1957｜66-67歳
作品の管理をまかせていた妹エルシーが急死し、その仕事を娘（マン・レイには姪）のナオミが引きつぐ。
パリのアンスティチュ画廊の「ダダ　1916-1922」展（3月15日～4月12日）に《破壊されるべきオブジェ》を出品。作品は展示後すぐ無政府主義グループの学生によって破壊されたが、起訴はせず、マン・レイは《破壊できないオブジェ》（P. 47）と改題し、保険金であらたに100点の複製をつくることを許可した。

1958｜67-68歳
《ナチュラル・ペインティング》シリーズを試み、ポラロイド写真を試す。
夏…コート・ダジュールのラマチュエルにあるコプリー夫妻の所有する別荘に投宿。カンヌにピカソとジャクリーヌ（**203**）を訪ねる。
デュッセルドルフ美術館の「ダダ　運動の記録」展（9月5日～10月19日）にオブジェ《パン・パン（彩色パン）》（**194**, **249**）などを出品。カタログに「ダダメイド」を寄稿。
アムステルダム市立美術館の「ダダ展」（12月23日～1958年2月2日）に出品。

1959｜68-69歳
ロンドン現代美術研究所（ICA）で、ローランド・ペンローズの企画による「マン・レイ作品の回顧と将来」展（3月31日～4月25日）。英語版カタログに小文「私は誰か」と「自伝」を寄せる。
パリのリーヴ・ドロワット画廊についで、ニューヨークのアレクサンダー・イオラス画廊で個展（**260**、10月16日～11月）があり、その機会にニューヨークへ小旅行する。
ブルトンの招きで、パリのダニエル・コルディエ画廊の「第８回 シュルレアリスム国際展」（12月15日～1960年2月29日）に参加。カタログに小文「女の頭部の財産目録」を発表。

1961｜70-71歳
ヴェネツィア・ビエンナーレで写真部門の金獅子賞を受賞し、以後93年まで、マン・レイの作品は招待展示される。
ミラノのシュヴァルツ画廊の「シュルレアリスム国際展」（5月）に出品。
夏…ジュリエットとともにカダケスへ。デュシャンと妻ティーニーを訪ねる。
ニューヨーク近代美術館の「アサンブラージュ展」に出品し、序文「私好みの100のオブジェ」を寄せる。
冬…美術批評家のジョン・リウォルドから借りたモンマルトルのルピック通りにある部屋で、自伝を書きはじめる。

1962｜71-72歳
フランス国立図書館で４点のクリシェヴェール作品と写真55点、２冊のアルバムを展示する「マン・レイ：写真作品展」（5月22日～7月13日）。
親しい友人となったマルセル・ゼルビブら画商たちの協力を得て複製の制作をおこない、その工程を厳密に監督する。

1963｜72-73歳
4月…自伝『セルフポートレート』（**251**）をボストンのリトル・ブラウン社とロンドンのアンドレ・ドイッチュ社から出版する。
プリンストン大学美術館での個展（3月15日～4月15日）と、ニューヨークのコルディエ&エクストロム画廊での個展（4月30日～5月18日）に列席するため、渡米の機会を得る。カタログにはデュシャンが詩「ラ・ヴィ・アン・オーズ（大胆不敵な人生）」を寄せた。

1964｜73-74歳
著書『セルフポートレート』のフランス語版がロベール・ラフォン社から出版される。
ミラノのシュヴァルツ画廊で「私好みのオブジェ」展。
パリのシャルパンティエ画廊の「シュルレアリスム：源泉、歴史、関連」展に出品。

1965｜74-75歳
プロヴァンスでひと夏をすごす。
ニューヨークのコルディエ&エクストロム画廊で「私好みのオブジェ」展。
パリ装飾美術館で「ニエプスからマン・レイまで、写真の一世紀」展（10月20日～1966年1月3日）。
バーゼル現代美術画廊の「シュルレアリスムの様相」展、パリのルイユ画廊の「シュルレアリスム国際展　絶対的隔離」（12月）に出品。

パリ、フェルー通りのアトリエ　1951年

撮影者不詳　マン・レイ、フェルー通りのアトリエの前で　1960年代

1962

ジュリエットとマルセル・ゼルビブとマン・レイ、カフェ「ドゥ・マゴ」で　1962年頃

1966｜75-76歳
ドイツ写真協会文化賞を受賞。
パリ国立近代美術館、チューリヒ・クンストハウス、ミラノ市立現代美術館を巡回する「ダダ50周年記念展」に参加。
9月28日…アンドレ・ブルトンが死去（享年70）。
写真集『マネキン人形たちの復活』（1938年の「シュルレアリスム国際展」で飾りつけ撮影したマネキン人形たちを収録、**131-135**）がパリのジャン・プティトリー社から出版される。
ロサンジェルス・カウンティ美術館で、約300点を展示する初の大回顧展（10月26日～1967年1月1日）。カタログに序文「私はけっして近作を描かない」を寄せる。

1967｜76-77歳
パリのアメリカン・センターで「マン・レイへの挨拶」展。短い講演をする。
トリノ市立現代美術館の「不安なミューズ、シュルレアリスムの巨匠」展に出品。

1968｜77-78歳
10月1日…パリ西郊ヌイイにあるデュシャン夫妻の家を訪ねる。帰宅後の真夜中（10月2日）にデュシャンの訃報（享年81）を知る。
ニューヨーク近代美術館での２つの展覧会「ダダ・シュルレアリスムとその後継者たち」と「機械時代のはての機械」に出品。
ニュージャージー州立美術館で「写真の二世代 マン・レイとナオミ・サヴェージ」展を開催（12月14日～1969年2月9日）。
パリのヨーロッパ画廊で「私好みのオブジェ」展。

1969｜78-79歳
ヴァンスのアルフォンス・シャーヴ画廊で「マン・レイの40点の売れないものたち」展（4月4日～5月9日）に小文「売れないものたち」を寄せる。

1970｜79-80歳
フェルー通りのアトリエに近い20世紀画廊で、ブルトンの言葉「現代の貴婦人たちのバラード」をもじり、女性たちのみの肖像デッサンを展示する個展「時を超えた貴婦人たちのバラード」が開かれ（5月15日～6月15日）、翌年には版画集（**232－245**）として限定出版される。

1971｜80-81歳
春…パリのシュザンヌ・ヴィザ画廊の「障碍物展」に出品。
ルーヴル美術館の企画展「トルコ風呂の周辺に」には《アングルのヴァイオリン》（**57**）を出品する。
5月…トリノのイル・ファウノ画廊とマルターノ画廊で「ウィンク（目くばせ）展」。
ミラノのミラノ画廊で回顧展「デザイン、レイヨグラフ、写真、彫刻、作品集からなる220点の作品　1912-1971」展。
278点のマン・レイ作品で構成された回顧展が、ロッテルダムのボイマンス美術館、パリの国立近代美術館、デンマークのルイジアナ美術館を巡回（9月24日～1972年5月7日）。カタログに小文「個人から個人へ」を寄せる。

1972｜81-82歳
ミュンヘンのハウス・デア・クンストとパリ装飾美術館を巡回する「シュルレアリスム 1922-1942」展に出品。カタログをパトリック・ワルドベルグが執筆。
フェッラーラ市立近代美術館で個展。

1973｜82-83歳
83歳のマン・レイは《贈り物》（**34**）のマルティプルを5,000個作らせ、署名を入れて、１点300ドルで売りに出す。
パリのフランソワーズ・トゥルニエ画廊で「キュビスムとマン・レイ」展。
東京の南天子画廊で個展（9月10日～25日）。
ルチアーノ・アンセルミーノが、ローマのイル・コレッジョニスタ・ダルテ・コンテンポラネア画廊で「作品　1914-1973」展を開催、さらに版画カタログ・レゾネ『オペラ・グラフィカ』第１巻を刊行（第２巻は1984年）。

1974｜83-84歳
シェーズ通りにある煖房つきの部屋を借り、アトリエのあるフェルー通りとのあいだを行ったり来たりする。
ミラノのソルフェリーノ画廊、ロンドンのメイヤー画廊、トリノのイル・ファウノ画廊、パリとニューヨークのアレクサンダー・イオラス画廊、マドリードのイオラス画廊等で個展、ブリュッセルのアレクサンドラ・モネ画廊で回顧展。
メトロノーム《永続するモティーフ》（**38**）が「軽快と弁別の象徴」としてハンブルグ社会民主党の選挙運動に使用

アンリ・カルティエブレッソン撮影　マルセル・デュシャンとマン・レイ　1968年

1968

アイリーン・トゥイーディ撮影　マン・レイとリー・ミラー、ロンドン現代美術研究所での回顧展「マン・レイ：発明家・画家・詩人」のオープニングで　1975年

ディーノ・ペドリアーリ撮影　ジュリエットとマン・レイ、パリのフェルー通りのアトリエで　1975年

1975

される。

ニューヨーク文化センターでマン・レイの本格的な回顧展「マン・レイ：発明家・画家・詩人」(12月19日～1975年3月2日) が開催。このときアンディ・ウォーホルがマン・レイに捧げる肖像画 (セリグラフ) を制作。

1975｜84-85歳

『フォト』誌に小文「私はフォートグラフ (＝まちがい写真家) である」を掲載 (1月)。

ロサンジェルスのレイ・ホーキンス画廊で「マン・レイのヴィンテージ写真」展。

4月…ニューヨーク文化センターでの回顧展が、ロンドン現代美術研究所に巡回。そのオープニングでリー・ミラーと再会をはたす。

1976｜85-86歳

4月1日…マックス・エルンスト死去 (享年84)。

マン・レイはフランス政府より芸術功労賞を受賞。

ヴェネツィア・ビエンナーレの「マン・レイ：写真のイメージ」展にみずから選んだ出品作で参加。

11月18日…パリで死去。享年86。

モンパルナス墓地に眠る。

本年譜は以下の出版物を典拠としました。

Man Ray, *Self-Portrait*, Little, Brown and Company Inc., Boston, 1963.

Neil Baldwin, *Man Ray, American artist*, Da Capo Press, New York, 1988.

Roland Penrose, *Man Ray*, Thames and Hudson, London, 1975.

Pierre-Yves Butzbach and André Hatala ed., *Man Ray : Photographer, Dadaist and Surrealist*, the CD-ROM @ ODA Édition/ Telimage, 1999

Marion Meyer, "Person to Person" & Bibliography for the exhibition *Man Ray—I am an enigma*, 2004-05

巖谷國士監修・著、訳　展覧会図録『マン・レイ―私は謎だ』2004-05年

Marie Koutsuomallis-Moreau, *Visages of the Woman*, the exhibition catalogue, 2015

年譜掲載写真リスト
Detailed Photo Captions of the CHRONOLOGY

P. 232
A. Smith, Man Ray with his family and sister Dora, 1896. collection Neil Baldwin, donated by Naomi Savage.

P. 233
Anonym, Man Ray and Adon Lacroix on their wedding day in Ridgefield, 1914. collection Neil Baldwin, donated by Naomi Savage.

P. 234
The Studio in New York, ca. 1920. ©Telimage
Self-portrait, ca. 1920. ©Telimage

P. 235
The Group Dada (Front Man Ray; collage, Paul Éluard, Jacques Rigaut, Mic Soupault, Georges Ribemont-Dessaignes, and Back row Paul Chadourne, Tristan Tzara, Philippe Soupault, Serge Charchoune), 1922. Courtesy Association Internationale Man Ray, Paris

P. 236
Man Ray, Kiki de Montparnasse and Man Ray, ca.1922. ©Telimage
Anonym, Photogram from René Clair's film Entréacte, Depicting Duchamp and Man Ray playing chess, 1924. ©Telimage
Portrait of the Surrealist Poet André Breton, 1924. ©Telimage
Self-portrait, 1924. Courtesy Association Internationale Man Ray, Paris

P. 237
The rue Campagne-Première studio, 1926. ©Telimage
Man Ray in his first car, 1926. ©Telimage
Man Ray and Robert Desnos, 1928. ©Telimage

P. 238
The Surrealist Group (Back row Man Ray, Jean Arp, Yves Tanguy, André Breton, and Front Tristan Tzara, Salvador Dalí, Paul Éluard, Max Ernst, René Crevel), 1930. Photo Marc Domage, Courtesy Association Internationale Man Ray, Paris

P. 239
Marie-Berthe Aurenche, Max Ernst, Lee Miller and Man Ray, 1931. ©Telimage
Suicide, 1932. ©Telimage
Meret Oppenheim behind the printing wheel, 1933. ©Telimage
Man Ray, Exposition de Peintures et Objets, Cahiers d'Art, Paris, 1935. ©Telimage
Self-portrait, Fashion Photograph, 1936. ©Telimage

P. 240
Anonym, Nusch and Paul Éluard, Ady Fidelin and Man Ray, Carnival. ca.1936.
Nusch Éluard, ca. 1936. ©Telimage
Lee Miller, Picnic, Nusch and Paul Éluard, Roland Penrose, Man Ray and Ady Fidelin, Île Sainte-Marguerite, Cannes, 1937.
Self-portrait in the studio of Antibes, 1938. ©Telimage

P. 241
Juliet playing Bach, 1941. Photo Marc Domage, Courtesy Association Internationale Man Ray, Paris
Self-portrait in the studio of Vine street, Hollywood, 1944. ©Telimage
Florence Homolka, Dorothea Tanning, Man Ray, Juliet Browner and Max Ernst, Hollywood, California, 1946. ©Telimage

P. 242
Vine street, Hollywood, 1948. Photo Marc Domage, Courtesy Association Internationale Man Ray, Paris
Anonym, Man Ray and Marcel Duchamp at the rue de la Vieille Lanterne in Los Angeles, 1949.
Anonym, Man Ray painting Ava Gardner as Pandra, 1950. ©Telimage
Juliet on Board the SS De Grasse, 1951. ©Telimage

P. 243
The studio in the rue Férou, Paris. 1951. ©Telimage
Anonym, Man Ray in front of his studio in the rue Férou, Paris. 1960's ©Telimage
Self-portrait with Juliet and Marcel Zerbib at Café Deux Magots, ca. 1962. Photo Marc Domage, Courtesy Association Internationale Man Ray, Paris

P. 244
Henri Cartier-Bresson, Marcel Duchamp and Man Ray, ca. 1968. ©Telimage
Eileen Tweedy, Man Ray and Lee Miller at the opening of the exhibition *Man Ray, Inventor, Painter, Poet*, at the Institute of Contemporary Arts, in London, 1975.

P. 245
Dino Pedriali, Juliet and Man Ray, rue Férou, Paris, 1975. ©Telimage

パリでマン・レイが住んだ場所、かかわった場所など、主なところはP.206-208の「パリガイド MAN RAY PARIS GUIDE」に詳しく明示されています。

BIBLIOGRAPHY 参考文献

凡例

文献は以下のように分類した。

- ▶ マン・レイの出版物：著書、作品（写真・デッサン・版画）集、編集雑誌等
- ▶ マン・レイの執筆記事（展覧会図録等への小文を含む）とインタヴュー
- ▶ マン・レイの映画：作品、プライヴェート・フィルム、ドキュメンタリー、その他
- ▶ マン・レイの展覧会録
- ▶ マン・レイに関する関連文献（単行書）
- ▶ マン・レイに関する関連文献（雑誌等の記事）
- ▶ 日本（個展）
- ▶ 日本（単行書）
- ▶ 日本（逐次刊行物／雑誌特集記事）

各分類ごとに、おおむね、出版年の順とし、欧文献のあとに邦文献をおいた。また邦文献は可能なかぎり原典の末尾に記した。
データは、著者名、共著者名、記事名、書名（雑誌名）、出版地、出版社、巻号、出版年（月、展覧会会期等）の順に記し、翻訳や再版や掲載記事などは、各データの末尾に記載した。著者名としての「Man Ray」と、邦文献の出版地は省いた。
記事名は“ ”（欧文献）または「 」（邦文献）、書名等はイタリック（欧文献）または『 』（邦文献）で記した。

マン・レイの出版物：著書、作品（写真・デッサン・版画）集、編集雑誌等
SELECTED PUBLICATIONS BY MAN RAY

The Bum, Ridgefield; Printed by the artist, ca. 1913.
Adonism, Ridgefield; Printed by the artist, 1914.
The Ridgefield Gazook, Ridgefield; Printed by the artist, 1915.
A Book of Divers Writings, with Adon Lacroix. Ridgefield; Printed by the artist, 1915.
A Primer of the New Art of Two Dimentions, New York; Printed by the artist, 1916.
Visual Words, Sounds Seen, Thoughts Felt, Feelings Thought, Poems by Adon Lacroix (1916); Layout by Man Ray. New York; Printed by the artist, 1917.
TNT, with Henri S. Reynolds and Adolf Wolff. New York; Printed by the artist, 1919.
New York Dada, co-edited with Marcel Duchamp. New York; Privately printed, 1921.
Champs délicieux, Preface by Tristan Tzara. “La photographie à l'envers.”; Rayographs by Man Ray. Paris; Société générale d'imprimerie, 1922.
Revolving Doors, Paris; Éditions Surréalistes, 1926.
Électricité, Preface by Pierre Bost; Rayographs by Man Ray. Paris; Compagnie de distribution d'électricité, 1931.
Art et Médecine, Photographs by Man Ray. Paris; Art et Médecine, 1931.
Facile, Poems by Paul Éluard; Photographs by Man Ray. Paris; G.L.M., 1935.
La Photographie n'est pas l'art, Preface by André Breton; 12 Photographs by Man Ray. Paris; G.L.M., 1937.
Les mains libres, Poem by Paul Éluard; 66 Illustrations by Man Ray. Paris; Édition Jeanne Bucher, 1937. （瀧口修造抄訳『自由な手・抄』ジイキュウ出版社、1973年）
One Sunday in California, Hollywood; Unpublished Portfolio by the artist. 1941–1942.
Le Temps déborde, Poem by Paul Éluard as Didier Desroches; 10 Illustrations after photographes by Man Ray and Dora Maar. Paris; Cahiers d'Arts, 1947.
Alphabet for Adults, Beverly Hills; Copley Galleries, 1948.
Man Ray Rayographs 1921–28, Stuttgart; Schubert & Kapitzki, 1963.
Man Ray Portraits, Preface by Leo Fritz Gruber. Paris; Éditions Prisma, 1963.
Self Portrait, Boston; Atlantic Monthly / Little, Brown and Company, London; André Deutsch, 1963.; Trans. *Autoportrait*. Paris; Robert Laffont, 1964.（千葉茂夫訳『マン・レイ自伝 セルフポートレート』美術公論社、1981年/文遊社、2007年）
Il reale assolut, ed. Arturo Schwartz. Milan; Galleria Schwartz, 1964.
Résurrection des mannequins, Paris; Jean Petithory, 1966.
S.M.S. (Shit Must Stop), Portfolios ed. William Copley. New York; The letter edged in black press, 1968.
Électromagie, Poems by Gui Rosey and Georges Visat; Illustrations by Man Ray. Paris; Georges Visat, 1969.
Les Chambres, Poems by Louis Aragon; Etching by Man Ray. Paris; Éditeurs Français Réunis, 1969.
Alphabet pour Adultes, Paris; Pierre Belfond, 1970.
Anatoms Whithout Rime or Reason for Every Season, Paris; Georges Visat, 1970.
Les six masques voyants, Milan; Studio Marconi, 1970.
Mr and Mrs Woodman, The Hague; Edition Unida, 1970.
Oggetti d'affezione, Turin; Einaudi, 1970.
Clin d'œil, Turin; Galleria Il Fauno and Galleria Martano, 1971.
La Ballade des Dames hors du Temps, Text by André Breton; Illustrations by Man Ray. Paris; Société Internationale d'Art XXe siècle, 1970./ New York; Leon Amiel, 1971.
De l'origine des espèces par voie de sélection irrationnelle, Paris;

XXe siècle./ Milan; Galleria Schwarz./ New York; Leon Amiel, 1971.
First Steps in 1920, Turin; Luciano Anselmino, 1971.
Les cactus, Paris; Georges visat, 1971.
Analphabet, New York; Nadada Editions, 1972.
Les mains libres, at the occasion of 10 bronzes after *Les mains libres* of Man Ray, Milan; Luciano Anselmino, 1972.
Les voies lactées, Turin; Galleria Il Fauno, 1972.
Revolving Doors, Forward by Roland Penrose. Turin; Galleria Il Fauno, 1972.
Le pain peint, Paris; Galerie Alexandre Iolas, 1973.
Le Septième Face du Dé; Man Ray, with an interview to Sarane Alexandrian. Paris; Éditions Filipacchi, 1973.（宮川淳訳『マン・レイ』シュルレアリスムと画家叢書 骰子の7の目 第6巻、河出書房新社、1975年）

マン・レイの執筆記事(展覧会図録等への小文を含む)とインタヴュー
SELECTED MONOGRAPHS, ARTICLES, INTERVIEWS BY MAN RAY

"Travails." *Modern School*, 5. Autumn, 1913.
"Editor of Globe." *New York Globe and Commercial Advertiser*. May 9, 1913.
"Impressions of 291." *Camera Work*, 47. July, 1914.
"Three Dimensions." *Others*, I, no. 6. 1915.
Untitled statement. *The Forum Exhibition of Modern American Painters*, New York; Anderson Galeries, March 13–26, 1916.
"L'inquiétude." *Salon Dada International*, Paris; Galerie Montagne, June 6–30, 1921.
"Pensées sur l'art." in catalogue *Exposition dada Man Ray*, Paris; Librairie Six, December 3–31, 1921.
"Apparences trompeuses." *Paris Soir*, May 23, 1926.
"Emak Bakia." *Close up*, 2. August, 1927.
"Recherches sur la sexualité: Part d'objectivité déterminations individuelles, degré de conscience." an interview to André Breton. *La Révolution Surréaliste*, II. March 15, 1928.
"Lion Will Chirp 'Peep, Peep'..." *The New York Herald*, May 19, 1929.
"Object of Destruction." *This Quarter*, V–1 (special number for Surréalisme). September, 1932.
"L'âge de la lumière." *Minotaure*, 3–4. 1933.
"Rembrandt Would Have Used a Camera." *Photography*, March, 1934.
"The Age of Light." in James Thrall Soby, *Man Ray Photographs 1920–1934 Paris*, Paris; Cahiers d'Art; New York; Random House, 1934.
"Danses—Horizons." *Minotaure*, 5. 1934.
"On Photography." *Commercial Art and Industry*, 18. no.104. Feburuary, 1935.
"À l'heure de l'Observatoire—Les Amoureux." (French translation by Man Ray) *Cahiers d'Art*, 5/6. 1935.
"Sur le réalisme photographique." (On Photographic Realism, English translation by Paul Éluard) and "Essai de simulation du délire cinématographique." *Cahiers d'Art*, 5/6. 1935.
"Les portes tournantes." *Minotaure*, 7. 1935.
"Man Ray versus S. John Woods." *Film Art*, III. 8. second quarter, 1936.
"Picasso, Photographe." *Cahier d'Art*, 6/7. 1937.
"Art in Sanity." *Arts and Architectures*, 58. 1. January, 1941.
"Man Ray Folio." *Minicam Photography*, October, 1943.
"Knud Merrild: A Letter to the Artist from Man Ray." *Arts and Architectures*, LX. 1. January, 1943.
"Photography Is Not Art." *View*, 3. no.1. April–October, 1943.
"Notes." in catalogue *Retrospective Exhibiton; Paintings, Drawings, Watercolors, Photographs 1913–1944*, Pasadena; Pasadena Art Institute, September 19–October 29, 1944.
"Bi-Lingual Biography." *View*, 5. no.1 (special number for Marcel Duchamp). March, 1945.
"It Has Never Been My Object to Record My Dreams." in catalogue *Objects of My Affection*, New York; Julien Levy Gallery, April, 1945.
"Chessmen by Man Ray." (Leaflet describing Man Ray's chess sets) Hollywood; Privately printed, 1945.
"Lettre de Man Ray." *Dreams that Maney Can Buy* (the catalogue of the Hans Richiter's film) New York; Film International of America, 1947.
"Dadaism." *Schools of Twentieth Century Art*, Beverly Hills; Modern Institute of Art. April 22–May 30, 1948.
" To Be Continued Unnoticed.", " A Note on the Shakespearian Equations." in catalogue *Exhibition Man Ray*, Beverly Hills; Copley Galleries, December 14, 1948–January 9, 1949.
"Art et cinéma." *L'âge du cinéma*, 2. May, 1951.
"Cinémage." *L'âge du cinéma*, 4/5. August–November, 1951.
"Autobiographie." in catalogue *Man Ray, Max Ernst, Dorothea Tanning*, Tours; Musée des Beaux-Arts, 1956.
"Is Photography Necessary? " *Modern Photography*, 21. II. November, 1957.
"Dadamade." in catalogue *Dada—Dokumente einer Bewegung*. Düsseldolf; Kunstverein für die Rheinlande und Westfalen, Düsseldolf Kunsthalle, 1958.
"What I am." with Erik Satie and "An Autobiography" in catalogue *An Exhibition Retrospective and Prospective of the Work of Man Ray*, London; Institute of Contemporary Arts, March 31–April 25, 1959.
"Inventaire d'une tête de femme." in catalogue *Boîte alerte, Exposition internatiOnale de Surréalisme, ErOS*, Paris; Galerie Daniel Cordier. 1959.
"One Hundred Objects of My Affection." and "Preface" from *Proposed Book: The Art of Assemblage*, New York; Museum of Modern Art, 1961.
"Then and Now. A Symposium on the expatriate tradition in Paris." at the American Students' and Artists' Center, Paris. *Paris Review*, 33. Winter, 1964–Spring, 1965.

"Tous les films que j'ai réalisés..." *Études cinématographiques,* 38/39. Spring, 1965.
"I Have Never Painted a Recent Picture." in catalogue *Exhibition Man Ray,* Los Angeles; Los Angeles County Museum of Art, 1966.
"Les invendables." in catalogue *40 Œuvres invendables de Man Ray,* Venice; Galerie Alphonse Chave, April 4–May 9,1966.
"Person to Person." in catalogue *Man Ray,* Rotterdam; Boijmans van Beuningen Museum, September 24–November 7, 1971.
"Interview with Man Ray." in Pierre Bourgeade, *Bonsoir Man Ray,* Paris; Belfond, 1972.
"Io Man Ray." *Bolaffi Arte,* 31. June, 1973.
"Mentre apro questa bottiglia..." in Janus, *Man Ray,* Milan; Fratelli Fabbri, 1973.
"Original graphics multiples." in Luciano Anselmino, *Man Ray Opera Grafica,* vol.1. Turin; ed. Studio Marconi, 1973. / vol.2. 1984
"Je suis un fautographe." *Photo,* 88. January, 1975.
"Photography Can Be Art." in Jean-Hubert Martin, *Man Ray: Photographs,* New York; Thames and Hudson, 1982.

マン・レイの映画：作品、プライヴェート・フィルム、ドキュメンタリー、その他
SELECTED FILMOGRAPHY BY MAN RAY

Le Retour à la Raison『理性への回帰』2分　BW.
with Kiki de Montparnasse (Alice Prin). and shown on July 6, 1923 at the Théâtre Michel, in the context of a dadaist event titled *Cœur à barbe.*
Emak Bakia『エマク・バキア』20分　BW.
with Rose Wheeler, Kiki de Montparnasse and Jacques Rigaut. Produced by Arthur and Rose Wheeler and premiers on November 23, 1926 at the Théâtre du Vieux Colombier.
L'Étoile de mer『ひとで／海の星』17分　BW.
with Kiki de Montparnasse, André de la Rivière and Robert Desnos, after a poem written by Robert Desnos. Assistant: Jacques-André Boiffard and premiers on May 13, 1928 at the Studio des Ursulines.
Les Mystères du château de dé『骰子城の秘密』25分　BW.
with Alice de Montgomery, Eveline Orlowska, Bernard Déshoulières, vicomte Charles and vicomtesse Marie-Laure de Noailles, Marcel Raval, Lily Pastré, comte Étienne de Beaumont, Mr. and Mrs. Henri d'Ursel, Jacques-André Boiffard and Man Ray, produced by Charles and Marie-Laure de Noailles. Assistant: Jacques-André Boiffard. and premiers on June 1929 at the Studio des Ursulines.

●PRIVATE FILMS

Autoportrait ou Ce qui manque à nous tous『自写像　あるいはわれわれすべてに欠けているもの』11分　BW.
with Lee Miller and Man Ray. ca. 1930.
Poison『毒』2分40秒　BW.
with Meret Oppenheim and Man Ray. ca. 1933–35.
L'Atelier du Val-de-Grâce『ヴァル・ド・グラースのアトリエ』1分50秒　Color, Kodachrome. ca. 1935.
La Garoupe『ガループ海岸』9分10秒　BW, Color.
with Pablo Picasso, Paul and Nusch Éluard, Cécile Eluard, Emily Davies, Valentine Penrose, Roland Penrose and Man Ray. ca. 1936.
Course lndaise『ランド地方の闘牛』9分　Color, Kodachrome.
with Ady Fidelin. ca. 1937.
Ady『アディ』53秒　BW. with Ady Fidelin and Man Ray. 1938.
Dance『ダンス』7分33秒　BW. with Jenny. 1938.
Juliet『ジュリエット』3分43秒　BW.
with Juliet and Man Ray. ca. 1940.

●DOCUMENTARY FILMS

Chambre noire—Man Ray『黒い部屋―マン・レイ』34分
Michel Tournier, Albert Plécy and Claude Faillard, 1961.
Paul Éluard—Portrait souvenir『ポール・エリュアール―思い出の肖像』1時間37分　Roger Stéphane & Roland Darbois, 1964.
Lecture pour tous—Man Ray『万人向けの読書―マン・レイ』17分　Jean Prat, produced by Pierre Dumayet and Pierre Desgraupes, 1964.

●OTHERS

Ballet mécanique『バレエ・メカニック』Dudley Murphy's experimental film with Fernand Léger, 1923.
Entr'acte『幕間』René Clair's dadaist film, playing chess on the roof of the Théâtre des Champs-Elysées with Duchamp, 1924.
Anémic Cinéma『アネミック・シネマ』assists Duchamp and Marc Allégret in filming, 1926.
Dreams that Money can Buy『金で買える夢』Hans Richter's experimental film in which Ernst, Duchamp, Léger, and Alexander Calder also participate, Man Ray contributed his story " *Ruth, Roses and Revolvers* " to the film, 1946.

マン・レイの展覧会録
SELECTED EXHIBITIONS ON MAN RAY

Group exhibition organized by the artists associated with the Modern School, New York; The Ferrer Center, December 28, 1912. –January 13, 1913.
Exhibition of Paintings and Water Colors at the Modern School, New York; The Ferrer Center, April 23–May 7, 1913.
Exhibition of Paintings Representative of the Modern Movement in American Art, New York; Memorial Art Gallery, Rochester, February 16–March 7, 1915.
Exhibition of Paintings, Drawings, and Sculpture, New York; Montross Gallery, March 23–April 24, 1915.

First-solo Exhibition Drawings and Paintings by Man Ray, New York; The Daniel Gallery, November 9(?)–23, 1915.
The Forum Exhibition of Modern American Painters, Anderson Gallery, New York; March 13–25, 1916.
2nd-solo Exhibition of Paintings and Drawings by Man Ray, New York; The Daniel Gallery, December, 1916. –January 16, 1917. *Preface by Adon Lacroix.
Exhibition of Modern Art, Arranged by a Group of European and American Artists in New York, New York; Bourgeois Galleries, February 10–March 10, 1917.
The First Exhibition of the Society of Independent Artists, New York; The Grand Central Palace, April 10–May 6 1917.
Exhibition Contemporary Art, New York; Penguin Club, March beginning–16, 1918.
3rd-solo last Exhibition of Man Ray, New York; The Daniel Gallery, November 17–December 1, 1919.
Exhibition of Paintings by American Modernists, Los Angeles; Museum of History, Science and Art, Los Angeles, February 1–29, 1920.
First Exhibition of the Société Anonyme, Inc., New York; *Société Anonyme Gallery*, April 30–June 15, 1920.
15th Annual Exhibition of Photographs, Philadelphia; *John Wanamaker Department Store in Philadelphia*, March 7–26, 1921.
"*What Is Dadaism?*", New York; *Société Anonyme Gallery*, April 1, 1921.
Exhibition of Paintings and Drawings: Tendences in Art, Philadelphia, The Pennsylvania Academy of the Fine Arts, April 16–May 15, 1921.
Paintings by Members of the Société Anonyme, Worcester; Worcester Art Museum, November 3–December 5, 1921.
Salon Dada, Exposition internationale, Paris; Galerie Montaigne, June 6–30 1921.
Exposition Dada Man Ray, Paris; Librairie Six, December 3–31, 1921. *Man Ray. "Pensée sur l'art.", Texts by Max Ernst, Georges Ribemont-Dessaignes and Tristan Tzara.
La Salon des indépendants, Paris, January 28–February 28, 1922.
Exposition la peinture Surréaliste, Paris; Galerie Pierre, November 14–25, 1925. *Preface by André Breton and Robert Desnos.
International Exhibition of Modern Art Assembled by Société Anonyme, New York; Brooklyn Museum of Art, November 19, 1926.–January 1, 1927.
Tableaux de Man Ray et Objets des Îles, Paris; Galerie Surréaliste, March 26–April 10, 1926.
Recent Paintings and Photographic Compositions by Man Ray, New York; The Daniel Gallery, February–April, 1927.
Exposition surréaliste, Paris; Sacre du Printemps, April 2–15 1928.
Man Ray, Du nouveau sous le soleil, Paris; Galerie surréaliste, April 27, 1928.
Premier salon indépendant de la photographie, Paris; Salon de l'escalier, Théâtre des Champs-Elysées, May 24–June 7, 1928.
Photographic Compositions by Man Ray, Chicago; The Arts Club of Chicago, February 5–19, 1929.
Tableaux et derniers rayogrammes, Paris; Galerie des Quatres-chemins, Paris, November 2–14, 1929.
Man Ray, Paris; Galerie Van Leer, November 6–30, 1929.
La Peinture au défi, Exposition de collages: Arp, Braque, Dali, Duchamp, Ernst, Gris, Mirò, Magritte, Man Ray, Picabia, Picasso, Tanguy, Paris; Galerie Goemans, March 1930. *Preface by Louis Aragon.
Photographies de Man Ray, Cannes; Galerie Alexandre III, April 13–19, 1931. *Preface by Francis Picabia.
Exhibition the Surrealists, New York; Julien Levy Gallery, January 9–29, 1932.
Photographs by Man Ray, New York; Julien Levy Gallery, April 9–30, 1932.
Exposition Surréaliste, Sculptures-Objet-Peintures-Dessins, Paris; Galerie Pierre Colle, June 7–18, 1933.
La Salon des Surindépendants, 6e exposition, Paris; Porte de Versailles, October 27–November 26, 1933.
Minotaure, Brussels; Palais des Beaux-Arts, May 12–June 3, 1934.
L'Exposición Surrealista, Ateneo de Santa Cruz de Tenerife; Gaceta de Arte, May 11–21, 1935.
Man Ray, Exposition de Peintures et Objets, Paris; Cahiers d'Art, November 15–30, 1935.
Cubism and Abstract Art, New York; The Museum of Modern Art, March 2–April 19, 1936.
Exposition surréaliste d'objets, Paris; Galerie Charles Ratton, May 22–29, 1936. *Preface by André Breton.
International Surrealist Exhibition, London; New Burlington Galleries, June 12–July 4 1936.
Drawings by Man Ray, New York; Valentine Gallery, 1936. *Text by Paul Éluard.
Fantastic Art, Dada, Surrealism, New York; The Museum of Modern Art, December 9, 1936. –January 17, 1937.
La Mode au Congo, Paris; Galerie Charles Ratton, May, 1937.
Les Dessins de Man Ray, Paris; Galerie Jeanne Bucher, November 5–20, 1937. *Paul Éluard. "Note on the Drawing of Man Ray."
Trois Peintres Surréalistes: René Magritte, Man Ray, Yves Tanguy, Brussels; Palais des Beaux-Arts. December 11–22, 1937. *André Breton. "Qu'est ce qu'il Surréalisme ? "
Exposition Internationale du Surréalisme, Paris; Galerie des Beaux-Arts, January 17–February 24, 1938.
Man Ray, Paintings, Watercolors, Drawings, Photographic Compositions, Hollywood; Frank Perls Gallery, March 1–26, 1941. *Anonyme. "The Return of Man Ray."
Man Ray, Retrospective Exhibition 1913–1944, Pasadena; Pasadena Art Institute, September 19–October 29, 1944. *Man Ray. "Notes."
The Imagery of Chess, New York; Julien Levy Gallery,

December, 1944.

Man Ray, Objects My Affection, New York; Julien Levy Gallery, April 10–30, 1945. *Man Ray. "It Has Never Been My Objects to Record My Dreams."

Pioneers of Modern Art in America, New York; Whitney Museum of American Art, April 9–May 19, 1946.

58th Annual Exhibition of American Paintings and Sculpture, Abstract and Surrealist American Art, Chicago; *Art Institute of Chicago*, November 6, 1946. –January 11, 1947.

Exposition Internationale du Surréalisme, Paris; Galerie Maeght, July–August, 1947.

An Exhibition of Painting and Sculpture by the Directors of the Société Anonyme since its foundation 1920–1948, New Haven; Yale University Art Gallery, September, 1948.

To Be Continued Unnoticed, Beverly Hills; The Copley Galleries, December 14, 1948. –January 9, 1949. *Man Ray. "To Be Continued Unnoticed." as a Preface and "A Note on the Shakespearian Equations."

Abstract Painting and Sculpture in America, New York; The Museum of Modern Art, January 23–March 25, 1951.

Exposition de peintures de Man Ray, Paris; Galerie Furstenberg, June 1–15, 1954.

Man Ray, Non-Abstractions, Paris; Étoile Scellée, April 24–May, 1956. *André Breton, "Man Ray non abstractions."

Man Ray, Max Ernst, Dorothea Tanning, Tours; Musée des Beaux-Arts. November 10–December 16, 1956.

L'aventure dada, 1916–1922, Paris; Galerie de l'institut, March 15–April 12, 1957.

Dada Dokumente einer Bewegung, Düsseldorf; Kunstverein für die Rheinlande und Westfalen, Düsseldolf Kunsthalle. 1958. *Man Ray. "Dadamede."

DADA, Amsterdam; Stedelijk Museum, December 23, 1958. –February 2, 1959.

An Exhibition Retrospective and Prospective of the Works of Man Ray, London; Institute of Contemporary Arts, March 31–April 25, 1959. *Man Ray. "What I Am.", "An Autobiography."; Marcel Duchamp. "Notes."

Man Ray, Paris; Galerie Rive Droite and New York; Alexander Iolas, October 16–November, 1962.

L'Exposition internatiOnale du Surréalisme, ErOS, Paris; Galerie Daniel Cordier, December 15, 1959. –February 29, 1960. *Man Ray. "Inventaire d'une tête de femme."

Exposition Internationale du Surréalisme, Milan; Galleria Schwarz, May, 1961.

The Art of Assemblage, New York; The Museum of Modern Art, October 4–November 12, 1961. *Man Ray. "One Hundred Objects of My Affection."

Man Ray, Exposition de l'œuvre photographique, Paris; Bibliothèque Nationale, May 22–July 13, 1962.

Man Ray, Princeton; The Art Museum Princeton, March 15–April 5, 1963.

Man Ray, Paintings, drawings, watercolors, etcetra, New York; Cordier & Ekstrom Gallery, April 30–May 18, 1963. *Marcel Duchamp. "La vie en ose."

Man Ray, Oggetti del mio affetto, Milan; Galleria Schwarz, March 14–April 3, 1964.

Le Surréalisme : Sources, Histoire, Affinités, Paris; Galerie Charpentier, 1964.

Man Ray, Objects of my Affection, New York; Cordier & Ekstrom, October 5–30, 1965.

Un siècle de photographie de Niepce à Man Ray, Paris; Musée des arts décoratifs, Paris, October 20, 1965. –January 3, 1966.

Aspekte des Surrealismus, 1924–1965, Basel; Galerie d'art moderne, 1965.

L'Ecart absolu: la XIe exposition internationale du surrealisme, Paris; Galerie de l'œil, December, 1965.

Dada 1916/1966, organized by Galleria Schwarz, Milan and Galerie Krugier, Geneva, traveled at Paris; Musee National d'Art Moderne, Zurich; Kunsthaus, Milan; Civico Padiglione d'Arte Contemporanea, 1966.

Man Ray, Los Angeles; Los Angeles County Museum of Art, October 26, 1966. –January 1, 1967. *Man Ray. "I Have Never Painted a Recent Picture."; Texts by Paul Éluard, Tristan Tzara, Marcel Duchamp.

Salute to Man Ray, Paris; American Students' and Artists' Center, 1967. *Man Ray. "Then and Now. A Symposium on the expatriate tradition in Paris."

Le muse inquietanti : maestri de Surrealismo, Turin; Galleria Civica d'Arte Moderna, Torino, November, 1967. –January, 1968.

Dada, Surrealism, and their heritage, New York; The Museum of Modern Art, March 27–June 9, 1968.

The Machine Seen at the End of Mechanical Age, New York; The Museum of Modern Art, November 27,1968.–February 9, 1969.

Two Generations of Photographes: Man Ray and Naomi Savage, New Jersey; New Jersey State Museum, December 14, 1968. –February 9, 1969.

Man Ray, Objets de mon affection, Paris; Galerie Europe, 1968.

Man Ray, London; Hanover Gallery, January, 1969.

40 Œuvres invendables de Man Ray, Vence; Galerie Alphonse Chave, April 4–May 9, 1969. *Man Ray. "Les Invendables."

Man Ray, A Selection of Paintings, New York; Cordier & Ekstrom Gallery, January 14–February 7, 1970.

Man Ray, Paris; Galerie XXe siècle, May 15–June 15, 1970.

Man Ray, Obstruction, Paris; Galerie Suzanne Visat, March 11–April 15, 1971.

Man Ray, Clin d'œil, Turin; Galleria Il Fauno and Galleria Martano, May 5–28, 1971. *Text by Hans Richter.

Man Ray, 60 years of liberties, Milan; Galleria Schwarz, June, 1971.

Man Ray, Disegni, Rayografie, Fotografie, incisione, edizioni numerate, duecentoventi opere 1912–1971, Milan; Galleria Milano, June 4, 1971. *Paul Éluard. "Man Ray."

Man Ray, Rotterdam; Boijmans van Beuningen Museum,

Paris; Musée National d'Art Moderne, Humlebaek; the Louisiana Museum Denmark, respectively September 24–November 7, 1971. and January 7–February 28, and March 18–May 7, 1972. *Man Ray. "Person to Person."

Man Ray, Washington, D.C.; Hurry Lunn Gallery, October–November, 1971.

Man Ray, 40 Rayographies, Paris; Galerie des 4 Mouvements, February 25–March 25, 1972.

Le Surréalisme 1922–1942, Patrick Waldberg, Munich; Haus Der Kusnt Sic and Paris; Le Musée Des Arts Décoratifs, June 9 September 24, 1972.

Man Ray, Ferrara; Palazzo dei Diamanti, Galleria Civica d'Arte Moderna, 20 May–25 July, 1972.

Man Ray, Opere 1914–1973, Rome; Il Collezionista d'Arte Contemporenea, October 24–December 8, 1974.

Le Cubisme et Man Ray, Paris; Françoise Tournié, 1973.

Man Ray, Tokyo; Gallery Nantenshi, September 10–25, 1973.

Man Ray, Inventor / Painter / Poet, New York; New York Cultural Center, London; Institute of Contemporary Arts, respectively, December 19, 1974. –March 2, 1975. and April–June, 1975.

Vintage Photographs of Man Ray, Los Angeles; Ray Hawkins Gallery, February 25–March 22, 1975.

Man Ray, L'immagine fotografica, Venice; La Biennale di Venezia, July 18–October 10, 1976.

Paris–New York, Paris; Musée National d'Art Moderne, Centre Georges Pompidou, June 1–September 19, 1977.

Man Ray, Inventionen und Interpretationen, Frankfurt; Kunstverein, Basel; Kunsthalle, respectively October 14–December 23, 1979. and January 20–February 24, 1980.

Man Ray Photographe, Paris; Musée National d'Art Moderne, December 10, 1981. –April 12, 1982.

Man Ray et ses amis, Paris; Galerie Marion Meyer, February 23–April 3, 1982.

Paul Éluard et ses amis peintres, 1895–1952, Paris; Musée National d'Art Moderne, Centre Georges Pompidou, November 4, 1982.–January 17, 1983.

Man Ray, Objets de mon affection, Paris; Galerie Marion Meyer, November 9, 1983. –January 9, 1984.

Man Ray, Hamburg; Levy Gallery, September 21–October 30, 1987.

La femme et le surréalisme, Lausanne; Musée cantonal des Beaux-Arts Lausanne, November 21, 1987. –February 28, 1988.

Man Ray, Schweizerische Stiftung für die Photographie, Zurich; Kunsthaus, March 12–May 23, 1988.

Marcel Duchamp Man Ray, Société non anonyme, Paris; Galerie Marion Meyer, November 26, 1988.

Perpetual Motif, The Art of Man Ray, Washington D.C.; National Museumof American Art, Smithsonian Institution, December 2, 1988.–February 20,1989.

Man Ray Assemblages, Paris; Galerie Marion Meyer, May 15, 1990.

Man Ray / Bazaar Years: A Fashion Restrospective, New York; International Center of Photography, September 7–November 25, 1990.

André Breton—La beauté compulsive, Paris; Musée National d'Art Moderne, Centre Georges Pompidou, April 25–August 26, 1991.

Man Ray et les Femmes, Paris; Galerie Marion Meyer, Febrary 4–March 27, 1993.

Man Ray 1890–1976, Antwerp; Ronnie van de Velde Gallery, September 18–December 18, 1994.

Man Ray's Man Rays, Aperture, New York, West Palm Beach; Florida, Norton Gallery of Art, December 10, 1994.–February 5, 1995.

Man Ray, Rétrospective 1912–1976, Nice; Musée d'Art Moderne et d'Art Contemporain, February 22–June 9, 1997.

Man Ray's Paris Portraits: 1921–1937, Saint Petersburg, Florida; Salvador Dalí Museum, SmD ed., September 27, 1997.–January 8, 1998.

Man Ray Peintre, Paris; Galerie Marion Meyer, March 10–May 9, 1998.

Man Ray, La Photographie à l'envers, Paris; Galeries Nationales du Grand Palais, April 29–June 29, 1998. This travelling exhibition organized by Man Ray Trust, was also presented, from 2007 to 2010, in Madrid, A Coruña, Berlin, Nuoro, The Hague and Maedra.

Surrealism, Desire Unbound, London; Tate Modern, September 20, 2001.–January 1, 2002 and New York; Metropolitan Museum of Art, February 6–May 12, 2002.

Conversion to Modernism, The Early Work of Man Ray, Under the supervision of Francis M. Naumann, Montclair; New Jersey, Montclair Art Museum, February 16–August 3, 2003.

Man Ray 1890–1976, Sydney; Art Gallery of New South Wales, February 6–April 18, Brisbane; Queensland Art Gallery, May 8–July 18 and Melbourne; National Gallery of Victoria, August 7–October 7, 2004.

Man Ray—I am an Enigma, Under the supervision of Marion Meyer and Kunio Iwaya, This travelling exhibition organized by Art Planning Rey Inc., was also presented, from 2004 to 2005, in Fukui, Okazaki, Saitama, Yamanashi, and Tokushima.（展覧会図録『マン・レイ―私は謎だ』巌谷國士監修・著、訳　Marion Meyer "Person to Person."　アートプランニングレイ、2004-05年）

Man Ray l'Enigme photographique; Galerie Marion Meyer, November 3–December 20, 2006.

Surreal Things: Surrealism and Design, London; Victoria & Albert Museum, March 29–July 22, 2007., Rotterdam; Boijmans van Beuningen Museum, September 29, 2007.–January 6, 2008, Bilbao; Guggenheim Museum, March 3–September 7, 2008.

Atelier Man Ray—Unconcerned but not Indifferent, Paris; Pinacothèque de Paris, La Fabrica, March 5–June 1, 2008.

Duchamp, Man Ray, Picabia, London; Tate Modern, February

21–May 26, 2008. and Barcelona; Museu Nacional d'Art de Catalunya, June 19–September 21, 2008.

Alias Man Ray: The Art of reinvention, New York; Jewish Museum, November 15, 2009. –March 14, 2010.

La Subversion des images : Surréalisme, photographie, film, Paris; Centre Pompidou, September 23, 2009. –January 11, 2010., and Winterthur; Fotomuseum, February 26–May 23, 2010. and Madrid; Institute de Cultura/Fundacion Mapfre, June 16–September 12, 2010.

Man Ray: Colleccion Marion Meyer, Bogota; Museo de Arte Banco de la Republica (Colombie), 2010.

Man Ray, African Art and the Modernist Lens, Under the supervision of Wendy A. Grossman, International Arts and Artists ed., Washington; Washington D.C., The Phillips Collection, October 10, 2009.–January 10, 2010., Albuquerque; University of New Mexico Art Museum, February 6–May 30 2010., Charlottesville; University of Virginia Museum of Art, August 7–October 10, 2010. and Vancouver; University of British Columbia, Museum of Anthropology, October 29, 2010.–January 23, 2011.

Man Ray / Lee Miller : Partners in Surrealism, Salem, Massachusetts; Peabody Essex Museum, June 11–December 4, 2011., Montclair, New Jersey; Montclair Art Museum, February 11–May 20, 2012. and San Francisco; Fine Arts Museum of San Francisco, July 14–October 14, 2012.

Man Ray—Fotograf im Paris der Surreaslisten, Brühl; Max Ernst Museum, September 15–December 8, 2013.

Man Ray Portraits, Fonds Mercator, London; National Portrait Gallery, February 7–May 27, 2013., Edinburg; Scottish National Portrait Gallery, June 22–September 8, 2013., and Moscow; The Pushkin State Museum of Fine Arts, October 28, 2013. –January 19, 2014.

Le Surréalisme et l'objet, Paris, Centre Pompidou, October 30, 2013. –March 3, 2014.

Man Ray Visages of the Woman, Andros, Greek; Museum of Contemporary Art, June 28–September 27, 2015.

Man Ray, Wien; Kunstforum, February 14–June 24, 2018.

Man Ray's LA, Beverly Hills; Gagosian Gallery, January 11–February 17, 2018.

Man Ray : Vues de l'esprit, Albi; Scène nationale, Musée Toulouse-Lautrec and Médiathèque Pierre-Almaric, December 12, 2018. –January 5, 2019.

Man Ray Objetos de ensueño, Madrid, Fundación Canal, January 31–April 21, 2019.

Man Ray et la mode, Marseille; Musée Cantini, November 8, 2019. –March 8, 2020. and Paris; Musée du Luxembourg, September 23, 2020. –January 17, 2021.

L'amour fou ? Intimité et création (1910–1940), Quimper; Musée des Beaux-Arts de Quimper, October 15, 2020.–January 25, 2021. and Poitiers; Musée Sainte-Croix de Poitiers. March 5–June 13, 2021.

マン・レイに関する関連文献(単行書、雑誌等の記事)
SELECTED MONOGRAPHS AND ARTICLES ON MAN RAY

●MONOGRAPHS(単行書)

Georges Ribemont-Dessaignes, *Peintres Nouveaux, Man Ray*, Paris; Librairie Gallimard, December 14, 1924.

André Breton & others, ed., *La Révolution Surréaliste*, December 1, 1924.

Jean Cocteau, *L'Ange Heurtebise*, Paris; Librairie Stock, 1925.

André Breton, *Nadja*, Paris; Nrf, 1928. : *Rpt. Paris; Gallimard, Livre de Poche, 1964. (巖谷國士訳『ナジャ』人文書院、1970年/白水社、1976・1989年/岩波書店、2003年)

Louis Aragon & Benjamin Péret, *1929*, Brussels; Éditions de la Revue Variétés, 1929.

Georges Ribemont-Dessaignes, *Man Ray*, Paris; Nrf, 1929.

Alice Prin (Kiki de Montparnasse), *Kiki's Memoire*, Manhattan; Black Manikin Press, 1930. (河盛好蔵訳『モンパルナスのキキ』美術公論社、1980年)

James Thrall Soby, ed., *Photographs by Man Ray*, Paris; Cahiers d'Art; New York; Randam House, Hartford, Conneticut, 1934. *André Breton, "Les Visages de la Femme."; Marcel Duchamp, "Men Before the Mirror."; Paul Éluard, "Man Ray."; Tristan Tzara, "Quand les objets rêvent." *Rpt. New York; Editions Delano Greenidge, 2000.

James Thrall Soby, ed., *Photographs by Man Ray 105 Works, 1920–1934.* Hartford; James Thrall Soby, 1934.: *Rpt. New York: Dover Publications, 1979.

Andre Breton & Paul Eluard, "Man Ray dessine pour être aimé.", *Dictonnaire abrege de surrealisme*, Paris; Galerie des Beaux-Arts, January 1938.

Marcel Duchamp, "Man Ray.", *Collection of the Société Anonyme: Museum of Modern Art 1920*, New Haven; Yale University Art Gallery, for the Asssociates in Fine Art, 1950.

Gertrude Stein, "Man Ray.", *Painted lace and other pieces, 1914–1937*, New Haven; Yale University Press, 1955.

Jean Adhémar & Évelyne Pasquet, "Man Ray.", *L'œuvre photographicque*, Paris; Bibliothèque Nationale, 1962.

Sylvia Beach, *Shakespeare and Company*, Paris; Mercure de France, 1962.

Carl Belz, *The Role of Man Ray in the Dada and Surrealist Mouvements*, Princeton; Princeton University, 1963.

André Breton, *Le surréalisme et la peinture*, Paris; Gallimard, 1965. (瀧口修造・巖谷國士監訳『シュルレアリスムと絵画』人文書院、1997年)

Patrick Waldberg, *Chemins du Surréalisme*, Bruxelles; Editions de la Connaissance, 1965. (巖谷國士訳『シュルレアリスム』美術出版社、1969年/河出書房新社、1998年)

Marcel Zerbib, ed., *Objets de mon affection*, Paris; Michel Belmont, 1968.

Arturo Schwartz, ed., *Man Ray 60 ans de liberté*, Paris; Erik Losfeld, 1971.

Pierre Bourgeade, *Bonsoir Man Ray*, Paris; Belfond, 1972. (松

田憲次郎・平出和子訳『マン・レイとの対話』銀紙書房/水声社、1995年)

Luciano Anselmino, *Man Ray Opéra Grafica*, vol. 1., Turin; Luciano Anselmino ed., 1973. *Man Ray, "Original graphics multiples."

Jean Saucet, ed. Salane Alexandrian, *Man Ray* (6th volume of collection) *La Septième Face du Dé*, Paris; Filipacchi, 1973. (宮川淳訳『マン・レイ』シュルレアリスムと画家叢書 骰子の7の目 第6巻、河出書房新社、1975年)

Janus (pseud.), *Man Ray*, Milan; Fabbri, 1973.

Arturo Schwartz, *New York Dada: Duchamp, Man Ray, Picabia*, Munich; Prestel, 1973.

Andy Warhol, *Man Ray by Andy Wahol*, Milan: Luciano Anselmino and Alexandre Iolas, 1974.

Roland Penrose, *Man Ray*, London; Thames and Hudson; New York; Graphic Societ, 1975.

Carmine Benincasa & Roberto Maria Siena, *Man Ray, Les Heures heureuses (Quinta parete)*, Rome; Magma, 1975.

Janus (pseud.), *Man Ray, L'Immagine Fotografica*, Venice; ed. La Biennale di Venezia, 1977.

Arturo Schwarz, *Man Ray, The Rigour of Imagination*, London; Rizzoli, 1977.

Juliet Man Ray, *Femme*. Milan; Studio Marconi, 1981.

Juliet Man Ray, *I 50 volti di Juliet / The Fifty Faces of Juliet*, Milan; Mazzotta Editore, 1981.

Marion Meyer, *Man Ray et ses amis*, Paris; Galerie Marion Meyer, 1982.

Jean-Hubert Martin, *Man Ray : Photographes*, New York; Thames and Hadson, 1982. (飯島耕一訳『写真家マン・レイ』みすず書房、1983年)

Rosalind Krauss and others, *L'Amour fou : Photography and Surrealism*, New York; Abbevlle Press, 1985.

Antony Penrose, *The Lives of Lee Miller*, London; Thames and Hudson, 1985. (松本淳訳『リー・ミラー 自分を愛したヴィーナス』パルコ出版、1990年)

Jacqueline Bograd Weld, *Peggy: The Wayward Guggenheim*, Boston; E.P. Dutton, 1986. (野中邦子訳『ペギー 現代美術に恋した"気まぐれ令嬢"』文藝春秋、1991年)

Neil Baldwin, *Man Ray, American artist*, New York; Da Capo Press, 1988. (鈴木主税訳『マン・レイ』草思社、1993年)

Lou Mollgaard, *Kiki, reine de Montparnasse*, Paris; R. Laffont, 1988. (北代美和子訳『キキ』河出書房新社、1999年)

Timothy Baum, *Man Ray Paris Portraits: 1921–39*, Washington D.C.; Middendorf Gallery ed., 1989.

Janus (pseud.), *Man Ray 1909–1972*, Paris; CELIV, 1990.

Marion Meyer, *Man Ray—Assemblages*, Paris; Galerie Marion Meyer/ Ligne de Mire, 1990.

Jean-Michel Bouhours & Patrick de Haas, *Man Ray: Directeur, de mauvais movies*, Paris; Centre Pompidou ed., 1997.

Matthew Gale, *Dada & Surrealism*, London; Phaidon Press, 1997. (巖谷國士、塚原史訳『ダダとシュルレアリスム』岩波書店、2000年)

Herbert R. Lottman, *Man Ray's Montparnasse*, New York; Harry N. Abrams, 2001. (木下哲夫訳、『マン・レイ 写真と恋とカフェの日々』白水社、2003年)

Alexander Games, *Man Ray*, New York; Parkstone Verlag, 2001. (山梨俊夫監訳、朝木由香訳『マン・レイ』二玄社、2007年)

Francis M. Naumann, *Conversion to Modernism : The Early Work of Man Ray*, New Brunswick; Rutgers University Press, 2003.

Maxime Godard, *L'atelier de Man Ray*, Liancourt; Editions Dumerchez, 2005.

Marion Meyer, *La photographie est l'art*, Paris; Galerie Marion Meyer, 2006.

Catel Muller and José-Louis Bocquet, *Kiki de Montparnasse*, Paris; Casterman, 2007.

John P. Jacob ed., *Man Ray : Trees+Flowers—Insects, Animals*, Güttingen; Steidl, 2009.

Quentin Bajac & Clément Chéroux, *Man Ray Portraits—Paris—Hollywood—Paris*, Paris; Centre Pompidou ed., 2010.

Patrick Bade, *Man Ray*, New York; Parkstone International, 2011.

Jennifer Mundy, *Man Ray—Writings on Art*, Los Angeles; The Getty Research Institute, 2015.

Andrew Strauss, *Man Ray—A journey from mathematics to shakespeare*, Berlin; Hatje Cantz Verlag, 2015.

●ARTICLES (雑誌等の記事)

Alfred Kreymborg, "Man Ray and Adon Lacroix, Economists.", *Morning Telegraph*, March 14, 1915

John Weichsel, "New Art and Man Ray.", *East and West*, no. 8. November, 1915.

A.v.C. "Man Ray's Paint Problems.", *American Art News*, no. 6. November 13, 1915.

Anonymous. "The Paintings on Man Ray.", *New York Times*, November 21, 1915.

Jean Cocteau, "Lettre ouverte à Man Ray, photographe américain.", *Les Feuilles Libres*, 26. April–May, 1922.

André Breton, "Tout paradis n'est pas perdu.", *Littérature*, October 15, 1923.

Robert Desnos, "Man Ray.", *Paris-Journal*. December 14, 1923.

Georges Ribemont-Dessaignes, "Man Ray.", *Les Feuilles Libres*, LXI. 40. May–June, 1925.

Robert Desnos, "Man Ray.", *Paris Soir*. May 23, 1926.

André Breton, "Le Surréalisme et la peinture.", *La Révolution surréaliste*, December 1, 1924. –December 15, 1927.

Robert Desnos, "The Work of Man Ray.", *transition*. No. 15. Winter Number, February, 1929.

Film of Luis Buñuel, *L'affaire de "L'âge d'or."*, Paris; Studio 28, 1930.

André Breton, "Le Château Étoilé.", *Minotaure*, no. 8. 1936.

Lee Miller, "I worked with Man Ray.", *Lilliput*, October, 1941.

Daniel Masclet, "Man Ray l'enchanteur.", *Photo France*, 10. November, 1951.

André Thévenet, "Man Ray, The American Photographer and

Graphic Designer.", *Camera*, XXXI. no. 10. October 1952.
Paul Wescher, "Man Ray as Painter.", *Magazine of Art*, 46, no.1. January, 1953.
Patrick Waldberg, "Bonjour Monsieur Man Ray !", *Quadrum*, 7. January, 1959.
William Copley, "Man Ray: The Dada of Us All.", *Portfolio*, 7. Winter, 1963.
Carl Belz "Man Ray and New York Dada.", *Art Journal*, 23. no.3. Spring, 1964.
Patrick Waldberg, "Les objets de Man Ray.", *XXe Siècle*, XXX. 31. December, 1968.
"The Mysterious Art of Catherine Deneuve.", *Sunday Times Magazine*, January 16, 1968.
Alain Jouffroy, "Man Ray devant les femmes.", *XXe Siècle*, XXXII. 35. December, 1970.
Arturo Schwarz, "Interview with Man Ray.", *New York Dada: Duchamp, Man Ray, Picabia*, Munich; Prestel Verlag, 1973.
Philippe Soupault, "Man Ray, le libérateur.", *Photo*, 88. January, 1975.
Mario Amaya, "My Man Ray: an Interview with Lee Miller Penrose and Mario Amaya.", *Art in America*, no. 3. May–June, 1975.
Roland Penrose, "Man Ray's Photographic Work.", *Studio International*, July–August, 1975.
Patrick Waldberg, "Man Ray avant Man Ray.", *XXe Siècle*, 45. December, 1975.
Henry Miller, "Recollections of Man Ray in Hollywood.", *La Logique assassine*, 1975.
Alden Whitman, "Man Ray Is Dead in Paris at 86; Dadaist Painter and Photographer.", *New York Times*, November 19, 1976.
Juliet Man Ray, "Days and Nights of Juliet.", an Interview by George M. Goodwin. 1981.
Wendy A. Grossman, "Unmasking Adrienne Fidelin : Picasso, Man Ray, and the (In)Visiblity of Racial Difference.", *Modernism/modernity*, vol.5. cycle 1. 2020.

日本

●個展

「マン・レイ 記念作品展」東京；南天子画廊　1973年9月10日−25日
「マン・レイ カラーエッチング展」東京；アテネ画廊　1974年12月9日−21日
「マン・レイ版画展」東京；不忍画廊　1978年5月1日−13日
「マン・レイ展 レイヨグラム・10」東京；ギャルリーワタリ　1979年11月12日−21日
「Man Ray's World」東京；Zeit-Foto Salon　1980年4月18日 -5月17日
「館蔵品を中心とした　マン・レイ　オブジェと写真展」軽井沢；高輪美術館　1981年9月11日−11月3日
「マン・レイのポートレート」福岡；福岡市美術館　1982年2月2日−28日/1985年8月6日−9月1日
「マン・レイ Femme・23展」東京；康画廊　1982年2月9日−20日
「マン・レイ オブジェと写真展」八尾；西武ホール　1983年1月14日−2月6日
「Man Ray ist」京都；R・ギャラリー　1983年9月20日−10月2日
「マン・レイ展」東京；アートスペース美蕾樹　1983年10月10日−15日
「マン・レイ展」東京；小田急グランドギャラリー　1984年8月10日−22日、鎌倉；神奈川県立近代美術館　1985年1月26日−2月24日、大津；滋賀県立美術館　3月2日−4月7日、津；三重県美術館　4月13日−5月12日、大阪；ナビオ美術館　5月17日−6月18日
「マン・レイの眼 写真展」東京；双ギャラリー　1987年4月11日−5月17日
「マン・レイ オブジェ、版画展」東京；児玉画廊　1987年10月1日−31日
「第9回オマージュ瀧口修造 マン・レイ展—オブジェを中心に」東京；佐谷画廊、1989年7月3日−22日
「マン・レイの映画 私的遊戯の実験」東京；西武シードホール　1989年7月3日−22日
「指先のマン・レイ展 Man Ray at My Fingertips from the collection of Teruo Ishihara」大阪；リブレリ・アルガード　1990年6月14日−26日
「生誕100年記念 マン・レイ展」東京；セゾン美術館　1990年9月29日−11月4日、尼崎；つかしんホール　11月10日−12月16日、福岡；天神大丸　1991年3月14日−19日、横浜；横浜美術館　4月6日−5月8日、船橋；西武アートフォーラム　7月17日−8月4日、京都；大丸ミュージアム Kyoto　8月15日−20日、札幌；五番館西武・赤れんがホール　8月31日−9月23日
「マン・レイ」東京；ギャラリー Via Eight　1990年11月20日−12月16日
「光とイメージの魔術師 マン・レイ」大阪；近鉄百貨店美術画廊　1991年6月7日−26日
「マン・レイ」名古屋；名古屋画廊　1995年5月31日−6月7日
「マン・レイ」八王子；富士美術館　1995年9月3日−10月22日
「マン・レイ 写真展」東京；東京ステーションギャラリー　1996年9月14日−10月20日、大阪；大丸ミュージアム・梅田　10月29日−11月11日、京都；大丸ミュージアム Kyoto　1997年4月3日−15日
「我が愛しのマン・レイ 石原輝雄コレクション」名古屋；名古屋市美術館　1996年12月1日−25日
「マン・レイ」東京；イル・テンポ　1997年1月11日−2月1日
「マン・レイ：自由と喜び」東京；伊藤忠ギャラリー　1998年2月27日−4月17日
「マン・レイ 写真展」東京；東京ステーションギャラリー　1996年9月14日−10月20日、大阪；大丸ミュージアム・梅田　10月29日−11月11日、東京；Bunkamura ザ・ミュージアム　2002年5月11日−6月23日、浜松；浜松市美術館　7月19日−8月18日、宇部；山口県立美術館　2002年12月20日−2003年2月2日、帯広；北海道立帯広美術館　4月4日−5月21日、京都；美術館「えき」Kyoto　6月4日−29日

「マン・レイ展 まなざしの贈り物」東京；House of Shiseido 2004年6月3日－7月18日
「マン・レイ―私は謎だ展」福井；福井県立美術館　2004年6月11日－7月11日、岡崎；岡崎市美術博物館　7月17日－9月5日、浦和；埼玉県立近代美術館　9月11日－10月27日　甲府；山梨県立美術館　11月3日－12月15日、徳島；徳島県立近代美術館　2005年1月15日－3月21日
「マン・レイ展」東京；国立新美術館　2010年7月14日－9月13日、大阪；国立国際美術館　9月20日－11月14日

●単行書
サラーヌ・アレクサンドリアン『マン・レイ』（シュルレアリスムと画家叢書 骰子の7の目 第6巻）宮川淳訳、瀧口修造監修、付録：月報4号＝瀧口修造「マン・レイはマン・レイである」、河出書房新社、1975年
アンドレ・ブルトン『ナジャ』巖谷國士訳、人文書院、1970年/白水社、1976・1989年/岩波書店、2003年
キキ・ド・モンパルナス（アリス・プラン）『モンパルナスのキキ』河盛好蔵訳、美術公論社、1980年
マン・レイ『マン・レイ自伝 セルフ・ポートレート』千葉茂夫訳、美術公論社、1981年/文遊社、2007年
『マン・レイ写真集』朝日新聞社、1981年
ジャンユベール・マルタン『写真家マン・レイ』飯島耕一訳、みすず書房、1983年
石原輝雄『マン・レイになってしまった人』銀紙書房、1983年
巖谷國士『シュルレアリストたち 目と不可思議』青土社、1986年
ルー・モルガール『キキ モンパルナスの恋人』河出書房新社、1993年
ニール・ボールドウィン『マン・レイ』鈴木主税訳、草思社、1993年
アンドレ・ブルトン『シュルレアリスムと絵画』瀧口修造・巖谷國士監訳、人文書院、1997年
巖谷國士『シュルレアリスムとは何か』メタローグ、1997年/ちくま学芸文庫、筑摩書房、2002年
ハーバート・R・ロットマン『マン・レイ 写真と恋とカフェの日々』木下哲夫訳、白水社、2003年
塚原史『ダダ・シュルレアリスムの時代』ちくま学芸文庫、筑摩書房、2003年
巖谷國士『マン・レイ事典 Man Rayを知るための100項目』（展覧会「マン・レイ―私は謎だ」図録所収）、アートプランニングレイ、2004-05年
石原輝雄『マン・レイの謎 その時間と場所』銀紙書房、2005年
マシュー・ゲール『ダダとシュルレアリスム』（岩波 世界の美術）巖谷國士、塚原史訳、岩波書店、2000年
アンドレ・ブルトン『魔術的芸術』巖谷國士監訳、河出書房新社、2002・2017年
アレクサンダー・ゲイムス『マン・レイ』（美の21世紀 11）山梨俊夫監訳、朝木由香訳、二玄社、2007年
巖谷國士『〈遊ぶ〉シュルレアリスム』（同名展覧会図録）平凡社コロナブックス、2013年
塚原史『ダダイズム』（岩波 現代全書）岩波書店、2018年
木水千里『マン・レイ 軽さの方程式』三元社、2018年

●逐次刊行物（雑誌特集記事）
『みずゑ』特集：マン・レイの肖像、第752号（1967年9月）
『gq』特集：マン・レイ、第2巻第2号 通巻第4号（1973年8月）
『ユリイカ』総特集：シュルレアリスム、巖谷國士編集、第8巻第7号（1976年6月）
『美術手帖』特集：マン・レイ、第25巻372号（1973年10月）
『ユリイカ』総特集：ダダ・シュルレアリスム、巖谷國士編集、第13巻第6号（1981年5月）
『ユリイカ』特集：マン・レイ 諧謔に彩られた芸術、第14巻第9号（1982年9月）
『カメラ毎日 別冊 光の時代の革命者 マン・レイ』（1984年9月）
『美術手帖』特集：ダダ―ピカビア＋マン・レイ、第36巻533号（1984年10月）
『アール・ヴィヴァン』特集：篠山紀信 マン・レイのアトリエ、15号（1985年2月）
『美術の窓』巻頭特集：マン・レイの秘蔵写真一挙公開、第9巻5号通巻90号（1990年5月）
『マリ・クレール』特集：マン・レイと女たち（1990年1月）
『季刊みずゑ』特集：マン・レイ 1890-1976、第955号（1990年6月）
『美術の窓』巻頭特集：マン・レイ グラビアで見る“怪人二十面相”マン・レイのすべて、第10巻第5号 通巻102号（1991年5月）
『21世紀版画』私は思う：マン・レイの視覚に斬り込む 私とマン・レイ、第10巻第5号 通巻第10号（1991年7月）
『藝術公論』特集：マン・レイとその周辺、第8巻第4号 通巻44号（1991年8月）
『BT：美術手帖』特集2：マン・レイと友人たち、第43巻643号（1991年9月）
『週刊美術館』デュシャン/マン・レイ、第43回配本、第44号（2000年12月）
『世界の文学 ヨーロッパⅣ』シュルレアリスム宣言、065 通巻1294号（2000年10月）
『ユリイカ』特集：ダダ・シュルレアリスムの21世紀、8月臨時創刊号第48巻10号 通巻684号（2016年8月）

本文献目録は、以下のものをとくに参照しました。

Man Ray, retrospective 1912-1976, Nice; Musée d'art moderne et d'art contemporain, 1997.
Conversation to modernism, the early work of Man Ray, New Brunswick; Rutgers University Press, 2003.
Visage of the Women, Andros; Museum of Contemporary Art, 2015.
巖谷國士監修・著、訳　展覧会図録『マン・レイ―私は謎だ』2004－05年

LIST OF WORKS 作品リスト

凡例

各項目の記載順序は（日本語のあとに英語）以下の通りとした。原則として所蔵者によって英語（場合によってフランス語表記のまま）に訳された表現をそのまま用いている。原義に忠実に邦訳し、時に応じて多少の情報を補う。表記の異なる場合は慣例に近い方に統一した。

図版番号　作家名　作品名　制作年　サイズ　材質・素材　再制作を主導した画廊・製作者とエディションナンバー　所蔵先　＊印

▶ **図版番号**
展示番号と共通するが、必ずしも展示の順序を示すものではない。参考図版には番号をふらず、この作品リストには掲載しない。

▶ **作家名　作品名**
マン・レイのよるものは作家名の記載を省略し、雑誌、展覧会等のパンフレット、香水瓶にも記載は省略した。
作品名中にあるタイトルは《…》で、版画集・作品集と書籍・雑誌は『…』に、映画と展覧会パンフレット等は「…」に入れて示した。また欧文表記において、作品名、映画作品名、作品集名、書籍・雑誌名、展覧会名はすべて斜体で表記した。

▶ **制作年　材質・素材　再制作を主導した画廊・製作者とエディション・ナンバー**
複製、再制作などによる「同一主題のヴァリエーション」の場合、原則として「最初の制作年/該当作品の制作年」と表示する。
例＝レイの手/マン・レイ（手・光線）　Ray's Hand / Main Ray　1935/1971年
ヴィンテージ・プリント（作品リスト上ではVと表記した）は写真家自身の手によるが、後刷のプリントには、マン・レイによるヴィンテージ・プリントのほか、1951年から現像技術師として仕えたセルジェ・ベギュイエによるもの、1970年代の制作活動を支えたピエール・ガスマンや、写真集や展覧会図録の製作を手伝った出版者たちによるものがある。
版画やジュエリー（エルザ・トリオレはみずから手づくりしているが）の場合、いずれも「作家のデッサン・デザインした年 / 作品化された年」の順に表示し、くわえて「製作者」と「エディション・ナンバー（Ed.=Edition / Ex.=Exemplaire=Copy / A.P.=Artist Proof / H.C.=Hors Commerce）」を付した。

▶ **サイズ（cm）**
平面作品サイズはタテ×ヨコとし、立体作品サイズはH（高）/L（長）× W（幅）× D（奥行または外径/ø）とした。作品によって台座を含むものもある。
版画作品はイメージサイズ（図柄の大きさ）を記載した。ただし誌面が裁ちおとされている作品についてはそのかぎりではない。

▶ **所蔵先　＊印**
所蔵者の用いている表記を尊重して必ずしもすべて邦訳していない。また出品作品のうち、会場に限定のあるものには＊印をつけた。

第Ⅰ章
ニューヨーク New York
1890–1921

Ⅰ-1 セルフポートレート
Self-Portraits

1_ セルフポートレート　Self-portrait
1916/1970年　20.0×15.5 cm
セリグラフ、合成樹脂ガラス
Screenprint on Altuglas
Edition of 40 copies for Georges Visat, Paris. A.P.
Galerie Eva Meyer, Paris

2_ セルフポートレート　Self-portrait
1915年　17.0×13.0 cm
ゼラチン・シルバー・プリント(後刷V)
Gelatin silver print, printed later by Man Ray
Private collection

3_ セルフポートレート　Self-portrait
1929年　16.0×12.0 cm
ゼラチン・シルバー・プリント(V)
Gelatin silver print, vintage print
Private collection

4_ セルフポートレート　Self-portrait
1930年　25.2×19.3 cm
ゼラチン・シルバー・プリント(後刷V)
Gelatin silver print, printed later by Man Ray
Private collection

5_ セルフポートレート　Self-portrait
1930年頃　12.0×17.0 cm
ゼラチン・シルバー・プリント(V)
Gelatin silver print, vintage print
Private collection

6_ カメラをもつセルフポートレート(ソラリゼーション)
Self-portrait with Camera, Solarization
1932-35年頃　25.2×19.3 cm
ゼラチン・シルバー・プリント(V)
Gelatin silver print, vintage print
Private collection

7_ エマク・バキアとセルフポートレート
Self-portrait with Emak Bakia
1935年　29.0×21.0 cm
ゼラチン・シルバー・プリント(V)
Gelatin silver print, vintage print
Private collection

8_ レイの手/マン・レイ(手・光線)
Ray's Hand/Main Ray
1935/1971年　23.0×14.5×14.5 cm
着色されたブロンズ、ビリヤード玉、アクリル台座
Painted bronze, billiard ball, base in plexiglass
Edition of 10 copies for Arturo Schwarz, Milan. A.P.
Private collection

9_ セルフポートレート　Self-portrait
1942年頃　16.5×11.5 cm
ゼラチン・シルバー・プリント(V)
Gelatin silver print, vintage print
Private collection

10_ パイプをくわえたセルフポートレート
Self-portrait with Pipe
1942年頃　17.0×12.0 cm
ゼラチン・シルバー・プリント(V)
Gelatin silver print, vintage print
Private collection

11_ セルフポートレート　Self-portrait
1946/1972年　20.0×16.0 cm
リトグラフ、紙　Lithograph　A.P.
Galerie Eva Meyer, Paris

Ⅰ-2 ダダ時代の作品
Works from the Dada Period

12_ 裸体　Nude
1912年　38.0×28.0 cm
木炭、紙　Charcoal on paper
Private collection

13_ インディアン・サマー　リッジフィールドの二人の裸体
Indian Summer – Two Nudes in Ridgefield
1913年頃　20.0×25.0 cm
グアッシュ、紙　Gouache on paper
Private collection

14_ 殺人的論理(アドン・ラクロワ詩、マン・レイ活版) La logique assassine
1919/1975年 57.2×42.8 cm
リトグラフ、紙 Lithograph
Ed. Luciano Anselmino. A.P.
Galerie Eva Meyer, Paris

15_ 女綱渡り芸人は彼女の影をともなう
The Rope Dancer Accompanies Herself with Her Shadows
1916/1970年 57.0×77.0 cm
リトグラフ(多色)、紙
Lithograph in colours
Ed. Michel Toselli, Paris. A.P.
Galerie Eva Meyer, Paris

16_ 板張りの遊歩道 Boardwalk
1917/1973年 58.0×64.0×4.0 cm
ミクストメディア、コード、木、布、引き具、インク、合板
Mixed media, cord, wood, fabric, furniture knobs, India ink on panel
Edition of 9 copies for Il Fauno, Turin. A.P.
Private collection

17_ DANGER–DANCER
(危険–ダンサー) あるいは不可能性
DANGER–DANCER or The Impossibility
1917–1920/1969年 67.0×43.0 cm
セリグラフ、合成樹脂ガラス
Screenprint on Altuglas
Edition of 25/40 copies for Georges Visat, Paris.
Galerie Eva Meyer, Paris

18_ ニューヨーク 17 New York 17
1917/1966年 54.0×ø 24.0 cm
銀 Silver
Model for the edition Marcel Zerbib, Paris.
Private collection

19_ ただそれだけで I By itself I
1918/1966年 41.0×18.3×19.5 cm
ブロンズのアサンブラージュ、ブロンズ台座
Bronze, white bronze base
Ed. Marcel Zerbib, Paris. 5/9
Private collection

20_ ただそれだけで II By itself II
1918/1966年 59.0×20.5×18.0 cm
銀に金メッキしたアサンブラージュ、ブロンズ台座
Silver-gilt, black bronze base
Ed. Marcel Zerbib, Paris. I/IV A.P.
Maruani Mercier Gallery, Brussels

21_ ニューヨーク 1920 New York 1920
1920/1973年 26.0×ø 6.5 cm
38個の鋼球、ガラス管、コルク栓、スポンジゴム、フォーム 38 steel balls in a glass tube, cork, foam
Ed. Studio Marconi, Milan. MR 9/9
Private collection

22_ 育児法(1920年1月の夢)
Puériculture (Dream of January, 1920)
1920/1966年 H 18.5 cm
着彩ブロンズ Bronze polychrome
Ed. Marcel Zerbib, Paris. 10/12
Private collection

23_ 障碍物 Obstruction
1920/1964年 20.0×64.0×50.0cm
65個の木製ハンガー、スーツケース
65 wooden coat hangers, original suitcase
Model for the edition Arturo Schwarz, Milan.
Maruani Mercier Gallery, Brussels

24_ ヴィオレッタの偏見あるいは三美神
The Preconception of Violetta or The Three Graces
1920/1966年 51.0×61.0 cm
セリグラフ、合成樹脂ガラス
Screenprint on Altuglas
H.C.
Private collection

25_ ヘルマ(アエログラフ)
Herma, Airbrush
1920年 12.0×10.0 cm
ゼラチン・シルバー・プリント(V)
Gelatin silver print, vintage print
Private collection

26_ コートスタンド Coat Stand
1920年 17.5×11.5 cm
ゼラチン・シルバー・プリント(後刷)
Gelatin silver print, printed later
Private collection

27_ イジドール・デュカスの謎
Enigma of Isidore Ducasse
1920/1975年 22.6×28.5cm
ゼラチン・シルバー・プリント(V)
Gelatin silver print, vintage print
Private collection

28_ マルセル・デュシャンの油彩作品《階段を降りる裸体 No.2》を撮った写真
Photograph of Marcel Duchamp's *Nude Descending a Staircase No. 2*
1920年 22.4×13.3 cm
ゼラチン・シルバー・プリント(V)
Gelatin silver print, vintage print
Private collection

29_ ローズ・セラヴィの肖像
Portrait of Rrose Sélavy
1921年 27.5×21.5 cm
ゼラチン・シルバー・プリント(後刷)
Gelatin silver print, printed later
Private collection

30_ ローズ・セラヴィの肖像
Portrait of Rrose Sélavy
1921年 22.4×17.8 cm
ゼラチン・シルバー・プリント(後刷)
Gelatin silver print, printed later
Private collection

31_ マン・レイ & マルセル・デュシャン(ローズ・セラヴィ)
Man Ray & Marcel Duchamp (Rrose Sélavy)
レディメイド《ベル・アレーヌ、ヴォワレット水》(リゴー社の香水瓶ラベル)
Ready-made *Belle Haleine, Eau de Voilette*, Perfume bottle label of Rigaud brand
1921年 18.0×13.0 cm
ゼラチン・シルバー・プリント(V)
Gelatin silver print, vintage print
Pierre-Yves Butzbach, Paris

32_ マン・レイ & マルセル・デュシャン(ローズ・セラヴィ)
Man Ray & Marcel Duchamp (Rrose Sélavy)
レディメイド《ベル・アレーヌ》(雑誌『ニューヨーク・ダダ』の表紙)
Ready-made *Belle Haleine*, Cover of Magazine *New York Dada*
1920–21年刊 36.4×25.4 cm
Private collection

第II章
パリ Paris
1921–1940

II-3 ダダ・シュルレアリスム
Dada and Surrealism

33_ 「ダダ マン・レイ 展」(リブレリー・シス、パリ)
Exposition Dada Man Ray, Librairie Six, Paris
1921年 20.8×47.8 cm
Private collection

34_ 贈り物 Gift
1921/1970年 15.2×8.9 cm
アイロン、鋲 Iron, nails
Ed. Marcel Zerbib, Paris. 1/11
Private collection

35_ 1921年の家具つきホテル
L'Hôtel meublé de 1921
1921/1969年 19.5×29.0×6.5 cm
着色されたブロンズ
Painted bronze
Ed. Françoise Tournié, Paris. 1/8
Private collection

36_ 女性の思索(レイヨグラフ)
Thought of Woman, Rayograph
1922/1955–60年 19.2×13.0 cm
シルバー・フォトグラム・プリント(V)

Silver photogram print, vintage print
by Man Ray
Private collection

37_ マン・レイの映画「理性への回帰」のスチル写真
Film still from Man Ray's film
Le Retour à la Raison
1923年 23.5×19.5 cm
ゼラチン・シルバー・プリント(後刷)
Gelatin silver print, printed later
Private collection

38_ 永続するモティーフ
Perpetual Motif
1923/1971年 25.0×13.5×14.0 cm
木製メトロノーム、目の写真
Metronome, photography of a photo-optic eye
Ed. Il Fauno, Turin. 3/40
Private collection

39_ 昨日、今日、明日
Yesterday, Today, Tomorrow
1924年 18.0×12.5 cm
ゼラチン・シルバー・プリント(後刷)
Gelatin silver print, printed later
Private collection

40_ キキ・ド・モンパルナス(フェルナン・レジェの映画「バレエ・メカニック」のスチル写真)
Kiki de Montparnasse, Film still from Fernand Léger's film
Ballet mécanique
1924年 21.0×28.0 cm
ゼラチン・シルバー・プリント(後刷)
Gelatin silver print, printed later
Private collection

41_ エマク・バキア Emak Bakia
1926/1970年 46.5×13.5×15.0 cm
銀、馬の毛 Silver, horsehair
Ed. Studio Marconi, Milan. 0/10
Private collection

42_ マン・レイの映画「エマク・バキア」のスチル写真
Film still from Man Ray's film
Emak Bakia
1926年 23.0×30.0 cm
ゼラチン・シルバー・プリント(V)
Gelatin silver print, vintage print
Private collection

II-4 シュルレアリストたちの肖像
Portraits of the Surrealists

43_ トリスタン・ツァラの肖像
Portrait of Tristan Tzara
1922年 24.0×18.6 cm
ゼラチン・シルバー・プリント(V)
Gelatin silver print, vintage print
Private collection

44_ ルイ・アラゴン Louis Aragon
1923年 27.0×22.0 cm
ゼラチン・シルバー・プリント(V)
Gelatin silver print, vintage print
Private collection

45_ シモーヌ・カーン(・ブルトン)
Simone Kahn-Breton
1927年頃 19.2×13.0 cm
ゼラチン・シルバー・プリント(後刷)
Gelatin silver print, printed later
Pierre-Yves Butzbach, Paris

46_ ポール・エリュアールとアンドレ・ブルトン
Paul Éluard and André Breton
1930年 25.0×23.0 cm
ゼラチン・シルバー・プリント(後刷)
Gelatin silver print, printed later
Private collection

47_ アンドレ・ブルトンの肖像
Portrait of André Breton
1930年頃 50.0×40.0 cm
ゼラチン・シルバー・プリント(後刷)
Gelatin silver print, printed later
Private collection

48_ ランタンをもつジャクリーヌ・ランバ(・ブルトン)
Jacqueline Lamba-Breton with a Lantern
1934年頃 18.0×19.4 cm
ゼラチン・シルバー・プリント(後刷)
Gelatin silver print, printed later
Pierre-Yves Butzbach, Paris

49_ ニュッシュとポール・エリュアール
Nusch and Paul Éluard
1935年頃 24.0×31.0 cm
ゼラチン・シルバー・プリント(後刷)
Gelatin silver print, printed later
Private collection

50_ マックス・エルンストの肖像(網目効果)
Portrait of Max Ernst, Reticulation
1934年 31.0×24.0 cm
ゼラチン・シルバー・プリント(後刷)
Gelatin silver print, printed later
Private collection

51_ マックス・エルンストとマリーベルト・オーランシュ
Max Ernst and Marie-Berthe Aurenche
1928年頃 40.0×30.0 cm
ゼラチン・シルバー・プリント(後刷)
Gelatin silver print, printed later
Private collection

52_ ルイス・ブニュエルの肖像
Portrait of Luis Buñuel
1929年 40.7×30.6 cm
ゼラチン・シルバー・プリント(後刷)
Gelatin silver print, printed later
Private collection

53_ ピカソの肖像 Portrait of Picasso
1932年 25.0×20.0 cm
ゼラチン・シルバー・プリント(V)
Gelatin silver print, vintage print
Private collection

54_ サルバドール・ダリの肖像
Portrait of Salvador Dalí
1932年 21.0×16.5 cm
ゼラチン・シルバー・プリント(後刷)
Gelatin silver print, printed later
Private collection

55_ ガラとサルバドール・ダリ
Gala and Salvador Dalí
1936年 22.0×17.5 cm
ゼラチン・シルバー・プリント(後刷)
Gelatin silver print, printed later
Pierre-Yves Butzbach, Paris

II-5 キキ・ド・モンパルナス
Kiki de Montparnasse

56_ キキ・ド・モンパルナス
Kiki de Montparnasse
1924年 28.0×21.0 cm
ゼラチン・シルバー・プリント(後刷)
Gelatin silver print, printed later
Private collection

57_ アングルのヴァイオリン
Ingres' Violin
1924年 26.5×21.0 cm
ゼラチン・シルバー・プリント(後刷)
Gelatin silver print, printed later
Private collection

58_ アングルのヴァイオリン
Ingres' Violin
1924/1969年 69.5×49.5 cm
リトグラフ(多色)、紙
Lithograph in colours
Ed. Kung, Tokyo. Printer Pierre Chave, Vence. A.P.
Galerie Eva Meyer, Paris

59_ キキ・ド・モンパルナス
Kiki de Montparnasse
1924年 30.0×20.0 cm
ゼラチン・シルバー・プリント(後刷)
Gelatin silver print, printed later
Private collection

60_ キキ・ド・モンパルナス
Kiki de Montparnasse
1925年 30.0×24.0 cm
ゼラチン・シルバー・プリント(後刷)
Gelatin silver print, printed later
Private collection

61_ 黒と白 Black and White
1926年 17.0×25.0 cm
ゼラチン・シルバー・プリント(後刷)
Gelatin silver print, printed later

Private collection

62_ 黒と白　Black and White
1926年　25.0×20.0 cm
ゼラチン・シルバー・プリント(後刷)
Gelatin silver print, printed later
Private collection

63_ 白い背中　White back
1927年　30.0×20.0 cm
ゼラチン・シルバー・プリント(後刷)
Gelatin silver print, printed later
Private collection

64_ キキ・ド・モンパルナス
Kiki de Montparnasse
1928年　29.0×22.5 cm
ゼラチン・シルバー・プリント(後刷)
Gelatin silver print, printed later
Private collection

65_ キキ・ド・モンパルナス(アリス・プラン)
Kiki de Montparnasse (Alice Prin)
『キキの想い出』*Kiki's memoirs*
1930年刊　24.0×18.5×1.5 cm
Alice Prin, Edward W. Titus/
Black Manikin Press, Paris
Private collection

66_ キキ・ド・モンパルナス
Kiki de Montparnasse
『キキ・ド・モンパルナスとアコーディオン弾き』
Kiki de Montparnasse and her accordionist
1939年　Jacket 28.0×28.0 cm
レコードディスク　Four 78T records
Private collection

Ⅱ-6 リー・ミラー
Lee Miller

67_ リー・ミラー(ソラリゼーション)
Lee Miller, Solarization
1929年頃　22.6×17.7 cm
ゼラチン・シルバー・プリント(後刷)
Gelatin silver print, printed later
Private collection

68_ リー・ミラー　Lee Miller
1930年　23.0×17.0 cm
ゼラチン・シルバー・プリント(後刷)
Gelatin silver print, printed later
Private collection

69_ リー・ミラー　Lee Miller
1930年　8.5×6.5 cm
ゼラチン・シルバー・プリント(後刷)
Gelatin silver print, printed later
Private collection

70_ 無題　Untitled
1929年　19.0×29.0 cm
ゼラチン・シルバー・プリント(後刷)
Gelatin silver print, printed later
Private collection

71_ 影　Shadows
1930年　28.0×21.5 cm
ゼラチン・シルバー・プリント(後刷)
Gelatin silver print, printed later
Private collection

72_ ハーレム
(タニヤ・ラム、マン・レイ、リー・ミラー)
The Harem (Tanja Ramm, Man Ray and Lee Miller)
1930年頃　17.0×13.0 cm
ゼラチン・シルバー・プリント(後刷)
Gelatin silver print, printed later
Pierre-Yves Butzbach, Paris

73_ 無題
(グラビア誌『エレクトリシテ(電気)』より)
Untitled, from *Électricité*
1931年　26.0×20.5 cm
ゼラチン・シルバー・プリント(後刷)
Gelatin silver print, printed later
Private collection

74_ グラビア誌『エレクトリシテ(電気)』
Électricité
1931年刊　38.0×28.2 cm
Compagnie de distribution d'électricité, Paris. Ex. 176/500
Private collection

75_ リー・ミラー　Lee Miller
1932年　23.0×17.0 cm
ゼラチン・シルバー・プリント(後刷)
Gelatin silver print, printed later
Private collection

76_ 天文台の時刻に――恋人たち
Observatory Time—The Lovers
1934/1967年　36.0×92.0 cm
リトグラフ(多色)、紙
Lithograph in colours
Galerie Eva Meyer, Paris

77_ 天文台の時刻に――恋人たち
Observatory Time—The Lovers
1934年　39.0×49.0 cm
ゼラチン・シルバー・プリント(後刷)
Gelatin silver print, printed later
Private collection

Ⅱ-7 社交界・芸術界・モンパルナス
Parisian Society and the Artistic Circles of Montparnasse

78_ カザーティ侯爵夫人
Marquise Casati
1922年　24.0×18.0 cm
ゼラチン・シルバー・プリント(後刷)
Gelatin silver print, printed later
Private collection

79_ ガートルード・スタイン
Gertrude Stein
1922年　20.5×25.0 cm
ゼラチン・シルバー・プリント(後刷)
Gelatin silver print, printed later
Private collection

80_ ブロニスラヴァ・ニジンスカ
Bronislava Nijinska
1922年頃　28.5×22.5 cm
ゼラチン・シルバー・プリント(V)
Gelatin silver print, vintage print
Private collection

81_ ボーモン伯爵の舞踏会(エウヘニア・エラスリス、闘牛士の衣裳を着けたパブロ・ピカソ、オルガ・ピカソ)
Ball of the Count de Beaumont (Pablo Picasso in a torero suit with Eugenia Errázuriz and Olga Picasso)
1924年5月31日　17.4×14.0 cm
ゼラチン・シルバー・プリント(後刷)
Gelatin silver print, printed later
Pierre-Yves Butzbach, Paris

82_ ジャン・コクトー
Jean Cocteau
1924年　25.8×18.0 cm
ゼラチン・シルバー・プリント(V)
Gelatin silver print, vintage print
Private collection

83_ バルベットの肖像
Portrait of Barbette
1925年頃　23.0×17.5 cm
ゼラチン・シルバー・プリント(V)
Gelatin silver print, vintage print
Private collection

84_ バルベット　Barbette
1926年頃　25.0×18.0 cm
ゼラチン・シルバー・プリント(後刷)
Gelatin silver print, printed later
Private collection

85_ ナンシー・キュナード
Nancy Cunard
1925年　18.0×13.0 cm
ゼラチン・シルバー・プリント(後刷)
Gelatin silver print, printed later
Private collection

86_ マリーロール・ド・ノアイユ
(ソラリゼーション)
Marie-Laure de Noailles, Solarization
1936年　20.0×14.5 cm
ゼラチン・シルバー・プリント(後刷)
Gelatin silver print, printed later
Pierre-Yves Butzbach, Paris

87_ マリーロール・ド・ノアイユ
Marie-Laure de Noailles
無題　Untitled
1936年頃　23.5×29.0 cm
グアッシュ、厚紙、ニス

Gouach on cardboard, varnish
Private collection

88_ 撮影者不詳　Unknown
ジョセフィン・ベイカーの「ルヴュ・ネーグル」（パリのフォリー・ベルジェール劇場）とパンフレット
Josephine Baker, *Revue Nègre*, Les Folies Bergère, Paris. and Pamphlets
1926年　24.0×18.0 cm
ゼラチン・シルバー・プリント（V）
Gelatin silver print, vintage print
Private collection

89_ ドラ・カルミュス/マダム・ドラ
Dora Kallmus (Mme. d'Ora)
ジョセフィン・ベイカー
Josephine Baker
1928年　22.5×17.0 cm
ゼラチン・シルバー・プリント（V）
Gelatin silver print, vintage print
Private collection

90_ 撮影者不詳　Unknown
サーカス一座のスナップ写真
（ドゥ・ボスカ座、トロワ・フロリ座、キャトル・ロマノ座）
Snapshots of Circus (Les 2 Boscas, Les 3 Floris and Les 4 Romanos)
1925年頃
Private collection

91_ 雑誌『パリ・モンパルナス』
Pages from Magazine
Paris Montparnasse
1925年頃　31.5×24.5 cm
Private collection

92_ 撮影者不詳　Unknown
モンパルナスのキャバレでのスナップ写真（キキ・ド・モンパルナスや仮装した藤田嗣治などもいる）と「キャバレ・デ・フルール」招待状
Snapshots of Kiki de Montparnasse, Foujita and others at cabaret, and Invitation of "Cabaret des Fleurs"
1925年頃
Private collection

II-8 ファッションと写真
Fashion and Photography

93_ ファッション写真（ソラリゼーション）、ルイーズ・ブーランジェのドレス
Fashion photograph, Solarization, Dress by Louise Boulanger
1935年　29.0×22.0 cm
ゼラチン・シルバー・プリント（V）
Gelatin silver print, vintage print, for *Harper's Bazaar*, March 1936
Private collection

94_ ファッション写真
Fashion photograph
1935年　24.0×19.0 cm
ゼラチン・シルバー・プリント（V）
Gelatin silver print, vintage print
Private collection

95_ 上半身のカット、クリードのブラウス
Cut bust, blouse by Creed
1936年　14.0×10.0 cm
ゼラチン・シルバー・プリント（V）
Gelatin silver print, vintage print
Private collection

96_ 上半身のカット、クリードのブラウス
Cut bust, blouse by Creed
1936年　13.0×9.0 cm
ゼラチン・シルバー・プリント（V）
Gelatin silver print, vintage print
Private collection

97_ コンポジション　Composition
1936年　40.0×28.0 cm
ゼラチン・シルバー・プリント（後刷）
Gelatin silver print, printed later
Private collection

98_ リュシアン・ルロンのためのファッション写真　オスカル・ドミンゲスの手押し車（ラ・ブルーエット）で
Fashion photograph for Lucien Lelong with *La Brouette* of Óscar Domínguez
1937年　40.7×30.6 cm
ゼラチン・シルバー・プリント（後刷）
Gelatin silver print, printed later
Private collection

99_ ファッション写真
Fashion photograph
1940年頃　25.0 × 20.0 cm
ゼラチン・シルバー・プリント（V）
Gelatin silver print, vintage print
Private collection

100_ マン・レイのファッション写真を掲載した1930年代のモード誌『フェミナ』
Magazine *Femina*, pages of Man Ray's Fashion photograph
1930年代　32.5×24.5 cm
Private collection

101_ ドゥニーズ・ポワレ（ブランクーシの彫刻《マイアストラ》の前でポール・ポワレのドレスをまとうポワレ夫人）
Denise Poiret (The wife of Paul Poiret in one of his dresses with the sculpture *Maiastra* by Brancusi)
1922年　18.0×13.0 cm
ゼラチン・シルバー・プリント（後刷）
Gelatin silver print, printed later
Pierre-Yves Butzbach, Paris

102_ ポール・ポワレのドレスを着たペギー・グッゲンハイム
Peggy Guggenheim in a Paul Poiret dress
1924年　23.0×14.5 cm
ゼラチン・シルバー・プリント（後刷）
Gelatin silver print, printed later
Private collection

103_1 スキャパレッリの帽子
Head dress, SCHIAPARELLI, Paris
1920–30年代　20.0×20.0×12.0 cm
コサージュ、ムギワラ
Corsage, straw
Antigone Shilling, Paris
*

_2 スキャパレッリの帽子
Head dress, SCHIAPARELLI, Paris
1920–30年代　20.0×20.0×12.0 cm
コサージュ、シルクサテン
Corsage, silk satin
Antigone Shilling, Paris
*

_3 シャネルの刺繍ドレス
Robe brodée, CHANEL, Paris
1920–30年代　L 130.0 cm
シルク、刺繍
Silk, embroderies
Margot Jeannin, Bayonne
*

_4 シャネルのローブ・デコルテ
Robe décolletée, CHANEL, Paris
1920–30年代　L 100.0 cm
シルクサテン、刺繍、ベルト
Silk satin, embroderies, belt
Margot Jeannin, Bayonne
*

104_ エルザ・トリオレ　Elsa Triolet
1929年　18.3×13.8 cm
ゼラチン・シルバー・プリント（後刷）
Gelatin silver print, printed later
Pierre-Yves Butzbach, Paris

105_ エルザ・トリオレ　Elsa Triolet
シルバーの編込チョーカー
Silver metal braid choker
1930年頃　D 12.5 cm
金属、木綿、合成素材
Silver metal, cotton, synthetique material
Bibliothèque Elsa-Triolet, don Louis Aragon 1981, Saint-Etienne-du-Rouvray
*

106_ エルザ・トリオレ　Elsa Triolet
木の葉型シェルウッドをつないだネックレス　Shell wood beads necklace
1931年7月　D 20.0 cm
シェルウッド（白蝶貝）のビーズ、木綿、銅金具
Shell wood beads, cotton, copper fitting
Bibliothèque Elsa-Triolet, don Louis Aragon 1981, Saint-Etienne-du-Rouvray
*

107_ エルザ・トリオレ　Elsa Triolet
ネックレス《ルロン》の試作品
Prototype of *Lelong*, Epaulette necklace
1931年7月　D 25.0 cm
セラミック製の白玉ビーズ、木綿、金具

White ceramic tubular beads, cotton, metal fitting
Bibliothèque Elsa-Triolet, don Louis Aragon 1981, Saint-Etienne-du-Rouvray
*

108_ エルザ・トリオレ Elsa Triolet
ネックレス《スパイラル》の試作品
Prototype of *Spiral*, Imitation metal (glass) necklace
1931年春 D 22.0 cm
ガラスに銀メッキしたビーズ、鉄製リング、真鍮針金、金具
Silver coating glass beads, iron metal ring, brass wire and fitting
Bibliothèque Elsa-Triolet, don Louis Aragon 1981, Saint-Etienne-du-Rouvray
*

109_ エルザ・トリオレ Elsa Triolet
《ルロン》 7つのリンクチェーンをつないだベルト
Lelong, 7 rink chains belt
1931年夏 L 28.0 cm
乳白色ビーズ、金属針金
Opalescente white pâte de verre, metalic wire
Bibliothèque Elsa-Triolet, don Louis Aragon 1981, Saint-Etienne-du-Rouvray
*

110_ ココ・シャネル Coco Chanel
1930年 23.0×17.5 cm
ゼラチン・シルバー・プリント(後刷)
Gelatin silver print, printed later
Private collection

111_ ココ・シャネル Coco Chanel
1930年 23.0×17.5 cm
ゼラチン・シルバー・プリント(後刷)
Gelatin silver print, printed later
Private collection

112_ ココ・シャネル Coco Chanel
1935年 24.0×17.0 cm
ゼラチン・シルバー・プリント(後刷)
Gelatin silver print, printed later
Private collection

113_ 香水瓶《シャネル No. 5》、シャネル
Chanel No.5, CHANEL, Paris
1920年代 H 10.0 cm (箱)
ガラスの香水瓶
Transparent glass bottle
Steven Mendelson, Paris
*

114_ 香水瓶《ミツコ》、ゲラン
Mitsouko, GUERLAIN, Paris
1920年代 10.0×6.0×4.0 cm
鋳造ガラスの香水瓶
Pâte de verre perfume bottle
Antigone Schilling, Paris
*

115_1 ゲランの香水瓶
GUERLAIN, Paris
1920年代 H 20.0 cm
金色のハチがデザインされた香水瓶、底部に「ゲラン」の刻印
Perfume bottle, glass with golden bee design, Engraved beneath the base *"Guerlain"*
Private collection

_2 ゲランの香水瓶
GUERLAIN, Paris
1920年代
Florence Guerlain, Paris

_3 ゲランの香水瓶
GUERLAIN, Paris
1920年代
Florence Guerlain, Paris

116_ 香水瓶《ルネ・ラリック》、リュシアン・ルロン
René Lalique, LUCIEN LELONG
1929年 H 10.2 cm
フロストガラスの香水瓶とアルミニウム・エナメルのカバー、底部に「ルネ・ラリック」の刻印
Perfume bottle, transparent frosted glass, Enamelled aluminium box, Engraved beneath the base *"R. Lalique France"*
Private collection

117_ エルザ・スキャパレッリ
Elsa Schiaparelli
1938年 24.0×18.5 cm
ゼラチン・シルバー・プリント(V)
Gelatin silver print, vintage print
Private collection

118_ 香水瓶《スリーピング》、スキャパレッリ
Sleeping, SCHIAPARELLI
1938年 H 22.0 cm
透明ガラスに型押し、蠟燭の形に成形した香水瓶と火消具の形をしたフィンガーホルダー付のカバー
Perfume bottle transparent pressed glass, golden accents with snuffer cone shaped cover.
Private collection

119_ 香水瓶《スリーピング》、スキャパレッリ
Sleeping, SCHIAPARELLI
1938年 H 19.5 cm
透明ガラスに型押し、蠟燭の形に成形した香水瓶、炎の形のストッパー
Perfume bottle transparent pressed and molded glass. Cylindric bottle in candle shape, Red stopper in flame shape.
Private collection

120_ 香水瓶《シュクセ・フー(大ヒット)》、スキャパレッリ
Succés Fou, SCHIAPARELLI
1952年 H 9.0 cm
不透明ガラスに型押し、金と緑の塗料のかかった葉の形をした香水瓶
Perfume bottle pressed, molded opaque glass. With golden and green lacquer. In the shape of a leaf.
Private collection

II-9 裸体からマネキン人形まで
From Nudes to Mannequins

121_ 眠る女(ソラリゼーション)
Sleeping Woman, Solarization
1929年 28.0×39.0 cm
ゼラチン・シルバー・プリント(後刷)
Gelatin silver print, printed later
Private collection

122_ 裸体(ソラリゼーション)
Nude, Solarization
1930年 28.0×22.0 cm
ゼラチン・シルバー・プリント(後刷)
Gelatin silver print, printed later
Private collection

123_ 祈り The Prayer
1930/1970年 23.9×18.1 cm
ゼラチン・シルバー・プリント(V)
Gelatin silver print, vintage print by Man Ray Ex. 4/8
Pierre Huber Collection, Switzerland
*

124_ 祈り The Prayer
1930/1971年 33.0×23.8 cm
ゼラチン・シルバー・プリント、感光布
Gelatin silver print on photosensitive cloth A.P.
Enseigne des Oudin - Fonds de dotation, Paris
*

125_ 解剖学 Anatomy
1930年 28.5×20.0 cm
ゼラチン・シルバー・プリント(後刷)
Gelatin silver print, printed later
Private collection

126_ ゆがんだ女性胸像
Distortion of the female bust
1931年 28.0×21.0 cm
ゼラチン・シルバー・プリント(後刷)
Gelatin silver print, printed later
Private collection

127_ 無題(ソラリゼーション)
Untitled, Solarization
1932年 27.0×21.0 cm
ゼラチン・シルバー・プリント(後刷)
Gelatin silver print, printed later
Private collection

128_ ジャクリーヌ・ゴダール(ソラリゼーション)
Jacqueline Goddard, Solarization
1932年 29.5×23.0 cm
ゼラチン・シルバー・ネガティヴ(後刷)
Gelatin silver negative, printed later
Private collection

129_ ガラスの涙　Glass Tears
1932年　20.0×29.0 cm
ゼラチン・シルバー・プリント(後刷)
Gelatin silver print, printed later
Private collection

130_ 無題(上半身像)
Untitled (Nude Torso)
1933年頃　40.5×29.0 cm
ゼラチン・シルバー・プリント(V)
Gelatin silver print, vintage print
Private collection

131_ マネキン人形たち(写真集『マネキン人形たちの復活』の表紙)
The Mannequins, Cover of the Book *Résurrection des Mannequins*
1938年　29.0×25.0 cm
ゼラチン・シルバー・プリント(後刷)
Gelatin silver print, printed later
Edition Jean Petithory of 1966
Private collection

132_ マン・レイのマネキン人形
(写真集『マネキン人形たちの復活』より)
Man Ray's Mannequin, from *Résurrection des Mannequins*
1938年　19.0×13.5 cm
ゼラチン・シルバー・プリント(後刷)
Gelatin silver print, printed later
Edition Jean Petithory of 1966
Private collection

133_ マルセル・デュシャンのマネキン人形
Marcel Duchamp's Mannequin
1938年　29.0×25.0 cm
ゼラチン・シルバー・プリント(V)
Gelatin silver print, vintage print
Private collection

134_ マックス・エルンストのマネキン人形
(写真集『マネキン人形たちの復活』より)
Max Ernst's Mannequin, from *Résurrection des Mannequins*
1938年　18.5×13.0 cm
ゼラチン・シルバー・プリント(後刷)
Gelatin silver print, printed later
Edition Jean Petithory of 1966
Private collection

135_ サルバドール・ダリのマネキン人形
(写真集『マネキン人形たちの復活』より)
Salvador Dalí's Mannequin, from *Résurrection des Mannequins*
1938年　18.5×13.0 cm
ゼラチン・シルバー・プリント(後刷)
Gelatin silver print, printed later
Edition Jean Petithory of 1966
Private collection

II-10 女性たちとシュルレアリスム
Women and Surrealism

136_ ベレニス・アボット
Berenice Abbott
1922年　17.0×13.0 cm
ゼラチン・シルバー・プリント(後刷)
Gelatin silver print, printed later
Pierre-Yves Butzbach, Paris

137_ ティリア・パルムッター
Tylia Perlmutter
1923年　19.0×10.0 cm
ゼラチン・シルバー・プリント(V)
Gelatin silver print, vintage print
Private collection

138_ メレット・オッペンハイム、正面を向いて横たわる裸体
Meret Oppenheim, Nude lying down from the front
1933年　28.0×39.0 cm
ゼラチン・シルバー・プリント(後刷)
Gelatin silver print, printed later
Private collection

139_ メレット・オッペンハイム　ルイ・マルクーシのアトリエで
Meret Oppenheim in the Studio of Louis Marcoussis
1933年　39.0×29.5 cm
ゼラチン・シルバー・プリント(後刷)
Gelatin silver print, printed later
Private collection

140_ エロティックにヴェールをまとう
(メレット・オッペンハイム)
Veiled Erotic, Meret Oppenheim
1933年　28.5×20.0 cm
ゼラチン・シルバー・プリント(後刷)
Gelatin silver print, printed later
Private collection

141_ スペードの女王(リーズ・ドゥアルム)
The Queen of Spades, Lise Deharme
1935年　13.0×10.0 cm
ゼラチン・シルバー・プリント(V)
Gelatin silver print, vintage print
Private collection

142_ ヴァランティーヌ・ユゴー
Valentine Hugo
1935年　9.0×6.0 cm
ゼラチン・シルバー・プリント(V)
Gelatin silver print, vintage print
Private collection

143_ レオノール・フィニ　Leonor Fini
1937年頃　15.3×11.5 cm
ゼラチン・シルバー・プリント(後刷)
Gelatin silver print, printed later
Pierre-Yves Butzbach, Paris

144_ イヴォンヌ・ゼルヴォス、アリス・ラオンとパブロ・ピカソ
Yvonne Zervos, Alice Rahon and Pablo Picasso
1936年　12.0×16.5 cm
ゼラチン・シルバー・プリント(V)
Gelatin silver print, vintage print
Private collection

145_ ドラ・マール(ソラリゼーション)
Dora Maar, Solarization
1936年　28.8×46.3 cm
ゼラチン・シルバー・プリント(後刷)
Gelatin silver print, printed later
Private collection

146_ ニュッシュ・エリュアール
(詩写真集『容易』より)
Nusch Éluard, from *Facile*
1935年　24.0×17.5 cm
ゼラチン・シルバー・プリント(後刷V)
Gelatin silver print, printed later by Man Ray
Private collection

147_ 詩写真集『容易』
Facile
1935年刊　24.5×18.5 cm
G.L.M., Paris. Ex. LVIII/CCV H.C.
Private collection

148_ 愛：ニュッシュとポール・エリュアール
Love: Nusch and Paul Éluard
1936年頃　17.5×13.0 cm
ゼラチン・シルバー・プリント(V)
Gelatin silver print, vintage print
Private collection

149_ ニュッシュ・エリュアール
Nusch Éluard
1937年　12.5×9.5 cm
ゼラチン・シルバー・プリント(V)
Gelatin silver print, vintage print
Private collection

150_ ニュッシュ・エリュアール、ドラ・マール、アディ・フィドラン
Nusch Éluard, Dora Maar and Ady Fidelin
1937年　各12.5×9.5 cm
ゼラチン・シルバー・プリント(V)
Gelatin silver print, vintage print
Private collection

II-11 マン・レイの「自由な手」
Man Ray's "Free Hands"

151_ 手(レイヨグラフ)
Hand, Rayograph
1927年　29.0×22.0 cm
ゼラチン・シルバー・プリント(後刷)
Gelatin silver print, printed later
Private collection

152_ 手(ソラリゼーション)
Hands, Solarization
1930年　28.0×22.0 cm
ゼラチン・シルバー・ネガティヴ(後刷)
Gelatin silver negative, printed later
Private collection

153_ パブロ・ピカソが彩色した手
Hands painted by Pablo Picasso
1935年　22.0×28.0 cm
ゼラチン・シルバー・プリント(後刷)
Gelatin silver print, printed later
Private collection

154_ 手　Hand
1936年　36.0×26.0 cm
鉛筆、紙　Pencil on paper
Private collection

155_ 詩画集『自由な手』
Les Mains libres
1937年刊　28.0×22.5 cm
Jeanne Bucher, Paris. Ex. 581/675
Private collection

156_ 壊れた橋(詩画集『自由な手』より)
The Broken Bridge, from
Les Mains libres
1936/1971年　40.0×56.0 ×1.0 cm
ブロンズ　Bronze
Ed. Il Fauno, Turin. 2/8
Private collection

157_ ナルシス(詩画集『自由な手』より)
Narcissus, from *Les Mains libres*
1936/1971年　34.0×14.0 ×11.0 cm
ブロンズ　Bronze
Ed. Il Fauno, Turin. 2/8
Private collection

158_ 孤独(詩画集『自由な手』より)
Lonely, from *Les Mains libres*
1936/1971年　38.0×24.0×12.0 cm
ブロンズ　Bronze
Ed. Il Fauno, Turin. 2/8
Private collection

159_ 手と果物(詩画集『自由な手』より)
Hand and fruit, from *Les Mains libres*
1936/1971年　29.0×23.0×23.0 cm
ブロンズ　Bronze
Ed. Il Fauno, Turin. 2/8
Private collection

160_ 裸体(詩画集『自由な手』より)
Nude, from *Les Mains libres*
1936/1971年　40.0×22.0×7.0 cm
ブロンズ　Bronze
Ed. Il Fauno, Turin. 2/8
Private collection

161_ 力(詩画集『自由な手』より)
Power, from *Les Mains libres*
1936/1971年　42.0×20.0×12.0 cm
ブロンズ　Bronze
Ed. Il Fauno, Turin. 2/8
Private collection

162_ 美しい手(詩画集『自由な手』より)
Beautiful Hand, from
Les Mains libres
1936/1971年　17.0×38.5×22.0 cm
ブロンズ　Bronze
Ed. Il Fauno, Turin. 2/8
Private collection

163_ 女と彼女の魚(詩画集『自由な手』より)
Woman with her fish, from
Les Mains libres
1936/1971年　41.0×58.0×1.0 cm
ブロンズ　Bronze
Ed. Il Fauno, Turin. 2/8
Private collection

Ⅱ-12 アディ・フィドラン
Ady Fidelin

164_ アドリエンヌ・フィドラン
Adrienne Fidelin
1937年　17.0×12.0 cm
ゼラチン・シルバー・プリント(V)
Gelatin silver print, vintage print
Private collection

165_ 夢の笑い　Dreaming laughter
1937年　45.5×37.5 cm
油彩、厚紙　Oil on cardboard
Private collection

166_ コンゴ式ファッション(アディ・フィドラン)
Fashion in Congo, Ady Fidelin
1937年　23.0×16.0 cm
ゼラチン・シルバー・プリント(V)
Gelatin silver print, vintage print
Private collection

167_ アドリエンヌ・フィドラン、マン・レイの石膏像とルバの彫刻
Adrienne Fidelin with Man Ray's plaster bust and a Luba statue
1938年　22.0×14.0 cm
ゼラチン・シルバー・プリント(V)
Gelatin silver print, vintage print
Private collection

168_《上天気》を描くアディ
Ady painting *Le beau temps*
1939年　11.5×9.0 cm
ゼラチン・シルバー・プリント(V)
Gelatin silver print, vintage print
Private collection

169_《上天気》を描くマン・レイ
Man Ray painting *Le beau temps*
1939年　11.5×9.0 cm
ゼラチン・シルバー・プリント(V)
Gelatin silver print, vintage print
Private collection

170_ 上天気
The Fair Weather / Le beau temps
1939/1973年　86.0×73.0 cm
リトグラフ(多色)、紙
Lithograph in colours
A.P.
Galerie Eva Meyer, Paris

第Ⅲ章
ハリウッド Hollywood
1940-1951

Ⅲ-13 ジュリエット・ブラウナー
Juliet Browner

171_ バッハを弾くジュリエット
Juliet playing Bach
1941年　14.5×9.3 cm
ゼラチン・シルバー・プリント(V)
Gelatin silver print, vintage print
Private collection

172_ ジュリエット・ブラウナーの肖像
Portrait of Juliet Browner
1941年頃　10.0×5.6 cm
ゼラチン・シルバー・プリント(V)
Gelatin silver print, vintage print
Private collection

173_ ジュリエット・ブラウナーとマーガレット・ナイマン
Juliet Browner and Margaret Neiman
1942年頃　23.0×16.0 cm
ゼラチン・シルバー・プリント(後刷)
Gelatin silver print, printed later
Private collection

174_ ジュリエット(写真集『ジュリエットの50の顔』より)
Juliet, from *The Fifty Faces of Juliet*
1943年　8.2×6.4 cm
ゼラチン・シルバー・プリント(V)、コンタクトシート
Gelatin silver print, vintage print, contact sheet
Private collection

175_ ジュリエット・ブラウナー
Juliet Browner
1943年　16.0× 12.0cm
ゼラチン・シルバー・プリント(V)
Gelatin silver print, vintage print
Private collection

176_ ジュリエットとマン・レイ
Juliet and Man Ray
1945年頃　13.0×9.0 cm/11.5×16.5 cm
ゼラチン・シルバー・プリント(V)
Gelatin silver print, vintage print
Private collection

177_ ジュリエットとセルマ・ブラウナー
Juliet and Selma Browner
1945年頃　25.0×18.0 cm
ゼラチン・シルバー・プリント(後刷)
Gelatin silver print, printed later
Private collection

178_ ジュリエット・ブラウナー
Juliet Browner

1945年頃　33.0×23.0 cm
鉛筆、紙　Pencil on paper
Private collection

179_ フローレンス・ホモルカ
Florence Homolka
マン・レイ、ジュリエット、マックス・エルンスト、ドロテア・タニング、ハリウッド、カリフォルニア
Man Ray, Juliet, Max Ernst and Dorothea Tanning, Hollywood, California
1946年　17.5×13.6 cm
ゼラチン・シルバー・プリント(後刷)
Gelatin silver print
Pierre-Yves Butzbach, Paris

180_ 1946年10月24日の合同結婚式：マックス・エルンストとドロテア・タニング、マン・レイとジュリエット・ブラウナー
Double wedding: Couples of Max Ernst & Dorothea Tanning, Man Ray & Juliet Browner
1946年　37.5×49.5 cm
ゼラチン・シルバー・プリント(後刷V)
Gelatin silver print, printed later by Man Ray, 24 Oct. 1946
Private collection

Ⅲ-14 アートの新天地
A New World for Man Ray's Art

181_ イーゼル絵画　Easel painting
1940年　42.0×29.0 cm
インク、木炭、紙
Ink and charcoal on paper
Private collection

182_ 無題　Untitled
1940年　37.0×28.0 cm
グアッシュ、紙　Gouache on paper
Private collection

183_ パレッターブル(パレット・テーブル)
Palettable
1940/1971年　61.5×87.5×51.5 cm
画家のパレットの形をしたテーブル
Table in the shape of a painter's palette
Ed. Arturo Schwarz, Milan. 8/10
Private collection

184_ ミスター・ナイフとミス・フォーク
Mr Knife and Miss Fork
1944/1973年　34.0×22.8×4.0 cm
木の玉、ネット、ナイフとフォーク、赤いビロード張りした木箱
Wooden balls, net, knife and fork, in a wooden box lined with red corduroy
Ed. Il Fauno, Turin. Ⅱ/Ⅳ A.P.
Private collection

185_ 永遠の魅力　Permanent Attraction
1948/1972年　57.0×34.5×34.5 cm
格子のボード、木製の駒
Checkerboard and three pieces in wood
Edition 3/8
Private collection

186_ タマラ・トゥマノワ
Tamara Toumanova
1945年　28.5×21.0 cm
ゼラチン・シルバー・プリント(V)
Gelatin silver print, vintage print
Private collection

187_ ジャクリーヌ・デュエム
Jacqueline Duhême
1947年　18.0×12.0 cm
ゼラチン・シルバー・プリント(V)
Gelatin silver print, vintage print
Private collection

188_ パンドラ役を演じるエヴァ・ガードナー
Ava Gardner in her role as Pandora
1950年　24.5×19.5 cm
ゼラチン・シルバー・プリント(V)
Gelatin silver print, vintage print
Private collection

189_ レスリー・キャロン
Leslie Caron
1950年頃　16.0×12.0 cm
ゼラチン・シルバー・プリント(後刷)
Gelatin silver print, printed later
Private collection

第Ⅳ章
パリふたたび Returning to Paris
1951–1976

Ⅳ-15 アートのなかの女性像
The Female Figures in His Artwork

190_ 女性の絵　Feminine Painting
1954/1976年　25.0×19.0 cm
リトグラフ(多色)、紙
Lithograph in colours
A.P.
Galerie Eva Meyer, Paris

191_ 花 - 女性　Flower – Woman
1954年　60.5×36.0 cm
インク、紙　Ink on paper
Private collection

192_ 13の型にはめられた処女たち
Les treize clichés vierges
1955年　25.0×17.0 cm
リトグラフ、紙　Lithograph
A.P.
Galerie Eva Meyer, Paris

193_ フランスのバレエⅡ　Ballet français II
1956/1971年　85.0×23.0×4.0 cm
着色したブロンズ　Painted bronze
Ed.Arturo Schwarz, Milan. 4/10
Private collection

194_ パン・パン(彩色パン)　Pain peint
1958/1966年　27.0×71.0 cm
青に着彩したポリエステル樹脂のパン、アクリル台座
Blue polyester bread on a transparent plastic base
Ed. Marcel Zerbib, Paris. 7/9
Private collection

195_ 羽根の重石　Featherweight
1960/1968年　21.0×39.5 cm
3つの羽根、着色した鉛板
Three feathers, painted lead sheet
Ed. Marcel Zerbib, Paris. 10/10
Private collection

196_ チェス・セット　Chess set
1962年　9.5×160.0×57.0 cm
チェス・セット(32個のブロンズ製の駒)、木製箱、マン・レイの手書きの詩
32 pieces: 16 in dark bronze, 16 in gilded bronze, box with wooden chessboard. Text-poem by Man Ray hand engraved
Ed. Marcel Zerbib, Paris. 43/50
Private collection

197_ 飼いならされた処女／私をつれだして
Domesticated Virgin (Let me Out)
1968年　12.0×8.0×7.0 cm
シルバー、透過面のあるプラスティック箱
Silver, plastic box with a transparent face
Ed. Marcel Zerbib, Paris. Ⅳ/Ⅶ
Private collection

198_ ペシャージュ(桃・雲・風景)　Pêchage
1969/1972年　32.0×22.0×10.0 cm
木製箱、人工の桃3個、綿、塗料
Wooden box, three synthetic peaches, cotton, paint
A.P.
Private collection

199_ ピンナップ　Pin-up
1970年　32.5×25.5 cm
レディメイド、板に敷いた紙にコラージュ
Ready-made, collage on paper laid down on board
Ready-made from an edition of 29 copies, 2/29
Private collection

200_ 詩人の肖像(ジュリエット)
Portrait of a poet (Juliet)
1954/1975年　26.0×17.0 cm
ゼラチン・シルバー・プリント(V)
Gelatin silver print, vintage print by Man Ray
Private collection

201_ ジュリエット・マン・レイ
Juliet Man Ray
無題 Untitled
1960年 22.0×17.0 cm
アクリル絵具
Acrylic painting,
Signed Juliet Man Ray
Private collection

202_ ジュリエット・グレコ
Juliette Gréco
1956年 18.0×13.2 cm
ゼラチン・シルバー・プリント(後刷)
Gelatin silver print, printed later
Pierre-Yves Butzbach, Paris

203_ ジャクリーヌ・ピカソ
Jacqueline Picasso
1958年 23.8×16.7 cm
ゼラチン・シルバー・プリント(V)
Gelatin silver print, vintage print
Private collection

204_ 宮脇愛子の肖像
Portrait of Aiko Miyawaki
1962年 23.8×16.7 cm
ゼラチン・シルバー・プリント(後刷)
Gelatin silver print, printed later
宮脇愛子アトリエ

205_ マッチ箱 Macth-box
1962年頃 8.0×5.0×3.0 cm
マッチ箱、小鳥のオブジェ、宮脇愛子の肖像ファクシミリ
Matchbox, souvenir of small bird, photocopy of Aiko Miyawaki
宮脇愛子アトリエ

206_ カトリーヌ・ドヌーヴ
Catherine Deneuve
1968年 29.0×23.5 cm
ゼラチン・シルバー・プリント(V)
Gelatin silver print, vintage print
Ex. 3/4
Private collection

207_ ランプシェード Lampshade
1919/1964年
高 47.0cm × ø15.0 cm(収納箱)
エナメルがけした金属
Enamel on metal
Ed. MAT Collection 64, Ex. Man Ray 68/100
Private collection

208_ ペンダンツ・ペンディング
Pendants pending
1961/1967年 34.5×25.0×9.0 cm
金のイヤリング、塗られた木、箱
Golden Earrings, painted wood, box
A.P.
John Mestdagh Collection, Maruani Mercier Gallery, Brussels

Ⅳ-16 新しいジュエリーとモード
Novel Jewelry and Fashion Design

209_ ル・トルー(穴) Le trou
1970年 3.7×2.8×1.5 cm
金とプラチナのリング
Gold KT24, platinum
GEM Montebello. Ex. 3/12
Collection Design Museum Den Bosch/NL
*

210_ ラ・ジョリ(かわいい娘) La jolie
1961/1971年 11.5×12.0 cm
金のネックレス、ラピスラズリ
Gold KT24, lapis lazuri
Prototype for edition GEM Montebello.
A.P. from the state of Juliet Man Ray
Collection Design Museum Den Bosch/NL
*

211_ オプティック・トピック Optic-Topic
1974/1978年 37.0×28.0×7.5 cm
銀に金メッキしたマスク、革ひも、木製箱
Gold plated sterling silver mask, Leather straps, wooden box
GEM Montebello, Milan. Ex.52/100
Private collection

212_ ドロテア・タニング
Dorothea Tanning
1942年 12.7×8.4 cm
ゼラチン・シルバー・プリント(後刷)
Gelatin silver print, printed later
Pierre-Yves Butzbach, Paris

213_ ドロテア・タニング
Dorothea Tanning
パルフュメ(香りつき)
Parfumé
1966年 4.6×4.0 cm
金のペンダント Gold KT23
François Hugo. Paris. Ex. VII/XVII
Private collection

214_ マックス・エルンスト Max Ernst
グランド・テット(頭でっかち)
Grande Tête
1975年 14.0×14.3 cm
金、木製箱
Gold KT23, wooden box
François Hugo. Paris. Ex. 6/6
Private collection

215_ メレット・オッペンハイム
Meret Oppenheim
1932年 28.0×20.0 cm
ゼラチン・シルバー・プリント(後刷)
Gelatin silver print, printed later
Private collection

216_ メレット・オッペンハイム
Meret Oppenheim
セットされた食卓のブローチ
Laid Table Brooch
1936-40/1985年 5.0×4.0×0.4 cm
銀、金 Silver, gold
Ortrun Heinrich, Hamburg. Ex. 3/12.
Thomas Levy Collection, Hamburg
*

217_ メレット・オッペンハイム
Meret Oppenheim
毛皮の朝食の思い出
Souvenir of Breakfast in Fur
1972年 16.5×20.0×4.0 cm
楕円グラスの下に布、毛皮、プラスティックの花とスパンコール
Collage with fabric, fur, plastic flowers and paillettes underneath oval glass
Ex. 46/120+10 A.P.
Thomas Levy Collection, Hamburg
*

218_ メレット・オッペンハイム
Meret Oppenheim
ジャコメッティの耳
The Ear of Giacometti
1977年 10.0×7.5×1.5 cm
ブロンズ Bronze
Ex. 500
Thomas Levy Collection, Hamburg
*

219_ メレット・オッペンハイム
Meret Oppenheim
原始のヴィーナス Primeval Venus
1933/1978年 10.0×6.0×4.0 cm
ブロンズ Bronze
Ex. 100+10 A.P.
Thomas Levy Collection, Hamburg
*

220_ メレット・オッペンハイム
Meret Oppenheim
ハルスバント(チョーカー)
Halsband (Collar)
1934-35/2003年 36.0×7.0×1.0 cm
プラスティック、紐、金
Plastic, cord, gold
Ortrun Heinrich, Hamburg. Ex. 2/12+2
Thomas Levy Collection, Hamburg
*

221_ メレット・オッペンハイム
Meret Oppenheim
ネックレス Necklace
1936/2003年 21.0×19.0×2.0 cm
金色に塗ったプラスティック
Plastic painted gold
Constanze Schuster, Hamburg.
Thomas Levy Collection, Hamburg
*

222_ メレット・オッペンハイム
Meret Oppenheim
唇のある骨ネックレス
Bone Necklace with Mouth
1935-36/2003-13年
18.5×6.5×0.1 cm

銀に金メッキ　Silver-gilt
Ortrun Heinrich, Hamburg. Ex. 3/12+2.
Thomas Levy Collection, Hamburg
*

223_ メレット・オッペンハイム
Meret Oppenheim
シンプル・ドレス　Simple Dress
1942-45/2003年　90.0×40.0 cm
着色した厚紙　Painted cardboard
Theaterkunst, Hamburg.
Thomas Levy Collection, Hamburg
*

224_ メレット・オッペンハイム
Meret Oppenheim
シンプル・ドレス　Simple Dress
1942–45/2003年　90.0×40.0 cm
紙の芝生とプラスティックの花のついた厚紙　Cardboard with paper grass and plastic flowers
Theaterkunst, Hamburg.
Thomas Levy Collection, Hamburg
*

225_ メレット・オッペンハイム
Meret Oppenheim
毛皮のついた靴　Shoe with Fur
1934–36/2003年　13.0×12.0×24.0 cm
靴、毛皮、着色した陶器
Shoe, fur, painted porcelain
Theaterkunst, Hamburg.
Thomas Levy Collection, Hamburg
*

226_ メレット・オッペンハイム
Meret Oppenheim
手袋（『パルケット No.4　豪華版』に収められた150部の限定品）
Gloves, the limited edition of 150 pairs of gloves housed within the *Deluxe Edition of Parkett, No. 4*
1942–45/1985年　25.5×21.3×3.0 cm
シルクスクリーンをほどこした山羊革スエードの手袋
Screenprint on goat suede gloves in Parkett issue
Ed. Parkett Verlag AG, Zürich.
Ex. 34/150
Thomas Levy Collection, Hamburg
*

Ⅳ-17 マン・レイとは誰だったか？
A Look Back : Who Was Man Ray?

227_ ジュリエット・マン・レイと《贈り物》
Juliet Man Ray with *Cadeau*
1960年　22.5×14.0 cm
ゼラチン・シルバー・プリント（V）
Gelatin silver print, vintage print
Private collection

228_ セルフポートレート　Self-portrait
1965年　30.5×24.0 cm
ゼラチン・シルバー・プリント（V）
Gelatin silver print, vintage print
Private collection

229_ アナ：電灯の花
Anna : Flower of Light
1970年　32.0×28.0 cm
リトグラフ（多色）、紙
Lithograph in colours
Ed. Société Internationale d'Art XXe siècle, Paris. / L. Amiel New York.
Ex. 69/75
Galerie Eva Meyer, Paris

230_ キキ・ド・モンパルナス
Kiki de Montparnasse
(after the drawing of 1924)
1970年　44.0×52.5 cm
リトグラフ（多色）、紙
Lithograph in colours
A.P.
Galerie Eva Meyer, Paris

231_ 二つの顔のイメージ
Two-Faced Image
(after the painting of 1959)
1971年　65.5×49.5 cm
リトグラフ（多色）、紙
Lithograph in colours
Ed. Michel Toselli, Paris. II/V A.P.
Galerie Eva Meyer, Paris

232_ ルネ（版画集『時を超えた貴婦人たちのバラード』より）
Renée, from *La Ballade des Dames hors du Temps*
1971年　49.5×39.5 cm
エッチング、アクアティント（多色）、紙
Etching with aquatint in colours
Ed. Société Internationale d'Art XXe siècle, Paris. / L. Amiel New York.
H.C. XIV/XXV
Galerie Eva Meyer, Paris

233_ ソニア（版画集『時を超えた貴婦人たちのバラード』より）
Sonia, from *La Ballade des Dames hors du Temps*
1971年　49.5×39.5 cm
エッチング、アクアティント（多色）、紙
Etching with aquatint in colours
Ed. Société Internationale d'Art XXe siècle, Paris. / L. Amiel New York.
H.C. XIV/XXV
Galerie Eva Meyer, Paris

234_ アドリエンヌ（版画集『時を超えた貴婦人たちのバラード』より）
Adrienne, from *La Ballade des Dames hors du Temps*
1971年　49.5×39.5 cm
エッチング、アクアティント（多色）、紙
Etching with aquatint in colours
Ed. Société Internationale d'Art XXe siècle, Paris. / L. Amiel New York.
H.C. XIV/XXV
Galerie Eva Meyer, Paris

235_ ジェニア（版画集『時を超えた貴婦人たちのバラード』より）
Genia, from *La Ballade des Dames hors du Temps*
1971年　49.5×39.5 cm
エッチング、アクアティント（多色）、紙
Etching with aquatint in colours
Ed. Société Internationale d'Art XXe siècle, Paris. / L. Amiel New York.
H.C. XIV/XXV
Galerie Eva Meyer, Paris

236_ トニー（版画集『時を超えた貴婦人たちのバラード』より）
Tony, from *La Ballade des Dames hors du Temps*
1971年　49.5×39.5 cm
エッチング、アクアティント（多色）、紙
Etching with aquatint in colours
Ed. Société Internationale d'Art XXe siècle, Paris. / L. Amiel New York.
H.C. XIV/XXV
Galerie Eva Meyer, Paris

237_ ジュリー（版画集『時を超えた貴婦人たちのバラード』より）
Julie, from *La Ballade des Dames hors du Temps*
1971年　49.5×39.5 cm
エッチング、アクアティント（多色）、紙
Etching with aquatint in colours
Ed. Société Internationale d'Art XXe siècle, Paris. / L. Amiel New York.
H.C. XIV/XXV
Galerie Eva Meyer, Paris

238_ ナターシャ（版画集『時を超えた貴婦人たちのバラード』より）
Natasha, from *La Ballade des Dames hors du Temps*
1971年　49.5×39.5 cm
エッチング、アクアティント（多色）、紙
Etching with aquatint in colours
Ed. Société Internationale d'Art XXe siècle, Paris. / L. Amiel New York.
H.C. XIV/XXV
Galerie Eva Meyer, Paris

239_ シーラ（版画集『時を超えた貴婦人たちのバラード』より）
Sheila, from *La Ballade des Dames hors du Temps*
1971年　49.5×39.5 cm
エッチング、アクアティント（多色）、紙
Etching with aquatint in colours
Ed. Société Internationale d'Art XXe siècle, Paris. / L. Amiel New York.
H.C. XIV/XXV
Galerie Eva Meyer, Paris

240_ マルグリット（版画集『時を超えた貴婦人たちのバラード』より）
Marguerite, from *La Ballade des Dames hors du Temps*

1971年　49.5×39.5 cm
エッチング、アクアティント(多色)、紙
Etching with aquatint in colours
Ed. Société Internationale d'Art XXe siècle, Paris. / L. Amiel New York.
H.C. XIV/XXV
Galerie Eva Meyer, Paris

241_ エリザベス(版画集『時を超えた貴婦人たちのバラード』より)
Elizabeth, from *La Ballade des Dames hors du Temps*
1971年　49.5×39.5 cm
エッチング、アクアティント(多色)、紙
Etching with aquatint in colours
Ed. Société Internationale d'Art XXe siècle, Paris. / L. Amiel New York.
H.C. XIV/XXV
Galerie Eva Meyer, Paris

242_ ヴィヴィアン(版画集『時を超えた貴婦人たちのバラード』より)
Vivian, from *La Ballade des Dames hors du Temps*
1971年　49.5×39.5 cm
エッチング、アクアティント(多色)、紙
Etching with aquatint in colours
Ed. Société Internationale d'Art XXe siècle, Paris. / L. Amiel New York.
H.C. XIV/XXV
Galerie Eva Meyer, Paris

243_ テレーズ(版画集『時を超えた貴婦人たちのバラード』より)
Thérèse, from *La Ballade des Dames hors du Temps*
1971年　39.5×49.5 cm
エッチング、アクアティント(多色)、紙
Etching with aquatint in colours
Ed. Société Internationale d'Art XXe siècle, Paris. / L. Amiel New York.
H.C. XIV/XXV
Galerie Eva Meyer, Paris

244_ ドンナ(版画集『時を超えた貴婦人たちのバラード』より)
Donna, from *La Ballade des Dames hors du Temps*
1971年　39.5×49.5 cm
エッチング、アクアティント(多色)、紙
Etching with aquatint in colours
Ed. Société Internationale d'Art XXe siècle, Paris. / L. Amiel New York.
H.C. XIV/XXV
Galerie Eva Meyer, Paris

245_ コンサート(版画集『時を超えた貴婦人たちのバラード』より)
Concert, from *La Ballade des Dames hors du Temps*
1971年　39.5×49.5 cm
エッチング、アクアティント(多色)、紙
Etching with aquatint in colours
Ed. Société Internationale d'Art XXe siècle, Paris. / L. Amiel New York.
H.C. XIV/XXV
Galerie Eva Meyer, Paris

246_ イジドール・デュカスの謎
The Enigma of Isidore Ducasse
1920/1971年　45.0×58.0×23.0 cm
布に包まれたオブジェ、フェルト、紐
Empackaged object, felt and string
Ed. Arturo Schwarz, Milan. 4/10
Private collection

247_ フェルー通り　Rue Férou
1952/1974年　53.5×39.5 cm
リトグラフ(多色)、紙
Lithograph in colours
Ex. 27/37
Galerie Eva Meyer, Paris

248_『マン・レイの写真 1920-1934 パリ』
Photographs by Man Ray 1920-1934 Paris
1934年刊　31.0×25.5 cm
Randam House, Hartford, Conneticut, New York.
2nd edition.
Private collection

249_『パン・パン(彩色パン)』
Le pain peint
1952/1973年刊　66.0×50.6×4.0 cm
Galerie Alexandre Iolas, Paris.
Ex. 300
Private collection

250_『サド侯爵の私的覚書(1803-1804)』
Marquis de Sade, Cahiers Personnels (1803-1804)
1953年刊　19.3×12.4 cm
Edition Corrêa, Paris.
Ex. 97/295
Private collection

251_『セルフポートレート』 *Self Portrait*
1963年刊　24.7×19.6 cm
Atlantic Monthly/Little, Brown and Company, Boston.
1st edition
Private collection

252_『骰子の7の目』
Le Septième Face du Dé
1973年刊　30.0×24.0 cm
Filipacchi, Paris. Ex. 92/150
Private collection

253_「マン・レイ 天が下に新しきもの展」
(シュルレアリスム画廊、パリ)
Man Ray, Du nouveau sous le soleil, Galerie Surréaliste, Paris
1928年　12.0×14.7 cm
Private collection

254_「マン・レイ展」
(ヴァン・レール画廊、パリ)
Man Ray, Galerie Van Leer, Paris
1929年　12.0×15.5 cm
Private collection

255_「シュルレアリスム展 彫刻・オブジェ・絵画・デッサン」
(ピエール・コル画廊、パリ)
Exposition Surréaliste, Sculptures-Objets-Peintures-Dessins, Galerie Pierre Colle, Paris
1933年　14.0×10.5 cm
Private collection

256_「マン・レイ 絵画とオブジェ展」
(カイエ・ダール画廊、パリ)
Man Ray, Exposition de Peintures et Objets, Cahiers d'Art, Paris
1935年　12.5×19.5 cm
Private collection

257_「マン・レイ デッサン展」
(ヴァレンタイン画廊、ニューヨーク)
Drawings by Man Ray, Valentine Gallery, New York
1936年　19.2×15.2 cm
Private collection

258_「マン・レイ デッサン展」
(ジャンヌ・ビュシェ画廊、パリ)
Les Dessins de Man Ray, Galerie Jeanne Bucher, Paris
1937年　14.0×17.0 cm
Private collection

259_「マン・レイ 非－抽象展」
(レトワール・セレ画廊、パリ)
Man Ray, Non-Abstractions, L'Étoile Scellée, Paris
1956年　21.0×12.0 cm
Private collection

260_「マン・レイ展」
(リーヴ・ドロワット画廊、パリ/アレクサンダー・イオラス画廊、ニューヨーク)
Man Ray, Galerie Rive Droite, Paris / Alexander Iolas, New York
1959年　31.5×24.0 cm
Private collection

PHOTOGRAPHIC CREDITS

Courtesy Association Internationale Man Ray, Paris
No. 1. 5. 16. 24. 25. 27. 28. 30. 33. 37. 40. 51. 52. 54. 57. 65. 70. 73. 79. 82. 83. 88. 90. 92. 112. 121. 122. 127. 128. 129. 137. 142. 151. 152. 170. 175. 182. 187. 190. 193. 200. 202. 207. 214. 253. 254. 255. 256. 257. 258. 259. Fig. 3. 4. 5. 6. 7. 8. (+ P. 245)

© Marc Domage, Courtesy Association Internationale Man Ray, Paris
No. 2. 3. 6. 7. 8. 9. 10. 11. 12. 13. 14. 15. 17. 18. 19. 21. 22. 26. 32. 35. 36. 38. 39. 41. 42. 43. 44. 46. 47. 49. 50. 56. 58. 59. 60. 61. 62. 63. 64. 66. 68. 69. 71. 74. 75. 76. 77. 78. 80. 84. 85. 87. 89. 91. 93. 94. 95. 96. 97. 98. 99. 100. 102. 103. 110. 111. 113. 114. 115. 116. 117. 118. 119. 120.125. 126. 130. 131. 132. 133. 134. 135. 138. 139. 140. 141. 144. 146. 147. 148. 149. 150. 153. 154. 155. 156. 157. 158. 159. 160. 161. 162. 163. 164. 165. 166. 167. 168. 169. 171. 172. 174. 176. 177. 178. 180. 181. 185. 186. 188. 189. 191. 192. 195. 197. 198. 199. 201. 203. 206. 211. 213. 215. 227. 228. 229. 230. 231. 232. 233. 234. 235. 236. 237. 238. 239. 240. 241. 242. 243. 244. 245. 247. 248. 249. 250. 251. 252. 260 (+ P. 245)

© Xavier Lahache, Courtesy Association Internationale Man Ray, Paris
No. 4. 53. 246.

Courtesy MARUANI MERCIER Gallery, Brussel
No. 20. 23. 208.

Courtesy Telimage, Photothèque Man Ray, Paris
No. 29. 31. 45. 48. 55. 67. 72. 81. 86. 101. 104. 136. 143. 145. 173. 179. 202. 212. Fig. 1. 2. 9. (+ P. 245)

© Zarko Vijatovic, courtesy Gagosian Gallery, Paris
No. 34. 183. 184. 194. 196.

Bibliothèque Elsa-Triolet, St-Etienne-du-Rouvray / Mediris / Art Digital Studio
No. 105. 106. 107.

© António Jorge Silva, Pierre Huber Collection, Switzerland
No. 123.

© Grégory Copitet-Enseigne des Oudin, Paris
No. 124.

Courtesy Aiko Miyawaki Atelier, Japan
No. 204. 205.

© Frans Strous, Courtesy Design Museum Den Bosch, the Netherlands
No. 209. 210.

Courtesy LEVY Galerie, Hamburg
No. 216. 217. 218. 219. 220. 221. 222. 223. 224. 225. 226.

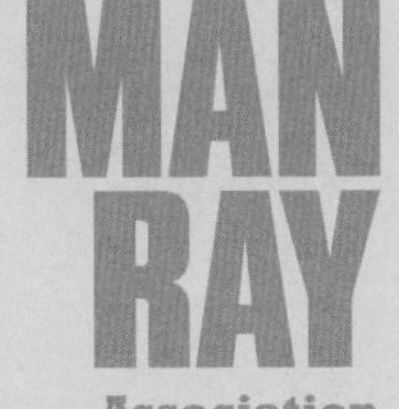

マン・レイ、マリオン・メイエ、国際マン・レイ協会
——ある友情の歴史

マリオン・メイエは美術史家・美術鑑定人有資格者として、1960年代から国際美術界と交流をつづけ、マックス・エルンストやハンス・ハルトゥング、ドロテア・タニングをはじめとする多くの著名な美術家たちと交友してきました。

マン・レイとはエルンストとその妻ドロテア・タニングを通じて知りあいました。フェルー通りのマン・レイのアトリエで未来の夫となる高名な出版者マルセル・ゼルビブと出会い、二人ともマン・レイ夫妻と強い友情で結ばれました。この交友は1976年にマン・レイが他界するまで、さらにジュリエット・マン・レイが1991年に亡くなるまでつづきました。

国際マン・レイ協会（アソシアシオン・アンテルナシオナル・マン・レイ）は1990年、ジュリエット・マン・レイによってパリに設立されたものです。以来この協会の使命は、マン・レイの作品を守り、展覧会や出版事業への協力という側面からその光芒を伝えることでした。

ジュリエット・マン・レイが亡くなってから、協会は彼女の弟の一人であるグレゴリー・ブラウナーの管理下にありましたが、その没後の2004年、マリオン・メイエが会長に就任したのです。

それ以来、協会はマン・レイをめぐる多くの主要な展覧会のために、出品と監修の協力をすることで貢献しています。そればかりかマン・レイの作品と活動過程の研究をともにおこない、たとえばマン・レイのオブジェと彫刻のカタログ・レゾネのような計画もリードしてきました。

またマン・レイが1951年に合衆国から戻って住みついたパリのフェルー通りの、あの神話的なアトリエを再構成することも目標のひとつです。実際に協会は今日までこの最後のアトリエにのこされた家具類を保存しているのです。

1979年にマリオン・メイエはパリに画廊を開設し、マルセル・デュシャン、マックス・エルンスト、フランシス・ピカビア、そしてもちろんマン・レイをはじめとする前衛芸術家たちの作品を展示・保管してきました。画廊が2006年にコンテンポラリー・アートの方向へむかうまでは、ダダとシュルレアリスムを専門に扱っていました。

長年にわたってマリオン・メイエは美術品の一大コレクションを築いてきましたが、なかでもマン・レイの絵画、彫刻、オブジェ、写真、デッサン……のコレクションは重要です。彼女はこのコレクションを惜しむことなく協会の自由裁量にまかせてプロモーションを可能にし、マン・レイの作品に誰もがアクセスできるようにしたのです。

女性というテーマはマン・レイの作品のなかでも第一義的なものです。女性たちはマン・レイの生涯を通じてつねに霊感の泉でした。芸術あるいは美の源だったばかりでなく、新しい技法のたゆまぬ探究の過程にも貢献し、大きな役割を演じました。女性たちはマン・レイのミューズであり、アシスタントであり、恋人であり、霊感源であり、旅の仲間であり、あらゆる点で対等の存在でした。女性たちがマン・レイの仕事に及ぼした影響はとうてい無視できるものではありません。

マリオン・メイエはまたこの展覧会で、パリのある時代に強調を置きたいと思っています。1920年代から30年代にかけてのパリという人生・思想・芸術の沸きたっていた時代——当時の豊かな創造性を証明するさまざまな資料の全体を通じて、それが実現されるでしょう。

マン・レイはこの時期のあいだにじつに多くの人々とつきあい、彼らの不滅の肖像を残しました。混然とした環境のなかに、社交界の女性たちも、舞台の女性たち、女優たちや歌手たちも、芸術界の女性たちもいました。たとえばガートルード・スタイン、メレット・オッペンハイム、ベレニス・アボット、ドラ・マールといった女性たち。キキ・ド・モンパルナスやリー・ミラーの肖像写真などは、いつまでもアイコンとして残りつづけることでしょう。

この展覧会はまた、ここに登場するすべての女性たち、有名であろうとなかろうと、マン・レイの人生の道を横切り、作品のなかでそれぞれの役割を演じたすべての女性たちへの、ひとつのオマージュであろうとしているのです。

（訳：巖谷國士）

Man Ray, Marion Meyer, et l'Association Internationale Man Ray —une histoire d'amitié

Marion Meyer, historienne de l'art et experte certifiée en art, a fréquenté dès les années 60 le milieu artistique international. Elle a côtoyé Max Ernst, Hans Hartung, Dorothea Tanning et bien d'autres grands noms de l'art.

Elle a fait la connaissance de Man Ray à travers Max Ernst et de sa femme Dorothea Tanning. Et c'est dans l'atelier de Man Ray, rue Férou à Paris, qu'elle a rencontré son futur mari Marcel Zerbib, célèbre éditeur. Les deux couples ont entretenu un lien d'amitié fort et ce jusqu'à la mort de Man Ray en 1976, puis jusqu'à la disparition de Juliet Man Ray en 1991.

L'Association Internationale Man Ray a été fondée en 1990 à Paris par Juliet Man Ray. Depuis cette date la mission de l'Association a été de défendre et de faire rayonner l'œuvre de Man Ray par le biais d'accompagnement de projets d'expositions et de publications.

Après le décès de Juliet Man Ray, l'Association a été gérée par un de ses frères, Gregory Browner. A sa disparition, Marion Meyer en est devenue la présidente en 2004.

Depuis, l'Association a apporté son soutien et son expertise à plusieurs expositions majeures sur Man Ray. Elle accompagne en outre les recherches sur l'œuvre et le parcours de l'artiste et initie des projets comme le Catalogue raisonné des objets et sculptures de Man Ray.

Un de ses objectifs est de reconstituer l'atelier mythique de Man Ray, rue Férou à Paris, où il s'est installé en 1951 à son retour des États-Unis. En effet, l'association a conservé, jusqu'ici, le mobilier de son dernier atelier.

En 1979 Marion Meyer a ouvert une galerie d'art à Paris où elle a exposé et défendu l'oeuvre d'artistes d'avant-garde tels que Marcel Duchamp, Max Ernst, Francis Picabia et bien sûr Man Ray. Elle s'est spécialisée dans le dadaïsme et le surréalisme avant de se tourner vers l'art contemporain en 2006.

Au fil des années, Marion Meyer a constitué une importante collection d'œuvres d'art, entre autres, de Man Ray : peintures, sculptures, objets, photographies, dessins… Elle a généreusement mis cette collection à la disposition de l'Association pour que celle-ci puisse promouvoir l'œuvre de Man Ray et la rendre accessible à tout un chacun.

Le thème des femmes est primordial dans l'œuvre de Man Ray. Elles ont été une source d'inspiration constante durant toute sa vie, non seulement artistique ou esthétique mais elles ont aussi contribué et joué un grand rôle dans ses recherches inlassables de nouvelles techniques. Elles ont été ses muses, ses assistantes, ses amours, son inspiration, ses compagnons de route, en tout point son égal. Leur influence sur son travail est loin d'être négligeable.

Marion Meyer veut également dans cette exposition mettre l'accent sur une époque parisienne, bouillonnante de vie, d'idées, d'art qu'était le Paris des années 1920 et 1930 à travers un ensemble de documents qui témoignent de cette période de grande créativité.

Man Ray a fréquenté et immortalisé durant cette époque un grand nombre de personnes, tout milieu confondu, dont des femmes de la haute société, des femmes du monde du spectacle, actrices et chanteuses, des femmes du milieu artistique telles que Gertrude Stein, Meret Oppenheim, Bérénice Abbott, Dora Maar. Ses photographies de Kiki de Montparnasse et de Lee Miller resteront pour toujours iconiques.

Cette exposition se veut aussi un hommage à toutes ces femmes, connues ou moins connues, qui ont croisé son chemin et qui ont joué un rôle dans l'œuvre de Man Ray.

後記 Author's Note

「マン・レイと女性たち」という魅力的なテーマで、展覧会監修と本書執筆の仕事を依頼されたのは、2年ほど前のことでした。パリのマリオン・メイエさんと国際マン・レイ協会の協力があるとも聞いて、その場で引きうけたのですが、やがて予想もしなかったパンデミックがはじまり、今回はいろいろな意味で難航しました。それでもここまで漕ぎつけて、一息ついているところです。

今回は、と書いたのは、2004年から翌年にかけて、同じメイエさんとの共同監修で「マン・レイ―私は謎だ」という展覧会をつくり、国内5箇所を巡回したことがあるからです。マン・レイという芸術家にはもともと関心が深く、とくにその生き方には共感もあるので、女性像・女性観をたどる前例のないテーマの展覧会は、さらにやってみたかったことのひとつでした。

画家として出発したマン・レイは、最初の妻アドンと別れ、ニューヨークとも別れて、30歳でパリの土を踏み、ダダ・シュルレアリスムのグループとまじわりつつ、生活のために肖像写真とファッション写真の仕事をはじめましたが、そのために多くの女性たちと出会い、愛しあい、交友し、彼女たちを撮影することになりました。両大戦間にのこした女性像を集めただけでも、一時代の女性の芸術文化と社交界、モード界の有様が浮びあがるほどです。

そればかりか、画家の自覚の強かったマン・レイには、専門のいわゆる写真家と違うところがありました。ひとつは純粋なジャンルとしての写真を追求せず、絵画やオブジェや言語芸術にまで越境して、多義的な作品世界をつくったことですが、もうひとつ、女性たちの肖像にも特徴があることに気づきます。それは対象を支配・所有しようとしていない、ということです。

スタジオで撮る写真家は、モデルを自在に演出し、コントロールしがちでしょう。被写体はいわば道具になり、ときには写真家の欲望の対象にもなります。裸体はとくにそうですが、男性写真家は多かれ少なかれ欲望をあらわに表現し、そのことによって評価される場合もあります。

ところがマン・レイにはその点が稀薄です。オブジェの芸術家だったマン・レイは、被写体をオブジェ（外部の客観物）としてとらえ、主観を投入せずに、むしろ讃美に傾きます。モデルは支配・所有の対象ではなく、讃えるべき独立したオブジェなのです。

マン・レイの撮った女性像には美しい、ときにははっとするような、息を呑むような美しいものがあります。自由で活潑な、あるいは優しく内省的な、それぞれに自立した女性を感じとらせます。そのことは意図でも技巧でもなく、マン・レイという芸術家の物の見方、考え方、そして生き方から来ているでしょう。

モンパルナス墓地にあるマン・レイのお墓が思いうかびます。最後の妻ジュリエットのつくらせたもので、卵形をした墓石の表面に、こう書かれています。

「かかわりをもたず、だが無関心ではなく。」

マン・レイの生き方を軽く要約した言葉で、実際には無関心ではないどころか、好奇心旺盛だったろうと思われますが、数あるマン・レイの寸言のなかでも、ジュリエットがこれを選んだということに感動をおぼえます。彼は彼女に対しても、この生き方で接していたのかもしれません。

マン・レイはいつも女性と対等につきあいながら、こうしたさりげない客観性を保っていたのではないでしょうか。

マン・レイののこした女性像が美しいというとき、ニュアンスはさまざまですが、さりげない客観性があってこそ受けとめられる対象の自己、自由、自立といったものも含まれるように思います。

パンデミックのさなかに、「マン・レイと女性たち」の数多い作品と解説が、この国・この社会に生きている女性たちに、また男性たちにも、励ましと悦びを与えるものになればと思います。

2021年6月12日　巖谷國士

展覧会「マン・レイと女性たち」

会場構成

宮澤政男
吉川貴子
木内真由美
松井正
竹花藍子
朝木由香
籾山昌夫

オーディオガイド

ナレーション

久保井研（劇団唐組）
藤井由紀（劇団唐組）

映像提供

Telimage, Photothèque Man Ray, Paris
©Telimage-Oda Édition-1999
Courtesy Association Internationale Man Ray, Paris

開発・製作

金一石（センシング）
富山隆太（サイブリッジ）
水口翼（サイブリッジグループ）

監修・著

巖谷國士

編集協力

豊田奈穂子（アートプランニング レイ）
深井大門（アートプランニング レイ）
国際マン・レイ協会
(Association Internationale Man Ray, Paris)

資料提供

小山祐美子
長谷川晶子

装幀・デザイン

中村香織（コパンダ）

校閲

古市雅則

地図製作

尾黒ケンジ

編集

清水壽明
日下部行洋（平凡社）

マン・レイと女性たち

2021年7月14日　初版第1刷発行

監修・著　巖谷國士
発行者　下中美都
発行所　株式会社平凡社
〒101-0051　東京都千代田区神田神保町3-29
電話　03-3230-6585（編集）
03-3230-6573（営業）
振替　00180-0-29639
ホームページ https://www.heibonsha.co.jp/

印刷・製本　大日本印刷株式会社

ISBN 978-4-582-20722-4　NDC分類番号 702.53
A5判（21.6cm）　総ページ272